D1235324

AUTOUR DU MONDE

LAURENT MAUVIGNIER

AUTOUR DU MONDE

LES ÉDITIONS DE MINUIT

L'ÉDITION ORIGINALE DE CET OUVRAGE A ÉTÉ TIRÉE
À SOIXANTE EXEMPLAIRES SUR VERGÉ DES PAPETE-
RIES DE VIZILLE, NUMÉROTÉS DE 1 À 60 PLUS NEUF
EXEMPLAIRES HORS COMMERCE NUMÉROTÉS DE
H.-C. I À H.-C. IX

ISBN : 978-2-7073-2385-9

Pour Simon et Aliénor.

Il lui semblait que certains lieux sur la terre devaient produire du bonheur, comme une plante particulière au sol et qui pousse mal tout autre part.

Gustave Flaubert

Le temps que vous finissiez de lire cette phrase, un Boeing aura décollé ou atterri quelque part dans le monde.

Bret Easton Ellis

On croit qu'on va faire un voyage, mais bientôt c'est le voyage qui vous fait, ou vous défait.

Nicolas Bouvier

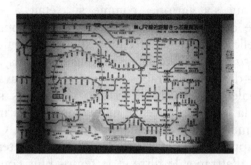

Quelle heure il peut être chez moi ? se demande Guillermo, histoire de ne pas rester sans rien faire ni attendre encore alors que dehors, de l'autre côté de la vitre, l'image de cette fille se mêle aux reflets du comptoir, avec les pans entiers de miroirs et les néons jaunes et roses qui se dessinent dans le gris du ciel, comme des peintures suspendues au vide.

Yûko ne semble pas décidée à raccrocher. Pourtant, se dit Guillermo, depuis vingt minutes qu'elle est dehors, elle doit avoir froid. Mais elle ne reste pas en place et semble exclusivement tournée vers ce qu'elle dit et entend, et, si Guillermo en juge par cette façon qu'elle a de parler, elle défend, elle attaque, son agacement ressemble à des petits hoquets ou à des cris retenus, à peine lâchés, comme des bombes à fragmentation. Parfois, au contraire, ce sont des silences trop longs et des signes de refus obstiné, elle ne s'intéresse à rien d'autre, pas même à regarder à l'intérieur du bar ni à adresser un geste pour remercier Guillermo

11

d'attendre comme il le fait, sagement, sans toucher à l'*onigiri* aux miettes de saumon devant lui.

Il la voit faire les cent pas, le portable collé à l'oreille et la main qui s'y agrippe, comme si c'était à sa paume elle-même que Yûko demandait des explications. L'autre main – celle qui pourrait être libre si elle ne tenait l'énième cigarette *slim* que Yûko laisse se consumer sans presque y toucher – dessine des arabesques mystérieuses avant de revenir docilement devant le visage. Les doigts se posent alors sur la joue gauche et le mouvement de la main semble se calmer, mais c'est seulement une illusion. Ça dure le temps d'approcher la cigarette de sa bouche, le temps pour les lèvres d'attraper le filtre et le temps plus court encore d'aspirer une bouffée avant de la rejeter, sans même s'en apercevoir. La fumée fait comme un voile devant ces yeux très noirs et un peu vitreux – ces beaux yeux encore injectés de sang et qui semblent maintenant complètement indifférents à la présence de Guillermo.

Quelle heure il peut être à Mexico ? Quelle heure il peut être chez lui ? Il voudrait imaginer Mexico et son quartier à cette heure-ci, ce que peuvent faire ses voisins, sa famille, ses amis. Puis non, cette pensée l'ennuie, il essaie de la chasser le plus souvent qu'il peut, c'est-à-dire plusieurs fois par jour. Depuis les premières heures de son arrivée à Tokyo, il y a déjà trois semaines, et pendant qu'il sillonnait le sud-ouest du pays, il n'a pas cessé d'y penser. Depuis soixante-douze heures, en revanche, il n'a pas eu vraiment le temps, sauf maintenant, parce qu'il est seul de ce côté du bar et que Yûko est seule de l'autre côté de la vitre. Au fond, la vraie question est de savoir ce qu'ils peuvent bien faire, les uns et les autres, à Mexico, et s'il y en a, Alicia sans doute, Javier peut-être, quelques amis tout au plus, qui pensent à lui. Ses parents doivent parler de lui jusqu'à la nausée et s'énerver, désespérer de lui et essayer encore et encore, en vain, de le joindre. Ils ont sans doute saturé sa messagerie de portable, ses emails, ils ont sans doute aussi harcelé Javier, parce qu'il est son meilleur ami. Et il connaît Javier, il dira la vérité, Guillermo est parti au Japon depuis trois semaines mais il ne faut pas s'en faire, ce n'est pas la première fois qu'il part tout seul, c'est un solitaire, vous savez, je n'ai pas de news – et la seule fois où il mentira c'est pour prétendre qu'il préviendrait tout de suite si Guillermo venait à lui en donner. Guillermo se dit que ses parents ne se satisferont pas des réponses de Javier. Ils iront jusqu'à chez Alicia et elle répondra avec des trémolos dans la voix que leur salopard de fils n'a même pas daigné la prévenir de son départ. Il est du genre à sortir acheter des cigarettes et à revenir trois semaines plus tard, la mine réjouie et tout à fait disposé à parler des gens magnifiques qu'il a rencontrés pendant tout ce temps où vous vous rongiez les sangs pour lui.

Guillermo aime bien Alicia. Pour l'instant, il est pourtant avec une fille bien plus intéressante, une fille qui n'a pas froid aux yeux et aime le sexe et s'amuser et danser – contrairement à Alicia –, et puis parler de science-fiction. Elle connaît Philip K. Dick sur le bout des doigts, elle a été élevée aux mangas, elle a vu *Akira* et *Ghost in the Shell* alors qu'elle n'avait pas dix ans, ce qui change merveilleusement d'Alicia et des filles avec qui il sort d'habitude. L'image de ses parents le traverse comme une sorte de mauvais courant électrique, mais file et disparaît quelque part dans les méandres de son cerveau. Il a juste le temps de se féliciter de se retrouver sans portable ni ordinateur. Heureusement qu'il a perdu son téléphone deux semaines plus tôt et ne songe jamais à regarder ses emails quand il va dans un cybercafé. Pour lui, la seule chose qui compte vraiment c'est de partir et de découvrir le monde, des pays pour lesquels il a toujours eu de l'intérêt, les États-Unis, l'Inde, le Japon. À sa façon, il veut juste vérifier si le réel est à la hauteur de ses rêves, de ses désirs. Il y a des lieux dans son esprit, et il voudrait avoir la certitude qu'ils ont un peu de cet esprit qu'il leur prête. Des fantasmes, des images – les USA ont tracé leur route 66 en plein milieu de son cerveau et l'Inde, une route vers le Népal.

Et puis il y a cette autre passion, vraie et ancienne, aussi vieille que des souvenirs d'enfance, le Japon. Une belle passion jamais démentie depuis qu'il l'avait découvert réellement, autant que le sexe, l'alcool – des passions disparates et futiles, la défonce sous à peu près toutes ses formes et, plus intimement, les chansons de Bob Dylan et la voix triste et douce de Chet Baker.

Maintenant, il baisse les yeux – d'abord pour ne pas regarder encore Yûko et lui montrer combien il est fasciné par elle. Mais s'il baisse les yeux vers ses mains, s'il veut se mettre à compter le décalage horaire avec ses doigts, c'est surtout pour en finir avec cette question qui le taraude, comme une tache indélébile dont on croirait se débarrasser et qui réapparaît toujours, *quelle heure il peut être là-bas*, comme un totem, une phrase magique que tous les touristes et les voyageurs se posent à un moment ou à un autre de leur voyage, lorsqu'ils osent un regard sur là d'où ils viennent, ce lieu dont ils peuvent croire qu'il est seulement un temps de leur vie, seulement le passé. Mexico, c'est d'abord du passé. Même si, normalement, c'est aussi son avenir, puisqu'il est bien censé y revenir, ce qui – pour l'instant il l'ignore – ne se fera jamais.

En fait, ce que Guillermo ne peut pas savoir encore, c'est que cet après-midi, lui parmi d'autres, parmi des milliers, comprendra juste qu'il n'aura plus l'occasion de revoir ni Mexico ni personne ni même d'avoir un avenir. Il aura à peine le temps d'en prendre conscience et déjà ce sera trop tard, en moins de temps qu'il n'en faudra pour le dire et même le penser, en moins de temps surtout pour en combattre l'idée et essayer de fuir, imaginer fuir – et Guillermo sera mort.

Mais pour l'instant, Guillermo pense joyeusement que l'aventure japonaise n'est rien d'autre qu'une jolie parenthèse du prénom de Yûko.

Guillermo baisse les yeux pour regarder ses doigts et commence à former des chiffres et des nombres dans sa bouche. Son haleine est encore chargée de café, de thé, et surtout des relents de l'alcool qu'il a avalé depuis deux jours, presque sans discontinuer. Sa langue essaie de lancer des mots, de retrouver l'espagnol ; sa langue natale tente de se désembourber de cette bouche qui ne parle que dans un anglais d'aéroport depuis trois semaines. Sur ses doigts, il essaie de suivre, mais ses mains tremblent toujours de cette nuit trop blanche pour y échapper encore, alors que le jour s'est installé depuis des heures, agressant l'œil de sa luminosité tapageuse. Hier soir ils avaient bu, ils avaient sniffé de la coke avec deux types aux cheveux teints en jaune, dont l'un avait un anneau fiché dans le nez. Et puis ils étaient sortis et trois ou quatre types les avaient agressés. Guillermo avait laissé Yûko les engueuler, il les avait entendus rire – peut-être avait-il eu le soupçon que Yûko les connaissait ? –, et ils s'étaient sans doute battus parce qu'il s'était réveillé sur le froid d'une dalle de béton, une arcade légèrement ouverte et son jean déchiré au niveau du genou. Il avait des traces de sang sur le tissu, son argent et sa montre avaient disparu. Il se souvient vaguement de la prise de coke, des deux gars aux cheveux jaunes, de la lumière et des néons, de la techno à fond, du déhanchement de Yûko, de son désir de danser et surtout de sa bouche avide et aussi de la blessure qu'avait faite à sa langue le clou qu'elle porte juste au-dessous de la lèvre inférieure.

Depuis, il a gardé dans sa bouche ce goût de sang infect et délicieux. Cette douceur qui va jusqu'à l'écœurement quand il crache dans le lavabo de la salle de bains minuscule de Yûko, et qu'un filet rosé teinte l'émail d'une tache qui ressemble à une tulipe dégoulinante et molle.

Depuis trois semaines qu'il est parti de Mexico, Guillermo a passé son temps à parcourir seul le sud et l'ouest du Japon, et, à force de passer d'une ville à l'autre, d'un village à l'autre, il ne sait plus trop où il est. Dans un pays où la langue est aussi abstraite qu'une toile de Pollock, une langue qui lui semble ne pas avoir de grammaire, d'ordre établi, qui parle par éclats explosant à ses oreilles comme des milliers de faisceaux lumineux irradiant l'espace dans tous les sens, il se dit que c'est aussi mystérieux et poétique que la forme parfaite d'un cercle. Il pense à toutes ces images qu'il a accumulées en trois semaines, les formes serpentines des lignes du métro de Tokyo, les gens qu'il a rencontrés et puis ce moment où, en venant à Tokyo, il avait décidé de chercher une fille.

Il avait trouvé sur Internet, avait téléphoné en baragouinant en anglais, comme à chaque fois qu'il part à l'étranger. Ça faisait trois semaines qu'il n'avait touché personne, il voulait rencontrer une fille qui soit suffisamment cinglée pour faire l'amour au premier coup d'œil et lui trouver de quoi se défoncer, car il avait eu envie de drogues et d'alcool, avait eu besoin de sexe et de musique, de s'amuser comme il savait le faire, avec excès, pour se remettre de cette cure de solitude où il n'avait croisé que des types qui roulaient en Datsun blanche dans des régions où les villes ne sont qu'un croisement de deux rues désertes, où il avait dormi dans des chambres humides et froides, souvent sombres, et où il avait mangé dans des *ryokan* où ses seuls compagnons s'épanouissaient dans des viviers et le regardaient en nageant paresseusement entre des rochers factices. Il avait rencontré Yûko sur un site où elle aimait échanger avec des hommes de passage. Guillermo avait trouvé qu'elle était celle dont il avait rêvé – elle était même exagérément conforme à ses désirs.

Elle avait peut-être dix-huit ans, ou peut-être plus, parce que les Japonaises ont toutes l'air si jeune, même les femmes mûres ont quelque chose de jeune. Il faut vraiment qu'elles soient très vieilles pour que les visages se décident à avouer leurs années. L'idée de lui demander son âge avait traversé son esprit lorsqu'ils s'étaient rencontrés, mais c'était tombé à l'eau parce qu'il leur avait semblé, à l'un et à l'autre, qu'il y a des manières plus urgentes de faire connaissance. Yûko travaillait il y a encore une semaine dans un *lingerie pub* de Kabukichô à Shinjuku, mais elle avait démissionné depuis trois jours, pas seulement parce qu'elle en avait assez de passer ses soirées à servir des verres en sous-vêtements, mais parce qu'il n'y avait personne dans ce bar qui finirait par fermer d'ici peu, elle en était sûre. Le lieu était trop ringard et l'ambiance trop vieillotte, les soirées y étaient si mortellement ennuyeuses qu'elle avait, presque pour se distraire, choisi de s'engueuler une bonne fois pour toutes avec le patron.

Et maintenant, c'est à lui qu'elle téléphone. Non pas pour lui demander de la reprendre, mais pour exiger qu'il paie ce qu'il lui doit. Il ne veut pas et prétend qu'avec toutes les histoires qu'elle a causées, elle peut s'estimer heureuse si on en reste là. Sauf qu'elle a besoin d'argent, que Yûko n'est pas du genre à se laisser emmerder par un patron qui n'a en réalité qu'une seule raison de lui en vouloir, toujours la même, celle qui mène tous les hommes – le sexe. Il est jaloux parce qu'il est sans doute l'un des seuls avec qui depuis le début elle avait obstinément refusé de faire l'amour. Il avait toujours prétendu s'en moquer, et elle avait même fini par le croire. Pourtant, dès qu'il avait vu, entre trois et cinq heures du matin, que presque tous les soirs un type différent finissait par repartir avec elle, son comportement avait changé. Il avait fini par demander ce qu'elle pouvait bien trouver à ces pauvres pères de famille égarés, transpirant dans leur costume et leur chemise au col plus très net, qui venaient se divertir auprès d'une fille bizarre comme elle.

Et laisser quelques billets, si tu veux savoir, avait-elle ajouté.

Yûko était une fille bizarre, bien sûr, mais elle l'était aussi et d'abord physiquement. Sur la jambe droite, un tatouage remontait de son talon jusqu'à l'aine. C'était un serpent qui

18

s'enroulait autour du tibia et remontait tout le long de la cuisse en en faisant le tour, s'enroulant comme une plante, se hissant comme un lierre et qui, gueule ouverte, crocs bien visibles, menaçait le sexe en dardant vers lui une langue fourchue que beaucoup des hommes qui lui avaient fait l'amour avaient aimé suivre de la pointe de la langue, accompagnant le mouvement de la tête du serpent avant de plonger dans le pubis de Yûko. Elle n'avait jamais dit à personne pourquoi elle avait ce tatouage, ni qui le lui avait fait. Elle ne disait rien, ça faisait partie d'elle. Sa jambe était comme un arbre autour duquel s'enroulait le serpent pour monter vers son sexe et son ventre si blanc, si lisse que les hommes en étaient fous. Pas un n'osait demander quoi que ce soit ou faire une allusion à la Bible, au fruit défendu, quelque chose de cet ordre, non, pas un, parce que tous étaient impressionnés. Elle n'avait pas songé qu'on puisse lui demander d'où venait ce serpent, comme personne n'avait osé lui faire des remarques, non plus, sur ces étranges boursouflures, épaisses, rugueuses, quelques balafres comme des coups de fouet striant les omoplates et le haut de son dos.

Tout le monde regardait avec un mélange de dégoût et d'intérêt ; tous inventaient une histoire à Yûko, mais personne n'osait confronter ses hypothèses avec ce qu'elle aurait pu en dire. Parce que Yûko n'était pas du genre à parler de sa vie, de son passé – c'est comme si elle n'en avait pas, qu'elle n'avait que ce présent si dense et lumineux, une sorte d'apparition, et que le reste se tenait sagement dans l'ombre, dans le coin d'une chambre secrète ou bien, simplement, que ça n'avait jamais eu lieu. En tout cas, dans son bar, le patron avait vite compris que Yûko était une attraction. Il le savait mieux qu'elle, qui s'en fichait ou ne le soupçonnait peut-être même pas. Au début, en voyant les balafres dans le haut du dos, le patron du *lingerie pub* avait fait la grimace, il n'aimait pas l'idée d'une fille abîmée. Finalement, il avait compris l'intérêt d'une serveuse aussi singulière – une belle jeune fille qui ne demandait rien et donnait peut-être plus qu'elle n'avait à offrir. Le patron savait que nombre de ses clients étaient très intrigués par ces cicatrices, davantage encore que par le serpent. Il savait par expérience que parmi les hommes, nombreux sont les tordus, il comptait sur Yûko pour les attirer et les retenir.

Pourtant, quand on la voit comme ça, dehors, à faire les cent pas devant un bar, on n'imagine pas que cette fille porte un tatouage – *ce* tatouage –, ni que son dos est marqué aussi violemment. On n'imaginerait rien de particulier, peut-être parce qu'en la voyant on ne la trouverait ni particulièrement fantaisiste ni exubérante. Elle porte un jean, des Nike vert fluo aux semelles très épaisses qui donnent à sa démarche une sorte de légèreté mousseuse, aérienne, une démarche étonnamment chaloupée, et puis son visage est à peine maquillé. Un peu de rouge à lèvres, de fard à paupières, c'est tout. Le piercing brille sur sa bouche, son visage est très pâle, comme blanchi par la fatigue et la défonce. On voit la fatigue avant de la voir, elle, car Yûko se dissimule derrière l'épuisement. Yûko aime se laisser regarder à travers la pâleur de sa fatigue. Elle porte aussi un blouson matelassé style doudoune qu'elle traîne depuis deux hivers et dans lequel elle aime se protéger du froid, mais qu'elle aime aussi garder chez elle quand elle allume la télévision à cinq heures du matin en vidant la canette de Fanta qu'elle a achetée au *combini* en dessous de chez elle. Il n'est pas rare qu'elle s'endorme dans son blouson, sur son canapé.

Maintenant, alors qu'elle va raccrocher, elle jette son mégot et l'écrase avec la pointe de son pied, en se pelotonnant bien dans son blouson. Elle relève son col cheminée, se frotte les yeux et dit à son ex-patron qu'elle va raccrocher. Elle doit se dépêcher, elle part tout à l'heure dans le nord, oui, c'est ça, avec un homme. Oui, c'est ça aussi, dans le pays qui pue le poisson séché, dit-elle, alors qu'à l'autre bout du fil le type n'a pas ouvert la bouche. Il ne dit rien, elle laisse flotter dans l'air une minute de silence comme pour consacrer sa victoire définitive sur lui – le coup de grâce.

Ils ont loué une petite Nissan grise, que Yûko va conduire. Pas question de prendre l'autoroute, ou alors seulement au départ de Tokyo. Ils vont remonter vers le nord et Guillermo entendra à la radio du rock japonais et les chansons de Namie Amuro – Yûko lui expliquera qui est Namie Amuro – qui trancheront avec la beauté des paysages. Mais la R'n'B en japonais ne le dégoûtera pas, il trouvera ça même plutôt bien.

Il est vrai que ce matin tout sera différent, à cause d'un éclat particulier de la lumière, un état d'esprit impalpable et doux, l'envie de respirer fort, de se dire qu'on repart à zéro parce que la route serpentera entre les montagnes, que Yûko ne lui demandera rien sur sa vie et parce qu'il y aura sa bouche si joliment dessinée et ses seins petits et fermes, là, juste à côté de lui, son regard tremblant et puis, bientôt, ces heures encore à partager dans un endroit magnifique où elle compte, a-t-elle dit, rester un moment, l'invitant sans vraiment lui demander de venir, simplement en ne lui inter-

21

disant pas de le faire. Pour Guillermo, tout sera différent et léger à cause de la fatigue dans ses membres, dans sa tête, comme si la lumière devenait immatérielle et qu'elle lui entrait dans le sang, qu'elle circulait dans ses veines et sous ses paupières. Dans l'air, des images flottantes, et aussi des montagnes et les cerisiers sur la route. Même s'ils ne sont pas encore en fleurs, il y aura déjà comme une odeur vaporeuse, légère, des images de cartes postales que ne viendront pas contredire ni altérer les panneaux publicitaires pour les maisons de crédit et les prêts sur gages Yoshikawa. Des chaînes de fast-foods et des supermarchés, des noms se bousculant, McDonald's, FamilyMart, Lawson, Yoshinoya. Et malgré les noms s'étalant, malgré les klaxons et les freins hydrauliques des semi-remorques, non, on ne pourra rien y faire, les images de cartes postales ont déjà gagné.

Guillermo goûtera cette légèreté et se laissera bercer, inonder, envahir par elle, et peut-être même dormira-t-il un peu. Ils ne se diront rien, savourant le moment et cette vibration particulière entre eux, cette harmonie apaisante – et sur la plage arrière, comme une masse molle et sombre, s'étendra le blouson de Yûko, celui-là dont elle se couvrira cet après-midi sans savoir que ce geste ne fera que participer à l'enchaînement de faits minuscules tenant du miracle et qui, mis bout à bout, lui sauveront la vie.

Quand ils arrivent dans le village, Guillermo pense que c'est une petite ville, oui, un peu plus qu'un village, contrairement à ce que Yûko lui avait annoncé. Quelques milliers de gens et la pêche qui les réunit sous une étrange odeur de poisson séché planant dans l'air froid et lumineux.

Une fois garée la voiture sur un parking près du port, Yûko fait entrer Guillermo dans une des maisons au cœur des ruelles du centre-ville. Une maison typique, aux murs bruns et au toit bleu. Il ne demande pas à qui appartient cet endroit, s'il est à ses parents, à des amis, un amant. À la façon dont sa main saisit le trousseau de clé et dont elle ouvre la porte, d'un geste simple et routinier, il devine juste qu'elle doit avoir l'habitude de venir ici. À l'intérieur, il fait froid. Le chauffage n'a pas été allumé depuis longtemps et une vague odeur d'humidité et de poussière lui monte au nez. Guillermo remarque le terrarium dans un coin du salon. Dedans, il y a du sable et des petits cailloux rouges, comme de la roche volcanique, des branches mortes et noueuses. Le verre est taché de boue et de chiures de mouches, tout y semble désertique. Sans doute il est vide et à l'abandon depuis des années, mais il est là, avec sa lampe probablement morte au-dessus du coffrage en bois, et Guillermo pense soudain que le serpent qui était là a peut-être servi de modèle à celui qui est dessiné sur la jambe de Yûko – ce qu'il ne demandera pas. D'ailleurs, il ne demandera rien de ce qui pourrait faire l'objet d'une conversation, sur la pêche, oui, quels genres de poissons l'on pêche ici, est-ce que c'est le village de son enfance, sa maison, un héritage, ses parents sont-ils morts, à moins que ce soit seulement la maison qu'un ou une amie lui prête, ou celle qu'on lui a offerte en échange de – de quoi ?

Peu importe.

Il aime se dire qu'il est le premier amant invité à franchir le seuil de cette porte. Il se raconte que Yûko ne vient jamais ici avec un homme. Il ne sait pas pourquoi, mais il en est presque certain et en ressent une sorte de joie, un début de fierté. Il aimerait savoir s'il est vraiment le premier – savoir si elle lui fait cette fleur et si c'est vraiment une fleur, ou si c'est seulement qu'elle n'en peut plus de rester à Tokyo et qu'elle n'a pas envie de rester seule ici. Il pourrait le demander plutôt que de rester debout, figé, l'air idiot, en plein milieu de la pièce froide et humide, mais il ne le demande pas. Il ne lance aucune conversation et reste debout à la regarder, elle, dans sa maigreur, sa pâleur, il cherche à lire à travers sa fatigue et à comprendre ce qui l'amène soudain à s'agiter, à se précipiter pour préparer la maison – les radiateurs qu'il faut allumer, les fenêtres qu'il faut ouvrir pour aérer, les bâtons d'encens à disposer à des endroits précis de la pièce, les placards où il faut aller taper pour trouver de l'alcool et des verres et puis le nécessaire pour le thé. Les gestes s'organisent dans la maison autour du corps de Yûko. Ils lui donnent une richesse immense et un savoir délicat et précieux. Guillermo pense que le corps de Yûko a l'énergie d'une bête marine et secrète, mons-trueuse et mythique, plutôt une sorte de pieuvre diabolique qu'une sirène, l'élégance hautaine d'un autre animal, des forêts celui-ci – il imagine un grand cerf impérieux avec des bois immenses qui couronnent son crâne et s'élancent dans des ramifications invraisemblables, et à chacun de ses pas une touffe d'herbes et de fleurs naît, s'épanouit et meurt en quelques secondes. Puis l'image disparaît. C'est juste une idée qu'il se fait. Une image qui lui est revenue d'un film, peut-être, ou peut-être est-ce dû aux odeurs de la maison ? Ou bien simplement parce qu'il la trouve excitante, belle, que l'envie de faire l'amour avec Yûko le reprend subite-ment – sauf qu'en réalité, évidemment, elle ne l'avait pas vraiment lâché, à peine si elle s'était mise en stand-by, histoire de reprendre des forces, de revenir plus puissante et inassouvie que jamais.

En fait, Guillermo a son idée sur les raisons qui ont poussé Yûko à lui proposer de venir ici. Il imagine qu'elle connaissait les types avec lesquels ils ont eu une embrouille dans la nuit. Il imagine que d'autres aussi savent que Yûko n'ira plus au *lingerie pub* et rêveront sans doute de lui mettre la main dessus pour réclamer de l'argent ou de l'amour, du sexe ou de la drogue, et qu'elle tienne des promesses probablement jamais faites. Peut-être que c'est rassurant pour elle d'être partie avec un homme ? Qu'elle en a fait son garde du corps à son insu ? Peut-être que Guillermo l'amuse pour l'instant ? Il pourrait l'amuser encore deux ou trois jours, peut-être plus, tous les jours et les heures nécessaires jusqu'à ce que Yûko décide qu'il est temps d'en finir. Sauf qu'elle n'aura pas le temps d'en finir. Ce temps viendra tout seul, très vite ; bientôt il se dressera entre elle et ses désirs et les dévastera comme rien dans sa vie ne l'aura jamais fait auparavant. Bientôt, ce terrarium qui dort comme un sarcophage au milieu de la pièce va rugir – oui, comme un animal il va bondir, sauter, hurler. Tout à l'heure, il explosera en milliards d'étoiles de verre et le fracas ne sera rien parce que le verre n'aura pas le temps de voler en éclats, il n'y aura pas d'éclats – ou alors seulement de boue, de noir, parce que les milliards de bris de verre viendront s'amonceler à des milliards de débris et chaque éclat ne reflètera rien que son engloutissement.

Mais pour l'instant, il reste presque deux heures à vivre dans la douceur un peu difficile d'une gueule de bois, dans le froid d'un hiver au bord de la mer. À cette heure, celle-ci est encore grise et verte, elle garde sa beauté et son élégante souplesse, sa mobilité docile qui caresse les limites de la plage.

Pour Yûko et Guillermo, deux heures, c'est presque assez. Il y a encore de quoi vivre quand on est une sorte de couple improvisé qui invente sa rencontre depuis plus de soixante-douze heures. Ils ont envie de déconnade et de légèreté pour soulever leur quotidien, parce qu'ils ont compris que seuls les poids plumes arrivent à soulever des montagnes. Ils ont des corps pour réclamer la vie qui scintille à travers la lumière froide et très blanche qui filtre par les vitres sales de la maison de Yûko. Alors, deux heures, c'est juste le temps qu'il faut pour vider le sac de courses faites dans un Seyu, grignoter des crackers en vidant une canette de Diet Pepsi ou de Coca Light ; le temps pour Yûko de faire un thé et de montrer combien elle sait le calme et la parcimonie des gestes, qu'elle connaît l'art du thé même si elle ne peut pas s'empêcher de fumer en le servant. Guillermo l'imagine en kimono noir et bleu, comme il a vu une femme le servir dans un *ryokan* d'une ville dont il a oublié le nom – Ikeda, peut-être ? Il repense soudain à son premier bain dans un *o-furo*, à la ficelle commandant les néons circulaires d'un lustre au-dessus de son futon, aux gants blancs d'un chauffeur de taxi sur la route d'Okinawa. Toutes les images et les sensations accumulées en trois semaines, il les retrouve en regardant Yûko lui servir le thé. Mais il sait qu'elle s'amuse à jouer la *Japonaise servant du thé*, comme l'indiquerait la légende de ces vieilles cartes postales, ou dans certains prospectus touristiques. Si elle joue la Japonaise, alors Guillermo jouera le Mexicain forcément machiste, le touriste excité par la geisha fantasmée, par les jeunes femmes en tenues traditionnelles sur des cartes postales sépia.

Très vite, il la provoque, fixe ses yeux sur ses seins et avance ses bras, interrompt la jeune femme. Elle doit se redresser un peu, il tend encore davantage ses bras vers elle et place chacune de ses paumes sur les seins de Yûko. Elle ne bouge pas, puis elle se penche, elle reprend son geste de verser le thé et il lui sourit doucement en laissant ses mains sur ses seins.

En deux heures, on aura le temps de se rassasier et de finir le thé. On aura le temps de fumer quelques cigarettes et aussi de finir de préparer la maison. La chaleur commencera à la gagner, la maison va craquer, le bois se détendre dans de petits claquements secs, bientôt on se dira que ce sera un séjour agréable et doux. Et puis on sortira faire un tour. On croisera des enfants qui courent vers leur école en se demandant pourquoi ils n'y sont pas déjà. On répondra au salut des vieux et des vieilles, conformes exactement aux visages ridés et bronzés des images de vieux pêcheurs, on verra des voitures et des gens qui font leurs courses. Pas beaucoup de monde. C'est un vendredi, c'est encore le tout début de l'après-midi, le ciel gris laisse filer quelques nuages. Des oiseaux planent nonchalamment dans le ciel, peut-être des mouettes, des cormorans, Guillermo ne sait pas, il n'a jamais su le nom des oiseaux. Peut-être que Yûko le sait, mais il ne lui demandera pas. Devant l'entrée d'une maison, un chaton est allongé sur un papier journal, Guillermo comprend qu'il est mort. On continuera à marcher encore un peu. Le froid pénètre dans les blousons et les vestes, il n'y a presque pas de vent. On a le temps de rentrer et on se dit qu'on aura aussi tout le temps de coucher ensemble. Mais avant, Yûko cherche dans un placard de l'alcool pour les réchauffer, elle rit en trouvant une bouteille de mezcal à peine entamée dont elle ne se souvenait pas. Guillermo lui demande si elle est spécialisée dans le ramassage des Mexicains égarés au Japon. Elle se contente d'ouvrir la bouteille et de boire une gorgée au goulot. L'alcool lui brûle la bouche, le palais, la gorge, ses yeux s'emplissent de larmes ; elle secoue sa tête, comme si c'était un spasme qui la parcourait. Guillermo prend la bouteille sans quitter Yûko des yeux. Il dit que cette marque de mezcal n'existe pas au Mexique et qu'en moins de dix minutes on peut lui avoir fait son affaire. Elle ne répond pas, elle le fixe elle aussi et répond à sa provocation par un air plus provocateur encore. Mais c'est peut-être aussi que le défi l'excite et l'amuse – elle saisit la bouteille et sa bouche bientôt enserre le goulot, le liquide transparent s'agite dans un flux et un reflux que sa main ne calme pas, au contraire. Elle boit deux, trois, quatre gorgées. Guillermo regarde le mouvement du liquide qu'elle ingurgite, enfin elle lui passe la bouteille. Elle s'essuie la bouche d'un revers de la main, il s'approche d'elle. Ils sont bientôt l'un contre l'autre, collés l'un à l'autre, ils boivent sans rien dire. L'une des mains de Guillermo s'accroche à la bouteille, l'autre cherche sous le pull de Yûko et ses doigts bientôt se heurtent à des attaches de soutien-gorge, puis, plus haut, à d'étranges nervures, des boursouflures de chair qui n'effraient ni ses doigts ni son allant. Il se dit qu'il aimerait se masturber sur le dos de Yûko et étaler son sperme sur les cicatrices qu'elle porte. Il aimerait faire encore ce qu'il a déjà fait à chaque fois, longer les longues balafres avec sa langue, les lécher longtemps, doucement, lentement. Il aimerait encore qu'à force d'embrasser Yûko à pleine bouche sa langue se déchire au clou qui transperce sa peau. Il aimerait que le sang glisse entre ses dents et sentir cette épaisse et chaude matière, son propre sang dans sa bouche. Il pense soudain qu'il aimerait mesurer très précisément la taille du serpent autour de la jambe de Yûko – et cette fois ils sont suffisamment soûls pour exploser de rire lorsqu'il lui demande un mètre. Il doit bien y avoir un mètre-ruban quelque part dans cette maison ! Bon Dieu, il faut absolument mesurer la taille de ce monstre ! Il est sûr que c'est un géant des mers, elle rit en disant ne s'être jamais posé la question.

Ils parlent tout à coup des blessures que le clou sous la lèvre inflige aux langues des hommes, à l'intérieur de la bouche. Elle dit que c'était pire avant, elle a retiré deux piercings particulièrement agressifs qu'elle avait dans la langue. Elle raconte d'un air entendu comment c'était un bon moyen de ne pas embrasser les hommes, de les retenir, de leur imposer des limites, mais qu'il est aussi arrivé, parfois, qu'elle ne veuille pas être blessante. Elle rit avec Guillermo et ne fait pas attention, la bouteille de mezcal n'est pas encore finie lorsqu'elle se met à rouler par terre – mais c'est seulement un geste maladroit, la bouteille est tombée et a roulé, c'est tout.

Pour l'instant, la terre est encore calme, le ciel est calme lui aussi. Sa blancheur éclaire l'intérieur de la maison où Yûko se laisse agripper par ce Mexicain qu'elle connaît à peine, mais dont les mains lui semblent très puissantes et fermes. Oui, même s'il est un homme maigre, ses mains sont puissantes et fermes, elle le sait. Elle connaît les hommes suffisamment pour savoir que certains sont maigres et pourtant puissants et solides ; celui-ci est de ceux-là. Il est vorace aussi, il a faim et soif de sexe, d'alcool, de tout. Comme elle.

Elle aime bien ça aussi – l'alcool, le sexe, tout. Au début, elle a cru qu'il était très beau, mais maintenant elle sait que non. Son nez part un peu de travers, ses yeux lui paraissent gros mais surtout ils ne sont pas vraiment symétriques, ses sourcils sont assez fins mais trop hauts, l'implantation des cheveux est trop basse. Mais ce n'est presque rien, parce que la première impression a été la plus forte et que Guillermo est beau d'une beauté spéciale, un peu défaite, une beauté qui n'est pas lisse. Il donne l'impression d'un bel homme au teint mat et à l'air intelligent et puis, elle se le répète, il est très sexy.

Les mains de Guillermo maintenant s'agrippent à ses fesses et à ses hanches. Ses doigts descendent entre ses cuisses et elle prend sa respiration très profondément, ses yeux se ferment, puis s'ouvrent, se ferment de nouveau. Elle penche le cou et la tête de Guillermo se penche sur elle et Yûko sent qu'elle bascule, elle va tomber – il la retient et l'entraîne et bientôt ils sont tous les deux au sol, sur le plancher sec et poussiéreux de vieux bois blanc. Et alors, ils ne le savent pas encore, mais quelque chose dans les entrailles de la terre, très loin en mer, pas assez loin cependant, quelque chose a commencé trop près du Japon, quelque chose dans la nuit marine, quelque chose, là-bas, dans les profondeurs, a commencé d'arriver. Ils peuvent encore croire que c'est parce qu'elle a fait un autre geste un peu maladroit que Yûko voit la bouteille de mezcal rouler sur le plancher. Mais cette fois, c'est différent. Le mezcal se met à vibrer dans la bouteille – oui, c'est comme un frémissement, une casserole d'eau qui bout sur le feu. Et puis c'est la bouteille elle-même qui se met à trembler et à rouler. D'abord, c'est presque rien. Ça arrive lentement, un frissonnement. Puis elle roule, mais ce n'est pas exactement ça. Elle semble plutôt prise de spasmes, elle vibre, elle sautille sur elle-même et ne sait plus sa route. Elle fait des petits bonds, elle rebondit, repart, dévie et Guillermo et Yûko s'arrêtent pour la regarder. Ils ne bougent plus. C'est comme une danse. Au début, un bruit comme les vieux télégraphes dans les films en noir et blanc. Et puis un bruit plus fort, un bruit de castagnettes. Ils voudraient rire, mais ils ne peuvent pas. D'autres bruits de castagnettes, de verre qui vibre. Quelque chose les retient de rire, quelque chose les tient tous les deux. L'un d'eux laisse échapper de sa bouche quelque chose comme un *oh* étonné et presque timide, incrédule. L'autre ne répond rien, s'il le faisait sa voix ne serait peut-être pas audible parce que les vitres elles-mêmes commencent à vibrer puis à trembler trop fort, puis les murs à l'unisson aussi tremblent et laissent monter cette vibration qui bientôt saisit toute la maison et la fait craquer et se tordre. À l'intérieur, tous les objets semblent soudain avouer qu'ils sont vivants, qu'ils ont toujours été vivants. Et ils geignent, chuintent, crient, hurlent et se contorsionnent, se déforment, tirent, poussent, cassent et cette fois la vie semble surgir de l'intérieur des objets, mais c'est une vie malade qui grince, éructe, grogne et à l'intérieur des vivants une autre vie s'anime – la vibration parcourt les corps et fait sonner les os comme une caisse de résonance dans les membres, des bruits qui remontent le long des corps, quelque chose de trépidant dans les murs, dans les objets, quelque chose comme des pulsations instables se répandant, se diffractant, explosant partout à l'intérieur des choses et des corps. Yûko sait ce qu'il faut faire. On l'a appris à l'école. On l'a répété des centaines de fois. On l'a fait plusieurs fois aussi à d'autres occasions mais cette fois les vibrations ne se calment pas tout de suite. On croit que ça va finir mais non, au contraire. À ce moment-là, les objets s'affolent. Les bibelots s'échappent des étagères, dans la cuisine, dans les meubles, les chaises tombent et les lampes, non, elles décrivent des cercles, des sursauts, comme des hoquets et tout autour c'est la dégringolade des gamelles, des bouteilles, ça éclate comme des bulles, ça casse, se fend, des objets légers comme l'air ou lourds et si apparemment impassibles – le terrarium se soulève et retombe dans un énorme craquement et, comme un grand corps abattu, il fait résonner et trembler le plancher et les planches se disjoignent – sortir très vite, elle sait, comme tous les Japonais le savent et comme Guillermo le sait aussi – il ne va pas raconter son histoire à Yûko, non, il pourrait mais il ne va pas dire qu'il doit sa vie au séisme de Mexico, en 1985, que sa mère avait été sauvée par un inconnu qui deviendra son père pendant qu'à l'autre bout de la ville le fiancé de sa mère finissait écrasé sous le poids d'un immeuble. Non, il ne le dira pas. Il ne pense qu'à peine à sa mère, à son père, à leur rencontre et à sa naissance comme ligne d'horizon. Guillermo maintenant roule sur le sol avec Yûko dont il attrape le visage pour approcher sa bouche de la sienne. Il veut l'embrasser et il veut la forcer à se déshabiller maintenant. Il veut mordre la pointe de ses seins. Il voudrait la pénétrer maintenant, oui, il voudrait la baiser, là, de toutes ses forces il voudrait la prendre pendant que la terre tremble et que la peur, la sueur et le mezcal dansent dans leur tête comme une défonce géante et magnifique. Les secondes vibrent et craquent elles aussi, elles s'étendent, s'allongent, le temps s'étire, s'étend, ça ne finira pas. À l'extérieur il y a des cris, des alarmes, des effondrements. Et c'est comme si chacun les vivait dans sa cage thoracique, dans l'éclatement sans fin des idées et des sensations de sa boîte crânienne. Yûko tend sa bouche. Est-ce qu'elle cherche ses lèvres, est-ce qu'elle veut crier ? Enfin les bouches, enfin les lèvres, l'alcool, les idées, le tremblement sous leurs corps qui sautillent sur eux-mêmes, se cherchent, les langues se mêlent et Guillermo s'accroche à elle et fouille dans la bouche de Yûko. Parfois la pointe du piercing blesse la langue de Guillermo mais ce n'est rien, il ne sent que le soubresaut qui remonte de l'intérieur de la terre et fait sauter et trembler autour d'eux la théière, les tasses, les bâtons d'encens et, sur leur mur, les affiches et les posters, les images et puis la télévision minuscule au fond de la pièce, et, au-dessus, tout craque et le toit, la maison entière vacille et bientôt – non, pas bientôt, au contraire c'est infiniment lent à arriver, ça décroît lentement puis enfin seulement ça se calme, ils finissent par le comprendre, le deviner, ça y est, ça redescend, ça redescend et leurs corps restent enlacés et enserrés et c'est comme si ni l'un ni l'autre ne pouvaient bouger ni se séparer de l'autre – voilà, ça redescend, enfin, leurs corps, enfin, lentement, incertains, leurs corps se séparent.

Puis c'est un calme étrange et lourd.

Un calme harassé et vibrant, mais vibrant cette fois de son silence et du poids de son répit. La vie semble refluer et regagner le silence de la terre. 14 heures 46 minutes et 44 secondes, heure locale, quand ça a commencé. Plus de deux minutes et quelques poignées de secondes jetées dans le tremblement fou. Ça a duré deux minutes, sauf qu'en réalité, à partir de ce moment-là, les minutes ne veulent plus rien dire. On ne peut plus rien séparer. On ne peut plus rien compter, décompter, recompter, car les corps tremblent et résonnent encore pendant des minutes très longues, exagérément étirées, les tremblements des êtres pendant des minutes encore – le cœur soulevé, les bras chauffés à blanc et l'alcool bouillonnant dans la tête, comme une mitraille. Yûko veut se relever. Elle essaie. Ses jambes tremblent. Elle n'a plus de force en elle. Elle a l'impression de ne plus avoir de force à part celle qui court dans les mains de Guillermo, celle qui palpite et s'agite dans sa bouche à lui, qui rit – il rit de plus en plus fort. Elle le repousse parce qu'elle n'a plus de force mais que le mezcal s'agite en elle. Elle se dit qu'elle va vomir. Elle veut repousser Guillermo mais finalement c'est lui qui se redresse avant elle, lui qui l'aide à se relever. Il voit comme elle est blême et lui aussi est blême, tous les deux alors font les gestes machinaux de se rhabiller mais c'est sans le voir, sans se rendre compte, ça n'a pas d'importance. Ce qui est important c'est tout à coup la violence des alarmes et des sirènes et des cris au-dehors, des voix que Guillermo ne comprend pas. Il rit encore d'un rire mécanique dont il laisse courir les soubresauts sur ses lèvres tandis que Yûko pourrait comprendre, elle, si elle entendait les voix, les cris des pompiers, des haut-parleurs, si l'alcool ne la ravageait pas – toutes ses nuits en elle qui remontent, qu'elle va dégueuler à peine elle aura ouvert la porte et se sera trouvée dans cette ruelle méconnaissable déjà – mais ce n'est rien par rapport à ce qui va venir. Rien par rapport à ce que les haut-parleurs et les pompiers annoncent et qu'on n'entend pas à cause des milliers d'oiseaux qui se lancent dans le ciel comme des balles jetées, des projectiles balancés dans tous les sens, les oiseaux criant, suraigus, à tue-tête au-dessus des cris d'humains et les alarmes et les froissements d'ailes, les bris de verre des vitrines et les sirènes des magasins, des voitures, les rues défoncées, les rues ouvertes, le bitume crevé – cassé, déchiré, des maisons écroulées. Yûko. Yûko veut regarder ce qui se passe, si sa maison tient le coup. Elle voudrait mais elle reste courbée, cassée à angle droit, se retenant d'une main contre le mur de sa maison, les jambes molles, flageolantes sous son poids et son souffle haletant, comme cassé lui aussi, elle n'en finit plus de vomir un liquide jaunâtre parsemé de boulettes de crackers. Une odeur de mezcal et de thé lui brûle le cerveau et l'alcool brûle la gorge et le nez – elle vomit par le nez, ça lui déchire le ventre et l'œsophage. Guillermo voudrait l'aider, mais il ne peut pas. Il est happé par ce qui se passe autour d'eux – les dégâts dans la maison, le terrarium qui a bougé d'au moins trois mètres et s'est élancé au milieu de la pièce. Et les chaises renversées. Et le reste. Tout le reste. Le reste qu'il ne voit même pas à cause de la violence du bruit autour d'eux – voilà, c'est là que tout va se jouer pour eux. Là que tout va se décider. Ils pourraient encore s'enfuir. Ils pourraient peut-être, puis très vite ils ne peuvent plus. De partout on crie. L'alerte est partout, sirènes, alarmes, les voix, les cris, les regards et la terreur et l'incrédulité – mais pour lui, le vacillement de l'alcool, l'alcool vacille en lui, Guillermo vacille en Guillermo et il va marcher vers la plage parce qu'il entend des voix qui viennent de là-bas, qu'on vient de là-bas, Yûko le regarde partir et lui dit en japonais – elle ne crie pas, c'est seulement dit entre les lèvres, comme un murmure, une voix étouffée, douce, désolée déjà, avec ses mots qui sont ceux de sa langue et de son désespoir, il ne faut pas aller là-bas. Il ne faut pas. La vague, une première, d'une vingtaine de centimètres. La vague, une seconde, de près de trois mètres. Elle sait qu'une vague va arriver. Il ne faut pas aller là-bas. Il faut partir d'ici. Tout abandonner. Courir. Une autre vague. Puis une autre encore. Elle se dit qu'une digue de dix mètres ce sera suffisant. C'est toujours suffisant, ça a toujours suffi, mais il ne faut pas avancer par là. Elle le sait, elle regarde Guillermo partir vers le bruit. Un bruit furieux. Une odeur de boue. De terre retournée. Des canalisations qui ont cédé, l'odeur de poissons morts. Et sans réfléchir elle décide de rentrer et passe son blouson parce qu'elle est traversée par un froid si terrible, comme si des pierres lui écorchaient la peau – et puis le vacarme effrayant va venir, des explosions de verre, des maisons qui s'arrachent du sol, des poteaux, des fils, des cris ; sa porte à elle soudain qui claque, elle ne saura jamais comment la vague a emporté sa maison ni comment l'eau s'est engouffrée. Est-ce que Yûko va crier ? Est-ce qu'elle va pleurer et croire sa dernière heure venue ? Oui, comme des milliers de gens pour qui ce sera vrai. Des milliers de gens vont mourir ici. Certains auront le temps de fuir – mais beaucoup auront juste le temps de croire que ce n'est pas si grave, il y a déjà eu tant d'alarmes alors une de plus, qu'est-ce que ça peut faire ? Mais ce n'est pas une de plus. Le temps de voir la vague et ce sera pour eux le temps de mourir. Le temps de la fin pour Guillermo. Le temps de voir la vague non comme une vague mais comme un ventre gonflant la ligne d'horizon et c'est déjà trop tard, elle sera sur eux et les aura brisés, les os, les visages, tout, dans son immense foulée elle les aura déjà broyés. Yûko va croire que pour elle ce sera pareil, comme quelques autres qui survivront pour presque rien, seulement parce que le hasard aura placé une hauteur, une corniche, un toit, un hasard à portée de main – parce que leur maison aura été projetée vers le haut et aura eu la chance d'y rester, simplement parce que la vie aime les jeux de dés elle fera danser la vie et la mort pour les voir jouer, s'échanger, se risquer à n'importe quoi et n'importe quoi décidera que Yûko survivra. Elle survivra. Elle ne sait pas encore comment. Elle ne comprendra jamais comment. Elle ne sait pas encore qu'elle va être projetée tout en haut, dans un angle improbable, bloquée entre deux poutres, deux plans inclinés à quelques centimètres du plafond où elle va rester suspendue au-dessus du gouffre, accrochée comme une pendue qui ne meurt pas, qui s'obstine à vivre, qui tient sans savoir pourquoi, sans savoir comment. Et elle restera longtemps le visage dans une poche d'air, aveuglée par la peur, une terreur aveuglante, suffocante, la peau dévorée par le froid et l'eau salée, atroce, qu'elle avalera, recrachera avec la boue, les débris. Mais la maison va tenir et ne pas se disloquer comme elle aurait pu, comme elle aurait dû lorsqu'elle sera arrachée du sol. Mais elle aura roulé sur d'autres maisons, elle sera portée par d'autres maisons, moins chanceuses. L'eau va étriller, écraser, déporter. L'eau va tout envahir. Se répandre, répandre sa marée noire de boue. L'eau et la vitesse, la vitesse de l'eau pour tout engloutir. L'eau se renforçant des obstacles. Se rengorgeant de la résistance. L'eau qui monte. Qui avale et prend tout. L'eau qui s'étale et stagne avant d'amorcer son reflux. Son odeur âcre de mort et de pourriture. Un reflux lent, violent, comme une aspiration énorme. Mais l'eau mettra du temps à repartir parce qu'elle sera retenue par la digue – le barrage l'empêchera de refluer, la freinera, la tiendra comme dans un piège, un goulet d'étranglement, impossible pour l'eau de faire demi-tour ou alors lentement, très lentement, trop lentement.

Et l'eau enfin finira par perdre une partie de ce qu'elle aura arraché à la terre. Enfin l'eau se retirera. Enfin elle désertera le terrain conquis. Elle l'abandonnera et retournera vers l'océan en passant par tous les vides, tous les trous – les fentes, les fissures, les failles infimes seront pour elle des issues qu'elle prendra, fouillera, écartera en gardant dans l'épaisseur de ses plis et ses filets de boue des corps enchevêtrés aux morceaux de carlingues, de bâtiments, d'entrepôts ; et c'est toute l'histoire du village fracassé – des débris de chairs et de fer, des bateaux déchiquetés et des voitures, des mémoires et des familles entières, des lambeaux d'histoires et de corps qu'elle va traîner dans son repli, comme les miettes d'un festin amer et monstrueux.

Tout ça ira se dissoudre et disparaître dans la mémoire et la profondeur de l'océan, dans des remous auxquels bien sûr Yûko ne pensera pas – pas tout de suite. Plus tard, elle comprendra que son blouson dans le style doudoune lui aura servi de bouée de sauvetage. Mais ce sera tout.

Et encore, seulement parce que quelqu'un lui aura suggéré cette idée. Elle ne saura pas si celle-ci est une consolation possible ou pas. Elle ne saura pas ce qui aurait été préférable pour elle ; longtemps elle préférera éviter cette question. Elle restera figée dans la dévastation – la sienne et celle qu'elle reconnaîtra lorsqu'elle la croisera sur le visage d'autres rescapés. Elle aura quelque part devant ses yeux l'image fugitive et incertaine d'une silhouette d'homme marchant vers la plage ou lui faisant l'amour et se dissipant comme un rêve alcoolisé, et elle ne saura rien à ce moment-là que cet angle mort au cœur de sa vie. Elle ne saura pas non plus qu'on l'aura retrouvée à moitié morte et incapable de parler sous des planches, du bois flotté, des matériaux à peine reconnaissables sous la boue, ni qu'elle vomira et pissera encore pendant des jours le liquide noirâtre et salé qu'elle aura bu des heures durant en luttant, en crachant, mais qu'elle aura avalé quand même et qui se sera imprégné jusqu'à si loin en elle. Yûko ignorera aussi longtemps son visage – le visage d'une fille à moitié morte revenue chez les vivants par miracle, le corps tuméfié, glacé, gonflé comme celui d'une noyée. Yûko, à moitié détruite mais vivante, le corps capable de se renforcer, de refuser la mort, de se nourrir encore et de recommencer à vivre avec une détermination et une obstination qui seront comme deux étrangères en elle, deux inconnues fichées au plus profond de son être. Elle ne saura pas non plus que le monde va bientôt regarder vers elle et vers la côte de Tohoku, puis, avec son étrange compassion et cette attention teintée de peur et d'excitation, de dégoût et de jouissance, vers tout le Japon.

Car bientôt ce sera l'attente, la peur, et le nom de Fukushima résonnera aux oreilles du monde entier comme celui d'un cauchemar éveillé. La vague, elle, continuera sa route avec indifférence. Dans un an, le tsunami continuera de frapper – presque sans force, presque exténué –, de l'autre côté de la planète. Pourtant, il aura encore assez de puissance pour se jeter contre des icebergs en pleine mer du Nord. Il aura parcouru la Terre comme pour rappeler que tous les objets du monde sont reliés entre eux d'une manière ou d'une autre et qu'ils se touchent les uns les autres.

Il sera épuisé, presque muet, à bout de course. Presque rien, une vague d'une trentaine de centimètres, encore de quoi renverser un homme et le jeter à terre.

Mais pour l'instant la mer du Nord est un spectacle paisible et lisse. Le ciel calme et plat pourrait se refléter dans un miroir presque parfait si ce n'était pas encore la nuit, presque déjà l'aube. C'est comme si on avait remonté le temps, alors que c'est seulement le miracle de l'heure universelle et des lignes méridiennes, il est neuf heures de moins qu'au Japon.

C'est le début de la journée, le 11 mars commence à peine, il n'est pas encore huit heures du matin, la mer est une masse au noir profond d'où remonte la puissante et enivrante odeur d'iode. Le vent court à toute vitesse, rien ne le retient, il s'étonne peut-être encore de tomber nez à nez avec des mastodontes comme l'*OdysseA* – deux cent quatre-vingt-treize mètres de long et trente-deux de large, quatre-vingt-douze mille six cent vingt-sept tonnes de technologie, d'élégance, de luxe qui voguent sous pavillon panaméen.

OdysseA peut filer tranquillement dans l'aube d'un hiver froid et calme et glisser pour cette journée sans escale, la sixième du programme, la deuxième exclusivement en mer. Avec ses treize ascenseurs et autant de ponts, ses deux piscines que doivent se partager deux mille cinq cent cinquante passagers occupant les mille deux cent soixante-quinze cabines, les voyageurs sont installés plus confortablement que sur la terre ferme ; ils peuvent passer du salon de massage à celui de coiffure, du jacuzzi au sauna, du salon de beauté au parcours de jogging ; ils ont le choix des sports, volleyball et jeux de palet, plus de neuf bars et cinq restaurants. Ils ont la discothèque, le casino, le club pour enfants et celui pour adolescents. Ils ont plus de mille personnes pour les choyer, les renseigner, les écouter, les aider, les conduire, les nourrir, les surveiller, les protéger, les divertir : mille vingt-sept membres d'équipage et, parmi eux, une bonne moitié de Philippins dont personne ne se rappellera les avoir croisés ni aperçus derrière leurs uniformes marqués du logo aux lettres entremêlées OA.

Frantz regarde la mer sur le pont depuis déjà presque une heure, il observe le remuement que l'*OdysseA* laisse dans son sillage. L'écume dessine à l'arrière du bateau un long trait gris tourbillonnant dans un vacarme où se mêlent la fureur de l'eau brassée et les turbines du moteur. Frantz ne se lasse pas de cette image qu'il a déjà prise en photo avec son téléphone à plusieurs moments de la journée. Il imagine une énorme hélice, et, à cause du froid, il ne pense à rien d'autre en particulier, bien que tout à l'heure il se soit souvenu de *Titanic*, le film avec DiCaprio. À l'époque où il l'avait vu, il avait éprouvé une sorte de vertige au moment où le personnage, à la proue du bateau, bras en croix, crie à la face de l'océan et de l'univers qu'il est le roi du monde. Frantz n'était pas ce qu'il est maintenant, une ceinture de graisse n'avait pas encore déformé sa silhouette et il n'avait pas, malgré quelques signes avant-coureurs, l'air désabusé et épuisé des hommes qui portent leurs cinquante-deux ans comme un poids trop lourd pour eux. Quelques mèches de cheveux couleur de papier kraft balayaient encore son front, deux ou trois filles avec qui il pouvait espérer quelque chose lui avaient laissé leur numéro de téléphone. Les petites ridules rouges, les micro-vaisseaux sanguins qui ne demandent qu'à exploser, là, aux ailes d'un nez qui, depuis, s'est considérablement arrondi, n'avaient pas encore fait leur apparition. Maintenant les paupières se sont un peu affaissées, quelque chose d'indéfinissable, dans l'œil, s'est terni et alourdi. À l'époque, sa peau n'était pas aussi épaisse ni luisante, son sourire avait encore un petit coin d'enfance, une sorte de vitalité épanouie, entière, insouciante – peut-être de la joie.

Maintenant, l'eau en contrebas lui évoque seulement un bouillon insensé dans lequel il ne ferait pas bon tomber. Le temps de se demander combien de minutes ou d'heures un humain pourrait survivre si, par malheur, il devait y chuter, Frantz se penche sur le vide puis se redresse et se dit qu'il ferait mieux de ne pas remuer ses idées noires et d'aller boire son café au lait comme il le fait le reste de l'année, à cette heure-ci, dans sa cuisine, sur sa table Ikea en pin blanc, face à cette minuscule radio grise qui débite des infos dont il n'écoute pas un mot.

C'est le petit matin qui se lève, et Frantz a l'impression qu'il ne se lève que pour lui. C'est un sentiment déraisonnable, il le sait, mais un sentiment tout de même ; Frantz aime bien cette impression d'immensité. Il aime regarder la mer et l'étendue si vaste, se dit-il, que même les idées les plus plates lui semblent prendre une forme de profondeur. Même lui, face au spectacle d'un lever de soleil en pleine mer, est soudain moins banal. C'est comme si sa médiocrité révélait l'essence de quelque chose dont il serait un exemplaire parfait à défaut d'être unique – un homme gris dans le matin gris, face à l'immensité. Comme si l'immensité voyait aussi profondément en lui que lui laisse son regard se perdre en elle. Il découvre un sentiment étrange, presque d'exaltation, à rester là, même si ses jambes font du surplace, qu'il est figé parce qu'il crève de froid. S'il avait des amis, il se dit qu'il leur en mettrait *plein la vue* en leur racontant la beauté de ce à quoi il assiste. S'il avait une femme et des enfants, il s'imagine qu'il leur ferait la description de ce moment unique et précieux ; il parlerait de la beauté immémoriale de la Terre. Des grands mots, pense-t-il. Peu importe, il n'a pas de femme et encore moins d'enfants à qui raconter ça. Il a bien eu un chien il y a longtemps, mais il est mort quelque part près de Lanzarote, dans une voiture de location. Frantz l'avait laissé se déshydrater des heures dans un parking désert, sous un soleil de plomb, et il en était resté profondément meurtri. À part quelques collègues de bureau, Frantz ne voit personne à qui il aurait pu raconter ça. Mais, à vrai dire, l'idée ne lui avait pas vraiment traversé l'esprit, car il n'a pas de considération pour des collègues qui aiment les activités en famille, le sport, les barbecues, les repas, les grandes virées dont ils lui font le récit tous les lundis matins ; il acquiesce en mâchonnant la gomme au cul de son crayon à papier, puis replonge dans les projections abstraites et autrement plus riches de son plan comptable.

Frantz, qui a longtemps travaillé au Crédit Agricole de Grenoble, puis à la Deutsche Bank de Munich, est revenu s'installer à Berne, où il avait passé son enfance, pour y devenir chef comptable dans une grande boîte informatique. Frantz n'a jamais trouvé que c'était une très bonne idée de revenir dans la ville de son enfance, mais pas une mauvaise idée non plus. Il croise parfois des gens qui le reconnaissent, avec qui il a sans doute partagé des heures de classes. Il dit bonjour pendant qu'il fouille dans sa mémoire pour trouver un prénom à coller sur ce visage dont il a tout oublié, comme il a oublié ses parents, des gens tranquilles et gentils, morts depuis déjà quelques années, et qui avaient un jardin avec un potager. Avec l'argent de l'héritage, il s'était offert quelques voyages somptueux, la plupart dans des pays d'Asie, un peu en Tunisie, dans des îles grecques, en Turquie et au Maroc. Ainsi, une fois liquidé jusqu'au dernier centime des économies de toute leur vie, ses parents *vraiment* morts, il avait pu reprendre une vie normale, c'est-à-dire surfer sur Internet et fréquenter avec assiduité les sites pornographiques et les sites de voyage. Le reste du temps, il regarde la télévision, surtout le dimanche et le samedi soir, mais ne va plus beaucoup au cinéma et plus du tout dans les clubs échangistes, parce que les hommes seuls paient des fortunes pour un résultat décevant et trop incertain. Il lit encore quelques romans policiers ou fantastiques comme le *Da Vinci Code* ou *Millenium*, ne dédaigne pas d'avoir un peu peur, il est un vieux fan de l'*Exorciste*, d'*Amityville* et d'*Hannibal Lecter*. Il regarde les matches à la télévision et soutient mollement le club de foot de Berne, le YB, plus par habitude que par goût parce que le foot, en Suisse, c'est *comme un drapeau en berne*, dirait son ami Michel, toujours sarcastique.

Michel, c'est un Français qu'il a rencontré en vacances il y a six ans, dans un bar à massages de Bangkok. Ils s'envoient des mails de temps en temps et sont partis en voyage déjà trois fois ensemble depuis leur rencontre. Bien sûr, le soir et les week-ends, Frantz boit un peu trop de gin ou de whisky et beaucoup de bière. Mais contrairement à l'image qu'il peut donner de lui-même, Frantz aime beaucoup de choses, comme son application Google Sky pour repérer les étoiles dans le ciel ; il adore tendre le bras au-dessus de sa tête car, dans sa main, soudain il y a les noms, les lignes, les configurations de l'espace ; ce sentiment d'avoir l'univers à sa disposition lui offre un grand plaisir, il aime la sensation de contrôle, de maîtrise, d'avoir la voûte céleste à portée de main. Pour l'instant, il ne regarde pas Google Sky, parce qu'il n'a pas besoin de ça pour connaître le vertige face à l'immensité. Surtout, il faudrait sortir les mains de ses poches et tenir le smartphone entre ses doigts déjà glacés. Il imagine bien le plaisir qu'il aurait à les réchauffer en serrant fort une grande tasse de café au lait, il imagine aussi le plaisir d'entrer dans une pièce chaude et éclairée.

Depuis que le voyage a commencé, cinq jours plus tôt, Frantz a eu beaucoup de temps à partager avec ceux qui ont gagné leur place comme lui. Tous ont eu la joie de se salir un ongle d'une poussière dorée en frottant un ticket dans un des magasins de ce grand centre commercial, ce

Westside dans lequel Frantz va se promener vers onze heures tous les samedis matins. Quelques semaines plus tôt, il avait accepté de gratter le ticket que la caissière lui avait tendu, pensant le jeter dans le même mouvement, parce que le ticket ne *pouvait* pas être gagnant. Pourtant, c'était écrit : des lettres d'or sur un fond blanc, il avait gagné. Il avait donc donné son nom et rempli un formulaire. Puis il avait reçu un courrier lui demandant de se présenter à l'aéroport de Bern-Belp. On l'attendrait là-bas avec les autres Heureux Gagnants – dix-huit personnes âgées de plus de soixante-cinq ans qui formaient neuf couples, plus cinq autres couples, des gens dont les âges s'étalaient de la trentaine à la cinquantaine. Donc, dix-huit plus dix, vingt-huit personnes qui ne méritaient pas *son* déplacement. Il y avait eu cependant un peu d'espoir du côté de la jeunesse. Un bref espoir. Quatre jeunes, un couple et deux filles. Le couple se révéla vite décevant, la fille en version mal dégrossie de l'actrice Jennifer Lopez et lui en une version à peine plus aboutie de Brad Pitt. Ce n'était pas le cas des deux filles, deux copines ricaneuses, jeunes dans leur corps et puériles dans leur tête, dont Frantz se demandera si elles sont lesbiennes ou pas, le temps de voir que non : deux étudiantes qui n'en reviennent pas d'avoir gagné ce voyage et qui, en conséquence, ont décidé de s'amuser et de draguer sans retenue, en délaissant leurs cours et tout sens de la mesure. Frantz se les prend très vite en grippe. Il décide de les juger suffisamment têtes à claques malgré le plaisir qu'il prend à les détailler et à les déshabiller virtuellement, surtout la brune, dont la poitrine opulente ne le laisse pas indifférent. Très vite, cependant, toute appétence pour elles se transforme en désir de détourner le regard et ses pas des leurs.

Et puis il y a un autre couple, hors catégorie, qui n'est pas un couple, un père et sa fille. Ça le rend plus étrange, plus troublant, et pas seulement parce que leur nom est russe, Dimitri Khrenov et sa fille Vera, mais parce que la fille, d'une petite quarantaine d'années, a quelque chose d'attirant et de bienveillant, d'attendrissant avec ses cheveux teints dans un auburn qui illumine son visage en dévoilant du même coup sa peur de vieillir – sa naïve et délicieuse tentative de retarder l'échéance de ne plus plaire ou séduire. Khrenov n'est pas seulement un père avec sa fille, c'est un homme *supérieur*. Frantz s'était demandé ce que des Russes venaient faire ici, mais il avait compris très vite qu'ils n'étaient russes ni l'un ni l'autre. Il avait appris rapidement, via Google, que les grands-parents de Vera étaient devenus suisses dans les années vingt pour échapper aux bolcheviks. Dimitri Khrenov avait soixante-quinze ans (toujours d'après Wikipédia), c'était un homme d'une magnifique tenue, grand, mince, très élégant ; un homme qui n'a rien à faire avec des gens comme nous, s'était raconté Frantz, s'incluant dans la masse indifférenciée des Heureux Gagnants. Même si la fiche de Wikipédia réservait des parts d'ombre ou d'imprécisions, de sources peu fiables, prévenait le site, quand même, on apprenait beaucoup de choses. Dimitri Khrenov était un spécialiste des déplacements des plaques tectoniques. C'était un sismologue mondialement reconnu, qui avait créé une unité de mesure à son nom, avait été l'un des maîtres de ce qu'on appelle la sismographie globale, « l'étude des ondes produites par les tremblements de terre à très grandes distances pour comprendre la structure de la Terre », comme il est dit sur Internet. Même ses loisirs semblaient originaux et riches. Khrenov avait travaillé sur

47

les lépidoptères au laboratoire du musée de zoologie comparée d'Harvard (Frantz n'avait pas eu le courage d'aller jusqu'à chercher la définition de « lépidoptères »), à la suite d'un autre émigré russe et qui avait fini sa vie en Suisse, l'écrivain Nabokov. La seule différence, c'est qu'entre-temps Nabokov était devenu américain, ce qui n'était pas le cas de Khrenov. Frantz, lui, n'avait pas lu Nabokov, mais il avait vu *Lolita*, le film, à la télévision, lorsqu'il était jeune. Bien sûr, il n'avait rien à voir avec James Mason, mais Vera n'avait rien non plus d'une Lolita. C'était une femme mûre, banale et presque jolie, mais qui l'était surtout parce qu'elle avait quelque chose de touchant. Rien sur Internet, pas même d'homonyme. Des Vera, des Khrenov, mais pas de Vera Khrenov. Pas de page Facebook ni de page Wikipédia. Pas un mot. Une sorte de néant, d'inexistence qui leur faisait à tous les deux, s'était dit Frantz, déjà des points communs, presque une affinité.

C'était hier soir, il avait fallu attendre cinq jours sur la totalité des sept que durait le voyage pour qu'il se passe enfin quelque chose – rien qui soit rapide. Il avait fallu la veille pour que Vera et lui puissent enfin échanger quelques mots convenus et policés. Il avait été heureux que le hasard d'une table les réunisse enfin, sous le regard gris acier de son père – ce genre de vieux qui vous ferait espérer que la vieillesse ne sera pas que décrépitude, mais, peut-être, une sorte d'accomplissement et d'apaisement. Frantz avait échangé avec lui quelques considérations chiffrées sur le nombre de repas qu'on devait débiter dans les restaurants du paquebot, le poids des déchets, le nombre de serviettes et de nappes, la quantité de lessive embarquée avant le départ, des estimations où ils avaient marqué leur admiration pour les méga-paquebots comme l'*OdysseA*.

Pendant le dîner, il n'avait pas posé de questions sur un éventuel mari, des enfants ; il saura juste que le père de Vera était venu s'installer à Berne parce qu'elle y était et que c'était très récent. Elle occupait un poste important dans un grand groupe pharmaceutique, avait-elle expliqué modestement, pour situer l'enjeu. Parce que Vera n'aimait pas s'étendre sur sa vie, ni sur la raison de sa présence avec son père. C'est elle qui avait touché le ticket gagnant et saisi l'opportunité pour partir avec le vieil homme parce que, avait-elle lâché presque sans s'en rendre compte, il y a des moments, dans la vie...

– Oui ?

– Mon père n'est plus très jeune, vous savez. Nous ne nous voyons pas souvent et puis... Vous avez peut-être remarqué ?

Non, Frantz n'avait pas remarqué. Remarqué quoi ? Il n'avait pas osé demander.

Frantz, après ce dîner, avait été ragaillardi. Ça faisait en effet bientôt une semaine qu'il était là, et il ne s'était rien passé. Dès le troisième jour, il s'était arrangé pour ne pas déjeuner et dîner au premier service, parce que toute l'équipe des Heureux Gagnants s'y donnait rendez-vous. Les deux premiers jours, il l'avait fait, espérant y rencontrer Vera et son père, mais eux n'étaient jamais là. Il avait fallu se retrouver à chaque fois au centre d'une joyeuse effervescence, assister à l'amitié naissante entre les Heureux Gagnants, qui déploraient tous que le personnel de l'accueil ne soit pas souriant. Gentils et ennuyeux, les Heureux Gagnants. Comme le temps qui passe, s'étirant mollement, tristement, s'effilochant lentement dans une maison de retraite. Certains décrivaient à longueur de repas leur cabine avec un souci du détail tout balzacien, alors que tout le monde avait la même cabine. Les mêmes draps. Les mêmes téléviseurs. Les mêmes cloisons. Les mêmes hublots. Les mêmes *Wonder-closets*. Les mêmes moquettes. Les mêmes dessus-de-lit. Les mêmes verres à dents. Les mêmes minibars. Les mêmes After Eight glissés sous l'oreiller d'un lit refait. La même coupe de fruits toujours frais – trois pommes rouges qui réapparaissaient à l'identique à chaque fois qu'on sortait de la cabine plus de vingt minutes avec une pomme dans le ventre. Il fallait les entendre, tout heureux parce qu'il y avait des échantillons de savons à l'Aloe Vera et des shampooings à l'amande douce et du gel douche *Fraîcheur Sauvage* dans la salle de bains, et cette grande baie vitrée qui permettait de voir la mer sans jamais risquer de prendre froid.

Frantz avait ressenti une sorte d'amusement à leur contact, mais, dès la fin de la première matinée, une sorte de lassitude s'était abattue sur lui, sa bonne humeur s'était complètement envolée. Le minuscule exotisme de la banalité avait fait place au pressentiment d'un profond ennui. Puis, au bout d'une journée, une lancinante douleur, comme une pointe, s'était fait sentir entre les épaules. Elle avait gagné en intensité, s'était faite moins timide, avait pris en autonomie, en espace, en profondeur ; elle avait semblé prendre plaisir à appuyer, à s'enfoncer dans la chair, à provoquer une douleur de plus en plus présente et forte, obligeant Frantz à se tenir droit, le dos presque rejeté en arrière. Puis la douleur était descendue tout le long du dos et avait fini par s'installer durablement. Il était allé dès le troisième jour se faire masser, puis avait enchaîné quelques brasses dans la piscine au-dessous d'un grand dôme de Plexiglas, et fini par un jacuzzi. Ça avait été agréable, mais pénible de croiser dans l'eau tiède les corps flasques et rosés de quelques vieillards adipeux en pleine forme. Il s'y voyait déjà et se demandait s'il fallait être vieux pour avoir le droit de ne plus ressentir cette douleur lui paralysant le dos. Quelque chose l'avait accablé, d'indéfinissable. Une sorte de fatigue l'avait poursuivi jusque dans le mouvement de ses brasses, dans le mouvement de son corps glissant dans l'eau tiède. Il avait repensé alors avec encore plus d'amertume à ses autres voyages, ceux qu'il avait partagés avec son ami Michel, où les filles étaient jeunes et dorées et expertes en amour, où il lui avait semblé que le paradis sur Terre existait tout de même, dans une forme certes particulière, mais réelle, une forme de grâce, de félicité qu'il avait parfois pu atteindre en y mettant le prix et un peu de lui-même, en essayant de donner un peu de chair et de crédit à ses illusions, et qui lui semblait aujourd'hui aussi éloignée des champs du possible qu'une nuit d'amour avec Marylin Monroe ou avec Halle Berry – qui était plus son genre.

Tout, ici, n'était que l'occasion de se répéter que l'Occident est un grand mouroir dans une région sans cœur, une maison de retraite où les humains semblent plus vieux que les statues millénaires de leurs musées.

Avec Michel, au moins, on savait s'amuser. Il s'était dit qu'il lui enverrait un mail pour se défouler un peu sur les uns et les autres, pour lui dresser un portrait sans concession de leurs contemporains voyageurs et parler de ce voyage et surtout des grandes blondes qui étaient une illusion de plus, des personnages de fiction. Les grandes blondes, aurait-il pu dire, ça n'existe pas. Sauf qu'il n'avait pas eu le courage de faire les excursions qui lui auraient permis d'en croiser quelques-unes. De toute façon, nul besoin de participer aux excursions : il suffisait d'accepter de regarder les photographies que l'un ou l'autre lui tendait avec une générosité toute particulière. Et c'était alors comme s'il avait vu de ses propres yeux les montagnes enneigées, les maisons rouges toutes simples et strictes, les enseignes, les ours blancs empaillés, les plaques d'égout, les trolls norvégiens.

Tout ça était un peu pénible. Le soir, il fallait bien une bouteille pour se remettre – non pas de ses émotions, mais de leur absence.

Frantz finissait donc toutes ses soirées en discothèque. Il se commandait une bouteille de gin ou de whisky, qu'il buvait assis dans un fauteuil mauve devant une minuscule table basse où ne traînaient que son verre et sa bouteille, rien d'autre sur le plateau circulaire que le reflet des boules à facettes et les couleurs chatoyantes des spots alternativement rouge et jaune ou bleu. Une musique de garçons coiffeurs d'il y a trente ans, des danseurs recrutés parmi les éternels vacanciers, vieux, jeunes, plutôt des hommes. La discothèque fermait à deux heures du matin, ça lui laissait un peu de temps. Il mettait son casque pour écouter des symphonies de Mahler et de Beethoven, ou alors il écoutait en boucle Mozart l'Égyptien, qu'il préférait à Bach l'Africain, et tant pis si le bruit, les grésillements intempestifs de la Macarena et des vieux tubes de Depeche Mode venaient jusqu'à lui pour trahir les violons dans ses écouteurs, et que les basses – basiques, grossières –, venaient lui soulever le cœur et s'infiltrer en lui pour siffler dans ses os.

Hier soir, après que Vera et son père avaient pris congé et étaient partis se coucher, Frantz était passé dans sa cabine

52

pour se changer, puis, comme tous les soirs, avait renoncé, pensant, personne ne verra cette tache de sauce sur mon tricot pour la bonne raison que personne ne regardera mon tricot. D'ailleurs, quand bien même quelqu'un s'y risquerait, il ne verrait rien à cause des néons et des spots de la discothèque.

Depuis le troisième soir, Frantz n'avait plus à demander sa bouteille, il lui suffisait d'arriver au comptoir et d'opter pour une bouteille de J & B *Rare scotch* ou une de gin Gordon's, les serveurs l'avaient repéré. Hier, il avait pris du gin, accompagné d'un grand bol de glaçons. Le temps qu'ils fondent, Frantz pourrait les regarder, les compter, se débarrasser des heures et des minutes ainsi ; et encore, s'il avait eu les instruments, s'il avait pu le faire sans risquer de passer pour un fou, il aurait sans doute aimé mesurer combien un glaçon peut perdre de sa circonférence en disons trois minutes. Il aurait aimé calculer le temps qu'il faut à un glaçon pour se dissoudre entièrement dans une discothèque surchauffée par les lumières artificielles et la sueur âcre et chaude des danseurs, surtout quand ils viennent en meute, comme ce groupe d'Espagnols embarqués dans la grande aventure d'une croisière entre collègues, aux frais de l'entreprise qui les épuisait et les montait les uns contre les autres tout le reste de l'année. Chaque soir, de grandes âmes l'invitaient à boire un verre à leur table. Il se doutait bien qu'il avait dû inspirer des conversations. Quelques questions avaient dû être posées, parce que les hommes seuls sont toujours sujets à caution. On n'est jamais seul à partir d'un certain âge sans l'avoir mérité d'une façon ou d'une autre, non ?

Ce soir-là encore, buvant son verre, il avait donc fallu le lever et trinquer de loin avec Mark et Birgit, des retraités qui venaient de Zurich et avaient un fils *dans les trains*, comme ils l'avaient expliqué. Ce soir, ils étaient venus danser avec d'autres couples, plus jeunes qu'eux. Ils avaient jeté leurs forces dans quelques rockabillys endiablés, puis, essoufflés, souriants, épanouis, ils avaient rejoint deux autres couples (qui n'étaient pas des visages que Frantz connaissait), à une table proche de la sienne. Ils lui avaient souri, la femme avait fait de grands gestes pour qu'il les aperçoive quand il faisait tout pour ne pas les regarder. Mais ça avait été plus rapide de répondre à ses gestes, de sourire, de lever son verre et de décliner d'un mouvement de tête la proposition de les rejoindre. Puis ils avaient fini par partir.

Lui, il avait continué à regarder les corps bouger sur la piste. Il avait continué à suivre les mouvements des néons, des lasers, des lumières caressant le sol de plus en plus vide au fur et à mesure que l'heure avançait. Le DJ hurlait encore de temps en temps des mots dans un anglais incompréhensible en se trémoussant, l'air de rien, les yeux baissés sur ses platines. Il passait des tubes des années quatre-vingt qu'il remixait vaguement, et en frappant dans ses mains il donnait parfois l'impression de s'amuser réellement. Le groupe d'Espagnols aussi. Si les consignes de sécurité le lui avaient permis, sans doute le DJ aurait promené un briquet allumé au-dessus de sa tête pour accompagner des slows interminables dont Frantz pouvait se souvenir qu'ils avaient été la bande-son de ses premières tortures amoureuses. Les Espagnols avaient fait la chenille sur une suite de chansons qu'eux seuls devaient connaître. Les silences entre les plages de son baladeur duraient suffisamment longtemps pour que le vacarme dégoulinant de la soirée lui saute aux tympans ; alors, comme en représailles, Frantz en profitait pour se resservir un verre et y jeter deux glaçons qui dansaient à leur tour comme des icebergs à la dérive. C'est à ce moment-là que les deux étudiantes avaient décidé de venir s'asseoir près de lui.

Il savait bien qu'elles finiraient par venir. Il les avait vues tous les soirs depuis le premier. Elles dansaient toute la soirée en se tenant l'une l'autre par les bouts des doigts, puis en passant leurs mains dans les cheveux elles se regardaient, puis, en dansant l'une à côté de l'autre elles s'admiraient, se jaugeaient, se comparaient, s'exhibaient dans les grands miroirs en bout de salle. Elles devaient se trouver très belles, quand lui trouvait juste que la brune avait des seins *encourageants* et l'autre, une bouche qui lui évoquait toute une série d'images plus pornographiques les unes que les autres. Il avait sans doute un pauvre imaginaire, mais elles n'avaient pas d'imaginaire du tout, se consolait-il. Il les voyait dans des positions scabreuses, minaudant, se pelotant presque pour exciter quelques hommes qui les reluquaient de toute façon, sans se soucier de savoir si leur femme s'en apercevait. Tous les soirs, en les voyant se trémousser et draguer des hommes qui auraient pu être leurs pères, ou des types qui portaient l'uniforme de marin – oui, des clichés, ces deux filles sont complètement abruties, se répétait-il –, tous les soirs, Frantz était pris d'un horrible désir de vengeance. Il voulait se venger de la vie. Se venger des hanches des femmes. Se venger des spots couleur lie-de-vin. Se venger des rires du groupe d'Espagnols parce qu'ils avaient l'air de vraiment s'amuser. Se venger de tous ces vieux avec leur tranquille amabilité. Se venger comme s'il avait des raisons pour ça, lui qui, dans sa vie, n'avait connu que le sort du plus commun des hommes.

Et maintenant, dans ce petit matin glacial, alors qu'il entre dans la salle de petit déjeuner, qu'une lumière trop blanche qui enveloppe tout l'espace d'une douceur nacrée et irréelle tapisse ses yeux et l'intérieur de son cerveau, il se frotte les mains pour se réchauffer et ne pas trop redresser la tête. Surtout, ne pas relever les yeux trop vite. Il pourrait d'abord se diriger vers le buffet, remplir son assiette de jambon, de saucisse, de bacon frit, d'un œuf à la coque, se vider rapidement un jus multivitaminé avant de s'en resservir un deuxième, et puis seulement alors embrasser d'un regard les tables avec leur nappe couleur cerise pour affronter la salle.

Frantz, ce matin-là plus que les précédents, est heureux de ne pas trouver les deux étudiantes. Il est surtout heureux de ne pas trouver Dimitri Khrenov et sa fille, quoique Vera, malgré tout, il l'aurait bien vue quand même. Ou plutôt, il l'aurait bien vue *encore*, c'est-à-dire qu'il aurait bien aimé prendre un petit déjeuner avec elle, dans la continuité de la soirée. Mais la soirée avait été tellement étrange qu'il se doutait que quelque chose entre eux, désormais, était un peu passé. Mais on ne sait jamais. Ils ne sont pas là, ça ne veut pas dire qu'ils t'évitent. Ça veut simplement dire qu'ils ne sont pas encore levés, et c'est normal, si l'on considère ce que tu as vu. Des nuits comme ça, on ne voit pas comment ils pourraient s'en remettre si facilement.

Il y avait eu cette histoire dans la discothèque, ce moment, donc, où les deux filles étaient venues le rejoindre. Frantz avait été surpris de les voir venir vers lui ; il avait flairé la mauvaise blague, peut-être le mauvais coup. Les deux étudiantes s'étaient installées sans même demander si elles pouvaient – à moins bien sûr qu'il ne les ait pas entendues, ce qui était possible. Il avait cru deviner des mouvements de bouches, mais n'avait pas pu savoir si c'était simple mastication ou embryon de conversation. Peut-être qu'elles avaient parlé et demandé l'autorisation de s'asseoir avec lui ? Il n'avait pas répondu, c'est certain, et elles s'étaient assises, ce qui est certain aussi. Et ça avait suffi pour l'énerver. Il n'aimait pas être interrompu, surtout lorsqu'il ne faisait rien. Sauf qu'il ne faisait pas tout à fait rien, puisqu'il laissait son esprit errer pour revenir sur le dîner avec les Khrenov, pour s'émouvoir de la fille et s'étonner que le père lui adresse la parole, comme s'il était un égal. Flatté, oui, Frantz l'avait été. Il n'avait pas pu s'empêcher de regarder en détail le corps de Vera – mais avec discrétion. Il avait essayé de voir, à travers l'épais lainage d'un pull, si elle avait des seins qui pourraient lui être agréables. Il avait bien eu un peu honte de cette pensée, mais la honte n'avait pas été très solide, la honte n'a jamais été son fort. Il n'est pas assez modeste pour se soucier de ce qu'on pense de lui en général, et pas assez modeste surtout pour laisser deux étudiantes – en qui il ne voyait certainement pas des alter ego – lui tourner autour, s'amuser de lui comme il lui avait semblé qu'elles avaient entrepris de le faire. Il avait cru bon de retirer son casque, même s'il n'avait pas éteint son baladeur. La musique continuait à grésiller, posée sur la table. Il avait regardé les deux filles et avait demandé, alors ?

– Alors, quoi ?
– Qu'est-ce que vous foutez, toutes les deux ?
– On vient vous voir. Vous avez l'air de vous ennuyer.
– Pas plus que ça.
– On dirait.

– Ça vous intéresse ?

– On se demande, c'est tout.

Il n'avait pas répondu, s'était contenté de remettre son casque, de se resservir un verre et de regarder sur la piste. Les deux filles s'étaient mises à se chuchoter quelque chose à l'oreille. Il avait pensé : à glousser.

Frantz avait fait comme si elles n'étaient pas là. Elles étaient là. Et bien décidées à ce qu'il fasse avec. L'une d'elles, celle qui avait la bouche suffisamment pulpeuse pour la souiller mentalement, comme une forme de vengeance a priori, une vengeance préventive, s'était soudain approchée de lui, avait posé la main sur son genou. Il avait eu un mouvement de recul, qu'elle n'avait pas senti, ou pas voulu sentir. Elle avait laissé sa main, les doigts bien écartés, saisissant pleinement le genou, et s'était penchée vers lui, vous pourriez nous offrir un verre, plutôt que de vous soûler la gueule tout seul.

Oui, il pourrait. Sauf qu'il connaissait bien ce genre d'allumeuses ; il avait toujours eu l'art d'attirer les allumeuses, celles qui font un mal considérable aux femmes en les rendant haïssables à un nombre d'hommes plus considérable encore. Il s'était dit, ces deux salopes vont me faire bander et vont boire ma bouteille et après elles vont se barrer en gloussant pour aller se trémousser. Et ça, c'était fini. Le temps où elles pouvaient le mener par le bout du nez. Les femmes, toutes ; l'image des femmes, les sourires et l'indifférence des femmes. Non, ça suffit ; il avait passé l'âge. Passé l'âge de se faire avoir et de se faire mener par le bout du nez par des femmes dont il n'avait même pas envie. Alors la colère était montée en lui, une sorte de rage qui revenait de loin, de si profond, un raz-de-marée, un sourire méchant, un coup d'œil assassin – qu'est-ce que vous voulez ? Vous m'offrez quoi en échange ? Le droit d'aller me branler en pensant à vous, c'est ça ?

La fille avait retiré sa main, s'était redressée, choquée. Il avait gardé son casque en disant ça. Il avait eu un regard sans pitié, le temps de parler, puis ses yeux vitreux avaient balayé les deux filles comme pour les anéantir sous un mépris dont elles ne devineraient pas la violence, la haine à fleur de peau. Elles, elles ne voyaient que les reflets des spots, des lasers, des boules à facettes, les couleurs bleue et rouge et orange qui dansaient sur la peau luisante de Frantz, et, dans ses yeux, comme des petites billes de feu – le feu de l'alcool.

Il est complètement bourré, pensaient-elles.

Soudain, c'est lui qui s'était levé. Il avait dit, je vous laisse ma bouteille, il en reste la moitié. Puis il était parti. Il n'avait plus envie de les voir, pas envie de continuer. Il aurait pu, s'il avait été plus jeune, parce qu'alors il aurait été prêt à tout en espérant qu'une des deux filles finirait la nuit avec lui. Sauf qu'il savait que non, ça ne marchait pas comme ça, ce n'était qu'un jeu auquel on avait tout à perdre – la nuit, l'espoir, la patience. Il connaissait le scénario par cœur, et comme il préférait s'éviter une déconvenue qui le laisserait trop vide, il avait préféré partir. Le temps de regarder l'heure à sa montre, il avait vu qu'il n'était pas si tard, à peine plus de minuit et demie. Tant pis. Il irait dans sa chambre, il y aurait bien un truc à la télé. Il y en avait bien un, oui, un truc, quelque chose qui soudain l'avait profondément abattu, il ne savait pas quoi, et l'image des deux filles lui traversait l'esprit pour réactiver sa colère et son désarroi. Les voir presque se tripoter devant lui, se chuchoter des choses à l'oreille et se foutre de sa gueule devant lui. Il était furieux, il était soûl, et, sous ses pieds, dans les coursives, il sentait comme une vibration, peut-être celle des machines, des moteurs, peut-être l'immensité noire et glaciale et hostile de la mer. Peut-être la peur de la mort, ou peut-être était-ce la présence du néant, là, sous ses pieds, oui, la noirceur sous ses pieds, les monstres marins, l'épaisseur glauque et si profonde, si sauvage, si froide, si hostile. Ce pressentiment de mort, pourquoi on vient précisément en vacances *ici* ? Il espérait qu'une bonne dose de somnifère aplanirait tout ça – plus de colère ni d'allumeuses, plus d'obscures profondeurs marines ni de machineries au-dessous du monde, mais un univers plat, calme et doux, sans vague ni accroc.

Il s'était mis à marcher devant lui sans vraiment prêter attention aux quelques couples qui rentraient, des amis qui parlaient devant leur porte avant de se séparer. Et il ruminait, il ressassait, il tanguait de bâbord à tribord. Il connaissait le chemin par cœur, mais les dangers sont multiples dans ce genre de paquebots, des dénivelés d'une dizaine ou d'une quinzaine de centimètres annoncés par des *Attention à la marche* dont le nombre trop élevé finit par les rendre presque invisibles, des tours et des détours invraisemblables, et puis cette impression que le sol est comme un être vivant qui pourrait se cabrer, se défiler sous vos pas et se retourner pour vous jeter à terre à chaque instant. Mais, en tout cas, une chose est certaine, il n'y avait pas de risque de se perdre. Il y avait des panneaux à tous les coins du bateau ; sur chaque pont, à chaque coursive, chaque angle, des lettres blanches sur fond rouge, *Vous êtes ici*, et sur un fond blanc le plan en coupe du méga-paquebot. Puis, au bout de quelques minutes, après quelques longues considérations sur les femmes et sur la mort et la rouille qui mine tous les matériaux pour refuser la présence de l'homme comme un corps dont l'océan ferait rejet, Frantz était arrivé dans son couloir. C'était un long couloir très étroit avec une épaisse moquette rouge et des portes blanches et un silence épais et moelleux comme la moquette. D'ailleurs, dans ce bateau, tout était blanc ou parfois jaune, le plus souvent d'une pureté virginale ; on aurait dit qu'il était repeint tous les jours. Frantz avait bien compris l'idée, on veut cacher la pourriture et la rouille, on veut nous faire croire que nous dominons le néant qui roule sous nos pieds. Et soudain cette pensée avait achevé de le déprimer.

Puis il l'avait aperçue.

Elle était seule. Il s'était arrêté, incrédule. Sa mauvaise humeur s'était envolée aussi vite que Vera, en face, arrivait vers lui, marchant vite, comme si elle ne l'avait pas encore vu, qu'elle ne le regardait pas. Pourtant il était face à elle, assez loin certes, puis de moins en moins, puis enfin elle l'avait reconnu. Il avait eu le temps de comprendre qu'elle avait été surprise de le trouver face à elle, surprise, oui, et non pas heureuse comme il aurait aimé. Au contraire, il avait vu passer sur son visage une sorte d'appréhension, de désarroi, quelque chose de furtif et de douloureux. Il avait repris son souffle, esquissé un sourire, passé la paume de sa main sur son crâne luisant et brûlant de fatigue et d'alcool. Puis il avait pensé à la tache sur son tricot, que la lumière du couloir pouvait rendre tout à fait visible. Mais c'était trop tard. Voilà, elle était devant lui, tout près. Son visage était comme défait – un visage inquiet, pâle, et sa chevelure auburn n'illuminait plus rien. Vous n'allez pas bien ?

– Ah, vous êtes là ? avait-elle répondu.

– Oui, je rentre.

Et puis ils étaient restés l'un en face de l'autre, seuls dans ce long couloir, silencieux, comme si ces trois mots les avaient épuisés. Frantz s'était demandé une fraction de seconde ce que Vera pouvait faire ici, pourquoi elle avait l'air si embarrassé. Comme si de le voir la dérangeait ? Comme s'il la surprenait en flagrant délit de quelque chose ? Mais de quoi ? Il n'en avait aucune idée, il était suffisamment soûl pour que sa colère retombe aussi vite et laisse place à une sorte d'espoir diffus dont il savait bien qu'il était insensé ; Frantz savait par expérience qu'un espoir imbibé d'alcool ne vaut jamais bien cher.

– Vous êtes perdue ?

– Non. Je...

Un temps.

– J'ai bien aimé le saumon et les griottes, avait repris Frantz.

– Le saumon ?

– Oui, notre dîner.

– Ah, oui, le dîner... Oui... Le saumon, pardon, je n'y étais pas.

Un temps.

– Si vous voulez on pourrait peut-être déjeuner ensemble, demain ?

– Oui, si vous voulez, si vous voulez, oui, bien sûr qu'on peut, Frank.

Un temps.

– Frantz.

– Pardon ?

– Mon prénom. Je m'appelle Frantz, pas Frank.

– Oh ! Pardon, bien sûr ! Je suis désolée, c'est que, excusez-moi, il faut que j'y aille, je suis inquiète, mon père n'est pas dans sa chambre et...

– Il est peut-être sorti faire un tour ?

– Oui, mais...

– Mais ?

– Il faut que je le retrouve, il est quelque part, je ne veux pas les prévenir, vous comprenez ?

– Prévenir qui ?

– Les gens du bateau. L'infirmerie, le médecin. Les gens, tout le monde. Il ne supporterait pas qu'on sache, il est très mal, vous savez, il est, il est, mais c'est de ma faute, je n'aurais jamais dû faire ce voyage. J'ai cru que c'était une bonne idée, je n'ai pas écouté son médecin, je n'ai écouté personne et puis...

Et puis Vera s'était tue. Les larmes étaient venues, elle avait simplement détourné le visage. Frantz aimait bien qu'elle montre son profil, qu'elle pleure devant lui. Ce côté impudique et cette retenue en même temps, il aimait bien ce côté cinéma hollywoodien. Vera avait laissé un peu de temps passer, elle avait pris un Kleenex dans sa poche et avait séché ses yeux. Elle avait écrasé le mouchoir entre ses doigts, en avait fait une boule qu'elle avait serrée très fort en redressant son visage, je pensais que ce voyage lui ferait du bien, qu'il était encore temps, qu'on pourrait enfin se voir tous les deux et se dire enfin... Et puis elle s'était tue.

Ça lui était venu subitement. Convaincu qu'Elena était restée au restaurant, Khrenov, depuis presque une heure, cherchait sa femme.

Il avait été pris de panique à l'idée qu'elle ne retrouverait pas son chemin toute seule. C'était sûr, tout était trop compliqué. Alors il avait passé un peignoir au-dessus de son pyjama, avait pris ses chaussons sans mettre de chaussettes, car il avait pensé qu'il devait faire vite. Il pensait qu'Elena allait se perdre. C'est sûr, Elena allait crier, Elena serait terrorisée. Il avait voulu à tout prix éviter qu'elle s'angoisse inutilement. Il avait décidé qu'il fallait aller la chercher tout de suite, plutôt que d'appeler encore Vera, qui, comme d'habitude, mettrait un temps fou à arriver. Et puis il avait eu soudain l'embryon d'un doute... comme une faille dans ses certitudes. Est-ce que... Est-ce que Vera était bien là ? Est-ce qu'elle avait bien embarqué avec eux ? Il n'était soudain plus si sûr... un doute... un soupçon... Vera ? Vera... Est-ce qu'elle n'avait pas école, demain ? Ou bien, est-ce qu'elle n'était pas plutôt restée chez sa nounou ou chez sa grand-mère ? Il lui a semblé, mais c'était un rêve, un drôle de rêve, que Vera était... *adulte*. Elle était adulte et Elena n'était pas avec eux... non... Vera avait... est-ce que c'était possible ? Comme si Vera avait remplacé... Elena... Vera... Vera... Elena... Alors, il avait rejeté cette idée ridicule et s'était raffermi en se disant, il faut y aller, c'est ridicule, tout ça est ridicule, il faut aller chercher Elena. Il avait serré et attaché très fermement la ceinture de son peignoir. Il avait glissé dans ses chaussons et s'était retrouvé dans le couloir 10 bâbord. Sans hésiter il avait pris à droite, puis s'était retrouvé devant un ascenseur. Il l'avait pris, avait appuyé sur un bouton et détesté comme tous les jours cette vague odeur de propre, ce faux bois plus vrai que du vrai, ce verre teinté dans lequel se reflétait un vieillard insipide au regard méchant et rancunier, et puis quelque chose s'était passé, dont il n'avait pas pu saisir le mécanisme. Il n'était pas parvenu à comprendre, peu importe. D'un seul coup, il était au milieu d'un couloir et n'était pas sûr de savoir ce qu'il y faisait. Il ne se souviendrait pas très bien, quand il voudrait raconter, de comment il était arrivé jusqu'ici. Et déjà il essayait de se remémorer, oui, c'était ridicule, cette situation, tout ça – oui, Elena a disparu. Dans le restaurant. Je suis parti la chercher. Je suis parti la chercher. Je suis parti la chercher. Je suis parti – il faut que je la trouve, elle va s'inquiéter.

Et comment il s'était retrouvé à marcher dans un long couloir qui n'en finissait pas et comment il avait compris qu'il s'était trompé de pont en vérifiant sur l'un des plans, ça, non, il ne savait plus vraiment. Il ne saurait pas vraiment le raconter. *Vous êtes ici.* Et puis, ailleurs encore, il avait lu *Vous êtes ici.* Et puis il avait été submergé par un sentiment amer, une sensation d'appréhension. *Vous êtes ici.* Il n'avait pas osé se dire qu'il s'était perdu, ni le dire aux quelques couples qu'il avait croisés, se contentant peut-être de sourire, de répondre à leur bonsoir, un bonsoir en anglais et aussitôt les silhouettes disparaissaient sous ses yeux comme des fantômes qu'il ne pourrait plus rappeler. *Vous êtes ici.* Ce bout de phrase, alors, qui avait tenu à sa bouche comme un morceau de viande collant aux gencives, entre les dents, agaçant les nerfs. *Vous êtes ici* et bientôt, *ici*, ça avait été dehors. Il n'avait pas su comment il avait atterri *ici*, dehors, comment tout à coup il avait été comme expulsé, jeté sur le pont 12, en pleine froidure, un froid comme jamais il n'en avait connu, suffocant, agressif, lui attaquant les yeux et le nez, le laissant soudain incapable de respirer. Il avait marché jusque-là sans personne pour le trouver ni pour le voir ; il avait regardé le pont comme un nouveau-né découvrant qu'il peut marcher seul. Il avait risqué quelques pas. Il avait avancé sur le pont et soudain dans son esprit le monde et les idées étaient devenus comme une grande et molle buée blanche d'une étrange et dangereuse présence. Il avait tout à coup complètement oublié d'aller chercher sa femme au restaurant *Les Cinq Étoiles*. Exactement comme auparavant il avait oublié que sa femme était morte huit ans plus tôt, et que le restaurant *Les Cinq Étoiles* n'était pas sur ce paquebot, sur l'*OdysseA*, mais sur un autre, d'une autre compagnie. Et, s'il avait bien dîné lors d'une croisière dans un restaurant qui avait un nom comme *Les Cinq Étoiles*, ce n'était pas exactement ça ; c'était plutôt *Les Cinq Étoiles du Voyageur*, ou bien *La Caravelle aux 5 étoiles*. Non ? Non. Mais le nom flottait sur ses lèvres, il dansait dans sa tête. Et puis soudain, cette évidence : c'était aux Caraïbes. C'était il y a bientôt vingt ans, là où la mer n'était pas noire et sombre et triste comme celle du Nord mais où elle devenait d'un bleu de chlore au fur et à mesure qu'on descendait vers le sud. C'était avec Elena, en effet. Oui, il avait eu raison, c'était bien avec sa femme, Elena. Elena. Elle était là, elle était encore avec lui et à l'époque elle portait un bandeau noir et rouge dans son épaisse chevelure grise, elle portait des lunettes Kenzo – et pourquoi bon Dieu la mémoire vous revient par ces détails insignifiants qui vous déchirent et vous brûlent la cervelle vingt ans après ? Elle vous joue des tours, la mémoire, mais elle a certaines fidélités, comme des petits points de lumière auxquels elle s'accroche.

Au début, Dimitri Khrenov avait marché sur le pont et n'avait pas senti que le froid glacial allait le mettre très rapidement en danger. Il n'avait pas senti le froid parce qu'il s'était soudain approché de la rambarde et avait regardé au loin dans l'obscurité. Un noir total et si vide qu'on dirait que quelqu'un a enlevé le décor. Et puis si, quand même, on avait fait un petit effort. On avait mis au moins un peu de lumière, le minimum, vraiment, mais c'était mieux que rien. Un noir moins noir, tout au fond. Puis, en y regardant bien, comme une sorte de bleu nuit au cœur des ténèbres. C'était très sombre, et puis de moins en moins. Des détails apparaissaient, des petites lucioles couleur de citron vert qui vibraient dans le ciel. C'était très loin, mais il avait d'excellents yeux, Khrenov. Il avait toujours eu d'excellents yeux.

Et puis un type était apparu, ce drôle de type avec qui il avait dîné le soir même. Il s'en était souvenu, enfin, pas tout de suite, mais il l'avait vu, le type lui parlant, le prenant, le soulevant, le faisant rentrer dans le bateau, le traînant jusqu'à un ascenseur en le hissant, le saisissant dans ses bras, disant des choses étranges sur Vera, morte d'inquiétude, Vera morte de peur. Khrenov cherchait, puis il s'était souvenu, ah, oui, ce brave type idiot, ils ont discuté ensemble, c'est vrai, il se souvient – hier soir peut-être ? On a dû dîner ensemble, se disait Khrenov. Ah oui... dîner, est-ce qu'on a dîné ? C'est ça, ça me revient, on a dîné tous les trois avec Vera. Il s'appelle... je ne sais plus... il est comptable et vit à... à Berlin... à Berne... il travaille à Berne... il nous a dit, oui, c'est ça, une agence de... à Berne. Il est sympathique et il a l'air très compétent, cet homme. Mais je n'aime pas trop comme il regarde Vera. Sauf qu'on ne peut pas demander à un homme de ne pas désirer les femmes qu'il croise... Un homme, forcément, c'est normal. Il avait passé le dîner à regarder Vera comme une proie possible, pour étendre la liste de ses victimes, pour se rassurer sur lui-même. Mais ça ne lui donnera pas l'air moins idiot ni moins amer, à ce type, avait conclu Khrenov. Mais au fond il ne lui en veut pas, il pourrait presque le comprendre, parce qu'il se souvient d'avoir été lui-même infidèle très souvent. Il se souvient, avec une ombre de vanité encore, qu'il avait fait quelques victimes et que quelques-unes avaient adoré être sa proie. Mais il ne pensait pas que Vera adorerait être la proie de Frantz. Il ne pensait pas que sa fille puisse adorer quoi que ce soit de cet ordre, car il n'avait jamais pensé qu'elle puisse être capable d'être *vraiment* une femme – comme si lui savait mieux qu'elle ce que c'était. Elle n'avait jamais pu éprouver dans sa chair, dans sa vie, dans sa personnalité, la moindre jouissance féminine, la moindre jouissance tout court, c'était impossible. Elle était sa fille, et jamais il n'avait pu imaginer qu'elle puisse avoir des désirs de femme. Ou alors, si l'idée lui avait parfois traversé l'esprit, c'était avec stupéfaction, presque du dégoût, comme si c'était le comble de l'obscénité – et l'obscénité ne s'était pas arrêtée à ça, puisque Khrenov avait été déshabillé complètement par Frantz, que celui-ci l'avait soulevé et porté jusqu'à la douche alors que Khrenov n'arrivait pas à bouger, à parler, qu'il prenait seulement conscience que son corps lui échappait, qu'il se raidissait, que ses yeux se fermaient malgré lui, ses muscles inertes, son cœur trop lent, son souffle trop court, avec l'autre qui s'agitait au-dessus de lui pour ouvrir le robinet de la douche.

Frantz avait proposé à Vera de rechercher son père chacun de son côté, puis de se retrouver plus tard dans sa cabine. Elle était désemparée et avait accepté. Et, lorsqu'elle avait frappé à sa porte, qu'elle l'avait entendu lui dire d'entrer, les premières choses qu'elle avait vues, étendues sur le sol, c'était le peignoir et le pyjama de son père. Elle était restée stupéfaite, puis le bruit du jet de la douche l'avait sortie de sa torpeur, et Frantz l'avait appelée. Alors elle était allée vers la salle d'eau et avait été surprise par cette buée, cette chaleur humide qui envahissait l'espace. Un temps d'arrêt. Comme si tout s'arrêtait. Comme si tout pouvait s'arrêter. Mais non. Non. Ça continuait. Le jet de la douche. La voix de Frantz qui s'était mise à crier pour qu'elle vienne. Pour qu'elle l'aide. Frantz, dans les mêmes vêtements que tout à l'heure, mais trempé de la tête aux pieds, le visage rouge, brûlant, l'air concentré sur ce qu'il faisait – soutenir de toute sa force le corps glabre, rosé, fripé et décharné et frigorifié de Dimitri Khrenov. Bon Dieu, venez m'aider ! avait-il hurlé sans la regarder, mais en essayant de retenir le vieil homme sous un bras pendant que de l'autre, guidant le pommeau de douche, il essayait de lui projeter une eau chaude, d'un jet très puissant, sur les cuisses, les genoux, les pieds – elle avait vu tout de suite que les pieds étaient presque violacés, le visage congestionné, les lèvres presque bleues – et Frantz avait crié, il faut le frictionner, prenez une serviette, une des grandes, non, le peignoir plutôt ! Prenez le peignoir ! Venez ! Et elle avait obéi pendant que Frantz avait fermé la douche et elle avait jeté le peignoir sur le corps de son père. Ça avait été difficile, douloureux, on l'avait frictionné dans le dos, sur les bras, violemment, leurs yeux à tous les deux concentrés sur Dimitri Khrenov qui avait bientôt murmuré des mots incompréhensibles, pendant qu'on le sortait en essayant d'ajuster l'épais peignoir blanc sur sa peau mouillée et froide encore, pendant que sa fille le frictionnait avec le plus de force possible – mais celui-ci avait soudain repris de la vigueur, il avait rouvert grand les yeux et s'était mis en tête de savoir comment il avait pu se retrouver dehors, car, oui, qui avait pu le jeter dehors par un froid pareil, dans une nuit pareille, il n'avait pas pu se retrouver dehors tout seul, non, bien sûr que non, pourquoi serait-il allé tout seul dehors avec un froid glacial comme ça, en robe de chambre ! Sans chaussettes ! Quelqu'un avait dû le jeter dehors, mais qui ? Qui ? Qui avait pu ? Il ne se souvenait pas. Il s'était tu pour essayer de fouiller loin dans sa tête et rassembler ses esprits. Mais non, impossible, c'était déjà trop loin. Vraiment, c'était curieux, impossible de se rappeler. Il se souvenait juste de ce froid horrible et de ne pas pouvoir respirer, des yeux qui brûlent, de la nuit. Il s'était agité encore pour raconter ça, scandalisé, n'entendant pas la voix de Vera lui demandant de se taire, de se calmer, il faut se réchauffer, il faut que tu te réchauffes quelques minutes et puis après on va rentrer, tu iras te coucher et si tu veux je te ferai une tisane.

Mais au lieu de l'écouter il s'était mis à gueuler, à repousser Vera et Frantz. Cette chaleur qu'ils voulaient faire remonter de son corps en le frictionnant il la trouverait tout seul, en gueulant. Tout à coup il s'était mis à les regarder l'un et l'autre comme des petits merdeux, surtout Vera qui ne ressemblait à rien, Vera toujours mal habillée, quel mauvais goût, Vera, sans talent pour elle-même, sans élégance, elle qui avait été une enfant si lumineuse, non, comment on avait pu gâcher une telle enfance ? Tu as toujours voulu tout gâcher, tu n'as jamais su t'habiller, tu n'as jamais voulu, et puis soudain, presque amusé d'interpeller Frantz, oui, vous la voyez, depuis l'adolescence, figurez-vous, une fois, elle s'était rasé le crâne ! Vous vous rendez compte ? Vous avez des enfants ? Vous imaginez ? ! Qu'est-ce qu'on lui a fait ? Qu'est-ce qu'on a bien pu lui faire pour qu'elle nous haïsse comme ça ? Qu'est-ce qu'on t'a fait ? Tu peux le dire ? Tu veux te racheter, c'est ça ? Maintenant tu es gentille avec moi parce que tu crois que c'est bientôt fini, il est bientôt fini, le vieux, c'est ça que tu penses ? Ils le voyaient reprendre des forces pour dire que Vera n'avait jamais eu l'élégance de sa mère, qu'elle était lamentable avec ses cheveux auburn et ses pulls, ses jeans, tu aimes ça, ça te fait un gros cul tu sais, tu le sais au moins ? Et alors il s'était mis à rire en prenant Frantz à partie. Vous aimez ça, vous, une femme avec un cul pareil ? Un sacré popotin, non, ma petite Vera ! Et soudain un rire atroce lui était monté au visage, comme s'il avait craché, et il riait, il riait et Vera s'était mise à crier pour qu'il se taise – même si au début ce n'était pas des cris, ça avait monté pour recouvrir la voix de son père, pour que Frantz ne puisse pas entendre, parce que, avait-elle pensé, elle en crèverait de honte. Alors elle s'était mise à crier pour exiger de son père qu'il se taise, qu'on en finisse et qu'il aille se coucher. Elle n'osait pas regarder Frantz en face et Frantz non plus n'osait pas la regarder. Elle se contentait de murmurer je suis désolée, je suis désolée, je suis tellement désolée et Frantz voyait comment elle se retenait d'éclater en sanglots. Alors il avait trouvé toute cette histoire parfaitement pénible et avait dit avec une pointe d'agacement, prenez vos affaires et partez, partez. Il avait pris le pyjama et la robe de chambre au sol, il en avait fait une boule qu'il avait glissée sous le bras de Vera et les avait poussés tous les deux vers la porte, père et fille, les Khrenov, en disant d'une voix ferme et décidée, allez, maintenant ça suffit, il est tard, il faut que vous rentriez.

Et il s'était retrouvé seul, complètement dessoûlé, complètement trempé – et à ses pieds quelques flaques d'eau des-

71

sinaient des formes molles et arrondies, comme des lacs ou des pièces de puzzle sur lesquelles se reflétait la lumière blanche et morne du plafond.

Maintenant, le café au lait lui fait du bien ; la mousse chaude et la couleur de sable avec sa dentelle d'écume blanche le rassurent ; les mains autour de la tasse se réchauffent doucement.

La mer du Nord est glaciale en mars et c'est pour ça qu'elle est tellement belle, se dit Frantz. Elle dissuade les plus coriaces des croisiéristes, qui préfèrent regarder ses beaux effets à travers l'écran d'une fenêtre, d'un hublot, d'une baie. Mais lui, non. Ce matin, Frantz avait préféré sortir et affronter le froid et la beauté sauvage de l'immensité. Il ne le regrettait pas, même s'il était gelé – malgré son manteau, ses gants, son écharpe. Mais le froid, il en avait l'habitude, ça ne le gênait pas. Il lui faudrait un peu de temps pour se réchauffer, le temps de voir venir les uns et les autres, au compte-gouttes, prendre ce petit déjeuner qui était le premier des repas de la journée, celui dont on aurait le moins honte parce que ce serait le seul qui serait lié à une faim véritable. Pour les autres, les buffets, les collations, ce serait une suite sans fin pour agrémenter la journée à jouer aux fléchettes, à risquer des fortunes au casino, à attendre une séance de massage, à prendre quelques cours sur le fonctionnement de la salle des machines avec le capitaine et un officier, pourvu qu'il ait le Sourire Commercial de circonstance et une chemise blanche impeccablement repassée, du type *La croisière s'amuse*, référence obligée des Heureux Gagnants et de l'équipage lui-même.

Quand Frantz les voit arriver tous les deux, ce qui le surprend le plus, ce n'est pas du tout le coup d'œil que Vera lui lance, ni son sourire un peu navré. Bien sûr, elle a l'air d'avoir horriblement mal dormi. Elle a dû avoir une nuit agitée et à peine moins courte que la sienne. Pendant toute la nuit elle a dû se tourner et se retourner dans ses draps pour se poser des questions sur l'avenir et sur les choix qu'elle avait imposés aux autres. Est-ce que, à leur retour, il faudrait faire hospitaliser son père ? D'office ? Même si elle y répugnait, elle devait enfin se poser les bonnes questions, c'est ce que tout le monde lui disait depuis des mois. Est-ce qu'elle avait bien mesuré ce que pourrait être son avenir à elle, sa vie personnelle, sa vie de couple et même, simplement, ce que ce serait pour deux fillettes d'avoir à la maison un vieux fou comme leur grand-père qui est capable de se lever la nuit pour chercher une femme morte depuis huit ans dans un restaurant où il n'a pas foutu les pieds depuis vingt ans et qui est situé à l'autre bout de la planète ? Est-ce qu'elle mesurait comment sa vie allait devenir un enfer alors que la fin était inéluctable ? Est-ce qu'il ne vaudrait pas mieux s'en rendre compte *maintenant* ?

Le plus étonnant, se raconte Frantz en plongeant dans sa grande tasse de café au lait, c'est comment Khrenov l'a repéré tout de suite et se dirige vers lui d'un pas assuré. Il ne se donne même pas la peine d'aller se choisir quelque chose à manger. Il sait que Vera va lui faire un plateau comme il l'aime, qu'elle fera ça parfaitement, et il ne se pose pas de questions. D'ailleurs, il a l'air tellement excité qu'il pourrait sans doute ne rien manger. Il a d'autres questions en tête. Ce matin, il a énormément de questions en tête, et des solutions aussi, des choses à dire, beaucoup. Il fonce vers Frantz ; celui-ci sera parfait pour écouter Dimitri Khrenov.

En le voyant venir, Frantz hésite un peu, puis il soulève la tête et regarde franchement Khrenov. Il lui sourit et lui désigne une chaise, mais c'est inutile, le vieil homme s'est déjà assis. Il a l'air tout excité, très énervé. Il ne dit pas bonjour, il ne dit pas un mot sur ce qui s'est passé cette nuit. Frantz se demande même s'il s'en souvient. Khrenov se penche pour demander à Frantz s'il a regardé les actualités. Il dit *actualités*, les actualités, non, Frantz n'a pas vu les actualités. Alors vous ne savez pas, continue Khrenov, vous ne savez *vraiment* pas, demande-t-il, visiblement heureux d'avoir le privilège d'annoncer à quelqu'un l'événement qui frappe le Japon.

— Pardon ?

— Le Japon.

— Quoi, le Japon ?

— Un séisme, un séisme *énorme*.

— Non, je ne savais pas. Je n'ai pas écouté les infos.

— Alors, je vais vous expliquer. Parce que c'est très important. Ce qui est en train de se passer est très important.

Et sans attendre, Dimitri Khrenov se lance dans une grande explication. Sa voix monte soudain très haut, comme s'il donnait un cours. Vera s'arrête avec son plateau dans les mains, puis elle regarde son père. Frantz lui jette un coup d'œil, il ne sourit pas ; il ne voudrait pas que Khrenov pense qu'il n'écoute pas parce que si, il écoute. Il écoute vraiment. Mais il n'est pas le seul. Autour d'eux, des gens se sont installés. Mark et Birgit, l'une des deux étudiantes, l'un des types dont Frantz ne se souvient jamais du prénom, des Heureux Gagnants qui viennent les rejoindre. Puis le chef de salle qui fronce les sourcils en s'étonnant de ce que ce vieux monsieur si discret se mette à parler si fort ce matin, qu'il soit aussi agité, si démonstratif, et qu'il soit assis à une autre table que celle où il prend son petit déjeuner d'habitude. Les regards bientôt seront tous sur lui, mais Khrenov a entrepris d'expliquer ce qui se passe au Japon. Il ne voit pas Vera s'asseoir à côté de lui, lui mettre son plateau sous le nez. Non, il ne la voit pas, mais il voit tout de suite les petits bols et il les prend pour montrer ce qui se passe :

— Vous voyez, c'est comme ça. Le Japon se trouve à la confluence de trois plaques tectoniques. Le Pacifique, les Philippines, et la plaque eurasienne (il se sert des trois bols, fruits, fromage blanc, céréales, pour illustrer son propos). Mais tous les ans la plaque pacifique glisse de huit centimètres sous le Japon. Vous voyez ? Bon, vous comprenez ?

— Oui.

— Vous comprenez ?

— Oui.

— Bon, alors ce qui se passe...

— Je comprends, ce qui se passe, vous dites ?

— C'est que la plaque pacifique frotte la plaque eurasienne et l'entraîne avec elle sous le Japon, vers le bas. Mais de temps en temps la plaque eurasienne, vous comprenez, elle ne l'entend pas comme ça et tout à coup, elle remonte. Oui, je vous vois venir, comme une femme qui se laisserait caresser jusqu'à un certain point et saurait vous rappeler quand vous allez trop loin, mais d'un coup violent, en se cabrant, en revenant en arrière, en regagnant le terrain perdu vers l'Est, avec un déplacement horizontal. Vous comprenez, ça, pour le coup, ce n'est pas comme avec les femmes, ça, non, non, ce n'est pas la séduction mais la subduction, la subduction, retenez ce nom (il lève le doigt au ciel), c'est important, parce que ces mécanismes-là sont les plus violents. C'est eux qui font les plus forts séismes. Et là, il faut croire que nous avons un séisme exceptionnel !

– Ah bon ?

– *Ah bon*, c'est tout ce que ça vous inspire ? *Ah bon*. Tu vois ça, Vera ? Voilà ce que ça inspire à monsieur ! dit-il en haussant les épaules, entre consternation et incrédulité. Vous ne comprenez pas ? la Terre entière ! Il y a les cinq continents, mais ça, ce n'est pas important. Ce qui importe, c'est ce qui est dessous. C'est dessous que tout se joue ! Et dessous, voyez-vous, il y a sept grandes plaques qui divisent l'écorce terrestre, plus quelques autres sans importance. Mais bon, elles bougent, dites-vous bien qu'elles bougent ! Elles bougent toutes, comme un mécanisme dans lequel il y aurait du jeu, vous voyez (et il se remet à jouer avec les bols sur son plateau, à les approcher les uns des autres, mais les bols ne sont pas faits pour ça. Alors il les laisse et les repousse et prend sans lui demander la permission trois assiettes dans le plateau de Frantz, des assiettes vides ; il se met à les faire glisser et se chevaucher pour montrer comment, en appuyant sur un point, on soulève forcément le point symétrique et opposé, comment le mouvement de l'un agit sur celui de l'autre. Et il est heureux de faire ça. Il ne regarde personne, ni Vera, ni Frantz, mais autour de lui les regards sont fixés sur ses mains qui ne tremblent pas et sur ses doigts qui s'agitent, puis soudain arrêtent tout). C'est une vraie horlogerie du désastre, la Terre. J'ai toujours dit qu'elle était vivante. Elle est vivante et son vieux corps grince, pas de doute. Elle vient de pousser un cri terrible, presque du neuf sur l'échelle de Richter ! du neuf ! Vous

76

vous rendez compte ! Le tsunami va suivre, à l'heure qu'il est ce doit être fait, ou c'est peut-être encore maintenant (il se met soudain à regarder sa montre comme si l'heure d'ici, l'heure maintenant, lui donnerait une indication) ? Vous savez, la plaque rebondit et c'est ce qui déclenche une vague. La première vague. Elle est forcément assez minuscule, si l'on veut, mais plus elle s'éloigne du point de fracture, plus elle s'éloigne de sa source et plus elle approche du rivage, plus elle gagne en puissance. Elle gagne en force, elle se nourrit d'elle-même, elle génère sa puissance et sa vitesse, elle peut faire plus de huit cents kilomètres/heure ! c'est un monstre, un hyper-monstre, vous vous rendez compte ! C'est fabuleux, la vitesse d'un avion ! La puissance que ça dégage !

– Et ça a l'air de vous faire plaisir, l'interrompt soudain Birgit, qui a laissé tomber sa fourchette et finit de s'essuyer la bouche d'un geste nerveux. Elle fixe Khrenov et attend de lui une réponse. Elle attend, ne lâche pas son regard. Elle repose sa serviette couleur cerise sur le bord de la table. Bientôt elle va dire qu'elle a entendu à la télévision, qu'on parle d'une catastrophe terrible et lui, ce monsieur – elle s'adresse soudain aux autres – ce monsieur nous parle de *technique* et il a l'air si heureux !

Et, en effet, il est impossible de ne pas voir comment le visage de Dimitri Khrenov est exalté, épanoui, comment quelque chose en lui rayonne d'une joie qu'il ne peut pas dissimuler. D'ailleurs, il n'essaie pas ; il n'a jamais eu l'intention de cacher son excitation. Alors Vera voudrait que tout s'arrête. Vera à ce moment-là voudrait que la Terre entière cesse de tourner, qu'on retrouve le temps de réfléchir, de se calmer, de calmer cette chose qui tout à coup s'emballe, elle le voit, elle le sait. Elle regarde alternativement son père et Frantz, et puis les gens, ces couples qui viennent prendre leur petit déjeuner, le chef de salle et les deux serveuses qui sourient du large Sourire Commercial des prospectus et des magazines.

C'est bizarre, se dit Frantz, comment il peut raconter des choses avec une telle précision et regarder les gens maintenant avec une telle hauteur, comme si les gens qui sont là, Khrenov n'arrivait plus à cacher qu'il les méprise ?

— Et tous ces morts ? Les milliers de morts, on dirait que c'est un détail ? ça ne vous fait rien ?

— Les morts, les morts... (Il fait un geste pour chasser cette idée comme on se débarrasserait d'une mouche.) Je vous parle d'un mécanisme, madame.

— Ah, ça ! reprend Birgit cette fois franchement en colère, on a bien compris que vous étiez très savant. On a bien compris le mécanisme. On a bien compris que ce qui vous intéressait –

— Attendez, chère madame.

— Je ne suis pas votre *chère madame*.

— Chérie, c'est bon, calme-toi, tente Mark en lui posant la main sur l'avant-bras, celui avec lequel elle tient sa fourchette, qu'elle a reprise et avec laquelle elle devient menaçante.

— Ça va être des milliers de morts, je ne sais pas combien, mais des milliers !

— Vous savez, reprend Khrenov avec froideur, d'ailleurs, non, vous ne savez sans doute pas, mais les Japonais ont l'habitude de ça, ils savent ce qu'ils risquent. Dans les forêts on trouve des bornes, des pierres avec des inscriptions qui datent de plusieurs siècles pour dire que la limite du domaine de la mer, c'est ici. C'est jusqu'ici que les tsunamis peuvent frapper, ils le savent. Ils savent tout ça mieux que nous, les Japonais. Et ce n'est pas l'océan ni les tremblements de terre ni les sismologues qui sont responsables, madame. Pas moi qui suis responsable s'ils construisent des villes entières là où leurs ancêtres savaient qu'il ne fallait pas le faire.

Birgit reste muette. Elle reprend sa respiration et regarde autour d'elle, elle sait que la journée est définitivement gâchée. D'ailleurs, tout le monde le sait. Le chef de salle et les serveuses aussi, qui entreprennent soudain de proposer de servir un peu de café, de thé, de lait, un Sourire, oui, c'est ça, se disent-ils dans un grand élan d'optimisme et de confiance en soi, un bon vieux Sourire Commercial parce qu'il faut reprendre l'initiative. On ne doit pas déchoir à ce moment critique, se répètent-ils, chacun pour lui-même, sans avoir besoin de le dire aux autres parce que les autres le savent aussi ; ils sont de bons collègues, c'est une bonne équipe et c'est une question de professionnalisme. Il y a comme un gigantesque trou d'air qui s'est installé ce matin sur la salle des petits déjeuners et tous espèrent que Khrenov va bientôt partir. Vera boit son café rapidement et elle insiste pour que son père mange et se taise. De temps en temps elle regarde Birgit pour l'implorer de ne pas faire attention à ce qu'il dit. Elle sait que, si son père et elle ont pu ignorer les gens jusqu'à maintenant, c'est fini, ce n'est plus eux qui refusent le groupe mais le groupe qui vient de les rejeter. Il reste une journée, mais c'est une journée qui sera terrible, elle le sait. Ils la passeront tous les deux sans doute enfermés dans leur cabine, lui collé à la télévision, attendant des coups de fils de ses anciens

79

collègues, d'amis qui auront des informations techniques, des données précises qu'il observera, qu'il essaiera de comprendre, peut-être même fera-t-il des prospectives pour essayer d'analyser ce qui s'est passé dans le Pacifique pendant que Vera le regardera en se demandant combien de temps encore sa vie sera suspendue à l'indifférence de son père. Mais, maintenant, ce qu'elle voudrait surtout, Vera, c'est qu'on les oublie. Qu'on les laisse tranquilles. Qu'on les laisse gentiment finir ce voyage atroce, dans une autre indifférence, celle de leur histoire à eux. Elle voudrait que personne ne les voie ni ne prête attention à eux. Et maintenant elle regarde Frantz et se dit que tout n'est pas perdu s'il y a des gens comme ce drôle de type. Elle repense à la veille, cette nuit horrible, quand elle l'avait rencontré dans le couloir. Lui, un inconnu, un type qui avait l'air de toujours s'ennuyer, de ne s'attacher à rien ni à personne et portait cette légère et aigre odeur de transpiration, le regard vide et comme flouté par l'alcool, dès le matin. Eh bien, malgré cette tête un peu lâche, sous son air obséquieux, oui, c'est lui qui l'avait aidée, et sans rien lui demander en échange.

Maintenant, Frantz a fini de boire son café au lait, et Khrenov sent qu'il voudrait partir. Frantz repense à Vera, à cette nuit, au peignoir qu'elle était venue lui rendre en le suppliant d'accepter ses excuses, en se confondant en remerciements parce que Frantz avait sauvé la vie de son père, quelques minutes de plus et il serait mort de froid, c'est sûr, avait-elle ajouté.

Cette idée d'avoir sauvé la vie de quelqu'un avait résonné dans sa tête, Frantz avait éprouvé une sorte de gêne – presque comme si, au fond de lui, il avait eu l'impression d'avoir commis une erreur.

Maintenant, alors qu'il rentre dans sa cabine, Frantz allume la télévision. Il fait ça sans vraiment réfléchir, il veut voir les images du séisme, presque par réflexe, par curiosité malsaine, par ennui, pour se divertir tout en se racontant que c'est pour se tenir informé. Il veut voir les images dont Khrenov a parlé, mais les images d'un tremblement de terre sont toujours un peu convenues. En les voyant, Frantz se dit qu'il va écrire un mot à Michel. Il va lui raconter toute cette histoire sur Khrenov et sur sa fille. Il va lui dire que, lorsqu'il s'était retrouvé seul, encore abruti par l'alcool et frigorifié par cette douche forcée et en même temps dessoûlé de sa soirée, il était en pyjama. Il pourra dire qu'il s'était retrouvé comme un con parce qu'il détestait se montrer en pyjama devant une femme, surtout lorsqu'il trouvait celle-ci désirable.

Mon cher Michel, lorsqu'une femme vient de te dire que tu as sauvé la vie d'un homme et que cet homme est son père, eh bien, figure-toi que tes jambes tremblent un long moment, que tu ne sais pas trop quoi faire après, lorsque tu te retrouves seul et qu'alors, par désœuvrement, tu allumes la télé et que tu vas dans le minibar prendre une bière. Tu te dis que tu pourrais être changé complètement par une femme comme ça. Tu te dis qu'avoir sauvé la vie d'un homme aussi brillant que Khrenov pourrait être un jour fabuleux. Mais en fait, non. Ce n'est pas du tout ce qui se passe. Parce que tu es assis dans le fauteuil face à la télé, tu zappes dans la nuit et tu cherches déjà les images qui t'apporteront du réconfort – pas un truc sur les lépidoptères, je te prie de le croire. Mais tu voudrais plutôt des femmes lascives qui te regardent à travers l'écran de la télé, tu voudrais que Vera revienne et qu'elle te dise qu'elle a envie de toi, je veux dire *vraiment envie de toi*, de prendre ton sexe dans sa bouche, de te faire jouir, de te regarder jouir et d'aimer te faire jouir. Tu vois, c'est que tu comprends très vite que sauver la vie d'un homme c'est peut-être bien, mais ça ne change rien à rien. Je préférerais glisser mes mains sous le chemisier de Vera. Je préférerais me retrouver à poil avec elle que d'avoir eu à sauver son père, c'est sûr. Le plus déconcertant, c'est qu'elle croit vraiment que je l'ai aidée pour l'aider, en n'attendant rien en échange. C'est vexant, à la fin, ces femmes qui croient qu'on n'attend jamais rien d'elles.

Il se dit qu'il écrira son mail tout à l'heure et, pour l'instant, les images de la catastrophe au Japon défilent sous ses yeux, le jour est complètement levé. Frantz prend la télécommande et zappe, zappe, zappe encore, il revoit dix fois les images du tremblement de terre. Puis, soudain, à l'écran, apparaissent des dauphins qui nagent dans une eau translucide et semblent l'incarnation du bonheur. Il se dit que là-bas, aux Bahamas ou en République Dominicaine, quelque part sur ces bouts de cailloux lointains et parsemés de jungles tropicales, de sable blanc si fin qu'on dirait de la farine, il doit faire chaud toute l'année ; le temps et la vie doivent s'écouler dans une douce somnolence, sous des palmiers abritant quelques femmes dorées et presque nues, les protégeant d'un soleil généreux et vaste comme l'horizon. Ça doit ressembler au Paradis, une sorte de néant douceâtre, ennuyeux et lent, mais où il fait beau. Il se dit que ce n'est pas une destination à laquelle il aurait pu penser, même s'il aime bien passer du temps en bermuda avec une casquette vissée sur la tête et des lunettes de soleil, en buvant toutes sortes de rhums. Mais non, ça ne s'est jamais trouvé. Il se demande bien quelle heure il peut être aux Bahamas ou en République Dominicaine. Est-ce que là-bas ce n'est pas toujours un peu la même heure ? Quand on voit des photos de ces endroits-là, on dirait que c'est toujours la fin de matinée ou le début d'après-midi. Une heure idéale, spécifique au Paradis, l'heure de l'éternité parfaite, pleine, épanouie. Alors la curiosité le pousse à regarder sur son téléphone portable. Il doit être deux heures du matin, et il imagine le miroitement de la lune sur l'eau, chaude encore de la journée, calme et douce comme la peau de l'une de ces femmes belles jusqu'à l'invraisemblance, comme celles qui somnolent entre les pages des magazines des compagnies aériennes sud-américaines.

Et puis il s'endort. Juste une petite sieste, puisque la nuit a été si courte, si mauvaise. Une heure ou deux de sommeil pour espérer se reposer un peu et se laisser aller là où les rêves ont l'air plus doux et paisibles, là où il doit y avoir des hommes et des femmes, mais aussi des gens comme lui, car, si sur les images glacées il n'y a jamais personne, dans la vraie vie il y a toujours des gens, même dans les lieux paradisiaques, parfois plus qu'il n'en faut ; il y aura bien des gens pour vivre aux Bahamas, et des touristes aussi, c'est sûr, par centaines, par milliers, comme Taha, Kerim et Yunus, comme Havva et Yasemin, qui sont venus tous les cinq d'Istanbul il y a déjà quelques jours et qui, maintenant, à deux heures du matin, dorment, complètement épuisés après une journée qui avait débuté tôt, quelque part sur l'une des sept cents îles des Bahamas.

Ce matin, en effet, il avait fallu se lever tôt. On était venus ici pour ça tous les cinq, trois garçons et deux filles – dans les histoires il y a toujours un garçon qui n'a pas de fiancée ou une fiancée qui pourrait aimer deux garçons.

Taha avait mal dormi, peut-être parce qu'il avait trop bu ou qu'il avait abusé de la *souse*, cette délicieuse potée de viandes, de poissons au jus de citron vert et d'orange amère. Il avait eu quelques brûlures d'estomac, peut-être que ça avait joué sur son insomnie, ou bien ça n'avait été qu'un alibi parce qu'il éprouvait une appréhension à l'idée de cette sortie en mer, alors qu'on était venu pour ça. Oui, l'idée lui avait plu. Mais ce qu'il ne pouvait avouer à personne – surtout pas devant Yasemin –, c'est que cette idée réveillait l'enfance terrorisée qui tremblait encore au fond de lui, agrippée à une vieille bouée jaune, sous le regard de ses parents.

Mais dès que le jour s'était levé, tout avait été différent. L'air était frais et vivifiant. En se réveillant, il avait vu la lumière caressant la peau de Yasemin ; elle était allongée sur le côté, face à lui, et elle le regardait. Sa beauté. Sa beauté

84

stupéfiante, s'était-il entendu penser. La beauté de celle qu'il aime et dont il s'étonne qu'elle l'aime aussi, lui, parce qu'il n'est pas aussi brillant qu'elle. Ce n'est pas un intellectuel, juste un type qui est un as au cheval-d'arçons, aux barres parallèles, qui passe un temps fou dans les salles de gym pendant qu'elle apprend la constitution et le droit international. Alors lui dire que lui, un sportif de son niveau, un grand gaillard d'un mètre quatre-vingt-dix, lanceur de javelot et qui aurait été un athlète parfait si sa myopie ne l'avait pas poussé à enseigner le sport plutôt qu'à le pratiquer, lui avouer qu'il avait toujours eu peur de l'eau et que c'était au prix d'efforts considérables qu'il avait appris à nager, simplement dans l'espoir de donner le change aux amis, aux filles, à tous ceux qui n'auraient pas imaginé qu'il pourrait céder à la terreur s'il lui avait laissé le temps de prendre le dessus, lui avouer cette faiblesse, non, il n'aurait jamais pu.

Mais ce matin, en la voyant si belle, nue, la peau très sombre – ses jambes si longues, déliées et fermes, ses hanches, sa taille, ses seins ronds et pleins qu'elle laissait nus et offerts devant lui alors qu'elle se tenait allongée, la tête dans la main, souriant en le regardant fixement –, il s'était dit que Yasemin l'aimait d'un amour si vaste qu'il en était comme aveuglé, irradié. Ils seront bientôt mariés et il pourra regarder ses yeux d'un noir si profond – comment est-ce possible d'avoir des cheveux et des yeux aussi noirs ? Est-ce qu'un noir si profond existe dans la nature ? Ils avaient fait l'amour ce matin encore, mais avec une infinie douceur, une infinie lenteur – tout le contraire de la brutalité heureuse de la veille, dans la nuit. Ils s'étaient douchés rapidement, et puis avaient rejoint les autres.

Tous avaient conseillé à Taha de ne pas prendre ses lunettes, de porter ses lentilles de contact afin de mettre un masque de plongée et, une fois sous l'eau, profiter du spectacle. Il avait dit oui, bien sûr, et personne n'avait aperçu chez lui une forme de réticence. Personne n'avait deviné comment quelque chose en lui était en train de résister. Taha était retourné chercher ses lentilles de contact dans sa chambre, puis ils avaient embarqué dans un petit bateau à moteur, en compagnie de Zack, un gars qui servait de guide à l'occasion. C'était un grand noir avec des dreadlocks, le baroudeur rassurant parce qu'il était beaucoup plus vieux qu'eux, peut-être cinquante ans, le visage marqué par le soleil, un vieux tee-shirt rouge tellement délavé qu'il paraissait rose, avec, sur le ventre, la langue épaisse et pop, délavée elle aussi, des Rolling Stones. Il avait actionné le moteur après que tout le monde avait fini de s'installer et, très vite, le bateau avait filé vers le large. Là où nagent les dauphins.

Le ciel était toujours couvert d'immenses nuages d'un blanc aveuglant et dense et, traçant sa route sur une étendue couleur jade, le bateau frappait l'eau et l'on entendait, comme une claque puissante, le choc sec et mat de l'écume sur la coque. Lorsqu'ils se retournaient pour regarder vers la terre, ils voyaient des îlots surgissant de l'eau et des îles, une masse de vert émeraude émergeante, comme une poussée, un élan d'une verdure massive et grasse encerclée et comme auréolée d'une fine bague de sable. On s'extasiait, on prenait l'air marin et frais à pleins poumons. Un moment Zack avait ralenti. Il avait mis le bateau presque à l'arrêt pour montrer une île en disant qu'ici il faudrait prendre le temps de s'arrêter, peut-être au retour, parce qu'il y avait une faune incroyable et des lacs, on pourrait peut-être même voir des tortues vertes, c'est rare, disait-il, mais c'est possible. Tout le monde avait cherché à voir, derrière la plage et le mur vert émeraude qui les préservait des regards, les merveilles dont Zack avait parlé. Taha avait laissé traîner ses yeux alors même que le bateau était reparti. On avait navigué encore, on avait croisé d'autres bateaux comme celui de Zack, d'autres touristes – on les reconnaissait tout de suite, ils étaient blancs, rarement maigres, rarement jeunes, plutôt des hommes, ils portaient des chemisettes hawaïennes et des appareils photo, ou bien ils ressemblaient à des touristes qui veulent ne pas ressembler à des touristes.

Puis Zack avait coupé le moteur. On avait attendu. Masques, tubas, palmes. Yasemin avait décidé de rester encore un peu sur le bateau. Les autres s'étaient préparés avec fébrilité, dans l'excitation et les rires – puis Zack avait recommandé de parler moins fort. Taha avait son masque autour du cou et son tuba, ses palmes, son cœur s'était mis à battre très fort, la peur commençait à lui serrer la gorge. Pour se donner le change, il avait demandé à Yasemin pourquoi elle ne venait pas, mais soudain Zack avait tendu le bras pour montrer, trente ou quarante mètres plus loin, glissant dans l'eau turquoise, comme de longs fuseaux gris – et Taha n'avait pas eu le temps de les apercevoir que son regard s'était figé sur l'avant-bras de Zack et son immense balafre. Déjà Kerim et Yunus avaient plongé sans attendre pour suivre les dauphins. Havva avait plongé à leur suite et seule Yasemin s'était penchée pour regarder dans le bleu de l'eau. Taha, lui, n'avait pas plongé. Zack avait compris qu'il regardait la balafre sur son avant-bras. Zack avait souri et avait lâché sans rire, un requin, oui, mais un petit, rien du tout...

Super, avait répondu Taha.

Zack s'était mis à rire. Ici, ça ne craint rien. Et maintenant il faut y aller, il faut que vous plongiez, c'est maintenant, ils approchent...

Sans réfléchir, parce qu'il n'aurait pas pu se décider si jamais il s'était laissé une seconde de plus le temps de la réflexion, Taha s'était laissé tomber dans l'eau. Le corps avait décidé pour lui, malgré le cœur qui tapait et le souffle qu'il devait retenir pour ne pas trahir sa peur. Parce qu'il fallait surtout que Yasemin ne la devine pas, que même Zack ne la perçoive pas. L'eau était fraîche sans être froide et sa tiédeur la rendait agréable et douce. Taha avait tourné la tête dans tous les sens, il avait regardé dans la direction vers laquelle les autres étaient partis, mais ils avaient nagé vite et étaient déjà loin. Il avait pu regarder leurs têtes comme trois flotteurs noirs qui dansaient sur la mer, juste avant un îlot qu'ils avaient décidé de rejoindre.

Mets la tête sous l'eau, avait dit Zack, vas-y, regarde !

Et la peur, la peur presque démente lui avait fait baisser les yeux. Il avait fallu que Taha prenne une grande goulée d'air. La peur dans tout le corps. Le cœur qui cogne et les mains accrochées au rebord du bateau – et cette autre peur parce que Yasemin s'était penchée vers lui et avait demandé s'il allait bien. Alors lui, dans un sursaut, se redressant, répondant avec une pointe d'agressivité, c'est bon, je suis juste barbouillé, c'est rien, c'est rien. Et alors il avait eu le réflexe de réajuster son masque sur les yeux puis de plonger la tête – pour voir, bien sûr, le vide sous ses pieds, mais d'abord pour ne pas être vu. Et il avait regardé sous ses pieds – plutôt sous les palmes qui brassaient l'eau, et sous lui ce n'était pas l'outremer d'un bleu profond mais le miroitement de bans de poissons minuscules et dorés et, plus bas, s'élançant comme des broussailles bleues et roses, irisées, un large ban de corail et le fouillis jaune, violet, et puis le sable que l'eau teignait de taches multicolores – quelques mètres d'eau, mais c'était un tel éblouissement sous ses pieds, oui, Taha voyait la beauté mouvante et pas seulement à cause de l'eau ou du tuba, ni même à cause de la peur, mais cette beauté lui avait coupé le souffle. Taha avait eu besoin de sortir la tête de l'eau, il avait eu besoin de voir le ciel, de s'accrocher au rebord du bateau. D'une main tremblante il avait retiré son masque et le tuba et avait repris son souffle. Le ciel lui avait paru soudain fade et translucide et lointain, abstrait, intouchable, alors que l'eau au contraire était présente et si dense – et il avait vu Yasemin. Elle scrutait l'horizon et s'était penchée vers lui pour lui sourire et dire qu'elle arrivait. Pendant qu'elle se penchait pour enfiler les palmes et saisir le tuba et le masque, Zack s'était activé et, presque debout, il avait montré, en allongeant très loin le bras derrière Taha, qui s'était retourné.

Oui, derrière toi ! Derrière toi, répétait Zack.

Yasemin aussi les avait vus. Et alors Taha avait regardé, il avait dû une nouvelle fois respirer plus fort, remettre le masque, le tuba et il s'était élancé de toute sa puissance – je me raisonne, je me calme, il faut y aller, ce n'est rien, ce n'est rien. Mais le temps qu'il plonge et s'éloigne du bateau et déjà les ailerons des dauphins avaient disparu. Taha était resté figé, debout dans l'eau, les jambes battant lentement sous lui, les bras écartés, inertes, sans revenir vers le bateau. Il restait comme ça, sans nager, à scruter, sentant doucement, lentement, la peur se dissoudre en lui.

Tout à coup, un son, une sorte de grincements, des vibrations, comme si son corps était un conduit invisible ou une chambre d'écho, une caisse de résonance. Taha était resté le cœur suspendu et puis enfin, sous son corps dont il pouvait apercevoir l'ombre déformée et mouvante sur le sable, à trois ou quatre mètres, peut-être un peu plus, car il n'aurait pas pu évaluer les distances dans la profondeur marine, une ombre, un glissement – oui, il reconnaît le corps fuselé et long qui ondule et file. Soudain ils sont deux, puis trois, quatre, cinq – six déjà –, à la peau grise ou bleu foncé. C'est comme une danse, le mouvement de l'eau brassée par les corps longilignes et puissants.

Taha a le temps de remonter prendre une goulée d'air avant de replonger. Il lui suffit d'un coup d'œil pour voir à la surface la procession des ailerons. Ils sont au moins une vingtaine.

Alors Taha replonge et les voit qui s'enfoncent au-dessous de lui et glissent, comme propulsés par un simple mouvement de queue, se tournant sur le côté, comme dansant, ondulant, vibrant, amples et vastes et pourtant tranquilles et rapides, pivotant sur un seul axe. Ils sont déjà au-dessous de lui et multipliés encore par l'ombre de leurs corps, l'ombre qui multiplie la profusion rapide, une ombre colorée ondulant des mêmes mouvements sous leurs mouvements à eux et déjà, eux, dans le silence de l'eau – leur vitesse et leur force les ont propulsés si loin et si vite qu'ils ont glissé et filé, leur ombre a disparu avec eux et il ne reste que le remuement gris et le sable soulevé et la danse rosée, fragile, évanescente, des filaments d'algues – Taha voudrait les suivre et nager avec eux, se sentir comme porté par eux et l'évidence de leur puissance, et que dure un peu cette magie, cette beauté, alors il essaie de suivre le dauphin qui est un peu en retrait des autres, car il lui semble que peut-être, oui, c'est ça, il se dit que c'est possible, il lui semble que le dauphin voudrait l'attendre et alors en se propulsant derrière lui et en tendant le plus possible ses bras et ses jambes Taha produit la nage la plus rapide et la plus puissante de sa vie. Un instant il croit qu'il va le rattraper et nager avec lui et peut-être, oui, il le croit, l'imagine – peut-être qu'il va pouvoir le toucher. Mais non. Le dauphin disparaît. Taha sent que l'eau l'aspire doucement et qu'il s'enfonce en elle, mais ce n'est pas la peur qui le gagne, c'est une sorte de joie dont il est submergé alors que, bientôt, le dernier dauphin est trop loin, il a rejoint la nuée grise et noire dans les profondeurs, sous le silence argenté de l'eau.

Alors Taha remonte et regagne la surface. Il prend une immense bouffée d'air – Yasemin saute du bateau et son corps dessine un arc de cercle dans la lumière limpide et bleutée. Taha retire son masque et Yasemin le rejoint. Taha est émerveillé. Il tremble et sa voix laisse vibrer son émotion lorsque Yasemin approche et se pend à son cou. Ils s'embrassent, l'eau salée est douce et brûlante à la fois. Pendant près d'une heure ils attendront qu'arrivent d'autres dauphins, qu'ils accompagneront dans une joie où ils ne s'appartiendront plus tout à fait, sans s'apercevoir qu'une pluie légère, douce, tiède, commencera à tomber sur l'eau et se diluera dans le sel et l'écume. Rien ne pourra interrompre la quiétude de ce moment dont ils garderont longtemps la trace, bien après leur retour à Istanbul, alors que, le soir même, à peine débarquée, il n'y aura en revanche pas une seconde de quiétude ni d'apaisement pour Salma – parce que tout commence très mal pour Salma lorsqu'elle arrive le soir du 10 mars à Tel-Aviv.

La fatigue du voyage, les escales, près de vingt heures en avion. Tel-Aviv enfin – début de soirée – l'aéroport Ben-Gourion si moderne et bondé le jeudi soir – Terminal 3 – les jambes cassées, le dos en miettes, la nuque brisée, l'odeur de transpiration séchée, les doigts, les poignets, le corps gonflés.

Elle a retiré sa montre, son bracelet d'argent, celui en bois de buis. La bouche sèche – mauvaise haleine – vue brouillée – les mains humides, sales, elle voudrait se laver les dents, les mains, le visage – se rafraîchir la nuque, le cou, le front. Elle doit faire la queue devant la police des frontières. Salma tend son passeport et son visa sans cacher son agacement, elle n'a rien à se reprocher mais vraiment elle n'en peut plus de cette suspicion, cette méfiance, ces interrogatoires, comme celui auquel elle avait déjà répondu avant le départ et qui lui avait semblé interminable. Maintenant

elle se demande pourquoi il faut recommencer et soudain
la voix de la femme –

– Objet de votre visite en Israël ?

– Tourisme.

– Vous avez des amis ici ?

– Non.

– Vous êtes hébergée à quel hôtel ?

– Une ONG.

– Où ça ?

– Jérusalem-Est.

– Où ?

– Attendez, je vais vous dire. *(Elle se penche sur son sac
à main, l'ouvre, fouille.)*

– Vous êtes déjà venue ?

– Non. *(Elle fouille dans son sac, s'agace.)*

– Vous ne connaissez pas de gens sur place ?

– Pardon ? Vous pouvez répéter ?

– Vous appartenez à une ONG ?

– Je ne vous entends pas.

– Quelle ONG ?

*(Elle ne répond pas, elle fouille dans son sac, elle s'in-
quiète.)*

– Vous appartenez à une ONG ?

– Pardon, je n'entends rien.

– Je vous demande quelle ONG ?

– Oui, une ONG, apolitique.

– Chrétienne ?

– Apolitique.

*(Enfin elle trouve les papiers, les sort du sac, les tend à la
militaire. Elle réajuste les anses du sac sur son épaule, les deux
mains refermées dessus.)*

– Son nom, son adresse, son but ?
– La lecture, pour les enfants.
– Les enfants musulmans ?
– Les enfants.
– Vous comptez rester à Jérusalem ?
– Je veux aller au Saint-Sépulcre et puis j'irai à Bethléem.
– Vous serez hébergée à Bethléem ?
– Oui... je veux dire, enfin...
– Vous serez hébergée ?
– C'est ça, voilà, de la famille.
– Hébergée chez eux ?
– Oui.
– Vous avez dit de la famille ?
– Des cousins.
– Vous êtes sûre ?
– Oui.
– Quelle famille ?
– Je vous ai répondu.
– Je n'ai pas entendu, répétez.
– Des cousins.
– Leurs noms, les adresses ?
– Je suis fatiguée. Des cousins, je...
– Votre famille ?
– Oui, on se parle par Internet.
– Ils vous attendent ?
– Oui.
– Ils vous hébergent ?
– Oui.
– De la famille que vous ne connaissez pas ?
– C'est la première fois que je viens.
– Vous avez leur nom au moins ?

– Oui.

– Leur adresse ?

– Oui. Je ne vous l'ai pas donnée ?

– Non.

– Pardon... voilà.

– Attendez.

– J'attends.

– Très bien.

– Merci.

Salma se demande pourquoi elle a dit merci, elle s'en veut, elle est agacée par cette militaire et son interrogatoire interminable. Salma est fatiguée, elle voudrait qu'on lui foute la paix, elle a besoin de se reposer, qu'on la laisse. Elle attend qu'on lui rende son visa, son passeport, mais aussi le papier sur lequel est écrite l'adresse des cousins qui l'attendent et dont elle ne connaît que les noms et les photos qu'ils ont bien voulu lui envoyer.

Elle vient de récupérer sa valise, le contrôle est fait, maintenant elle marche vers la sortie – elle croise des militaires et des juifs orthodoxes et cette première image s'impose à elle. Salma va découvrir la terre de ses grands-parents et veut aller vers les taxis – elle passe la porte vitrée, l'air est presque moite, chargé d'une odeur de brûlé et de poussière – une poussière jaune et fine, comme une odeur de cuivre, de soufre – soudain elle recule – des cris – des gens gueulent et des sirènes d'ambulance – elle ne comprend pas – ça a l'air loin – des militaires courent – l'alerte – le bruit des sifflets et des sirènes de voitures quelque part et pourtant – tout près – elle entend des voix qui ordonnent aux gens de reculer, de circuler, de ne pas rester – elle ne voit pas grand-chose – un immense remue-ménage – une rangée de chicanes rouges et blanches – une fumée horrible d'un gris verdâtre et dense qui monte vers le ciel et tournoie et se dilue dans la nuit tombante – quelques centaines de mètres – des gyrophares – orange – bleu – des lumières qui se chevauchent et colorent les murs de béton – elle ne comprend pas, les gens non plus – des visages qu'elle reconnaît – le gros monsieur russe – le petit enfant si agité pendant le vol. Pour l'instant on repousse les voyageurs qui veulent sortir, elle entend des voix en anglais, ça crie, des ordres, reculez, reculez, et la masse reflue et elle est prise dans le mouvement des gens qui se retournent et reviennent à l'intérieur de l'aéroport. Tous ont l'air de danser avec leur valise et se prennent les pieds dans des bagages rampant au bout des bras, traînassant trop lentement, empêchés, hésitants comme des tortues échouées sur le dos et condamnées à patauger dans le vide. Salma s'accroche à la poignée de sa valise et, lorsqu'il la bouscule, l'homme qu'elle voit se retourner vers elle ne s'excuse pas. Il tend la main et le bras est tendu, un javelot, une menace, elle le sait tout de suite, à peine le temps de comprendre, trop tard, l'homme a disparu – une silhouette – un jean – une chemisette noire – non – marron – ou bleue – je ne sais pas – je ne sais plus – comment voulez-vous que je le décrive ? dira-t-elle plus tard.

En revanche, elle saurait décrire son sac à main, la couleur cognac, les lanières, un sac en cuir très souple à l'aspect vintage, les deux poches en relief sur le devant, la bride en cuir ornée de clous, la fermeture sur le haut et l'intérieur doublé avec la poche zippée et celle pour le portable – le minuscule ours Paddington élimé qui pendouille depuis un retour d'Angleterre. Elle se voit très bien remettre les deux feuilles dedans, elle en est certaine, la bleue repliée en quatre, la blanche avec les noms des cousins et l'adresse à Bethléem. Heureusement qu'elle a toujours eu le réflexe et l'intelligence de garder son argent et ses papiers sur elle. Mais elle n'a ni le réflexe de garder le téléphone portable, ni les adresses des gens chez qui elle doit aller. Elle dira : j'ai juste compris que je n'avais plus mon sac à main, qu'il avait arraché mon sac. Elle ne sait même plus l'heure qu'il est. Elle n'a plus sa montre – elle se voit la jetant, fatiguée, trop lasse, sans vraiment faire attention, dans l'une des poches. Elle se voit frictionnant le poignet pour faire disparaître la marque du bracelet vert anis. Elle voit le portable dans sa pochette. Les papiers et les adresses des uns et des autres.

Elle est dans une situation horrible et se redit qu'elle est morte d'épuisement – elle a son portefeuille – de l'argent – est-ce qu'elle a encore son passeport ? Son visa ? Oui ? Elle se souvient tout à coup qu'elle a toute une masse de dossiers dans sa valise. Une chemise transparente avec des fiches et des renseignements sur Jérusalem et l'ONG où on doit l'attendre – sans doute il y aura l'adresse et un numéro de téléphone ? Sans doute elle pourra retrouver l'adresse ? Oui, c'est sûr. Il faut que ce soit comme ça. Elle veut se rassurer. Elle pourra prendre un taxi. Elle aurait bien aimé que quelqu'un vienne la chercher, mais, sans doute on ne pouvait pas aller chercher les gens, qu'ils viennent du Chili ou d'ailleurs. Elle se dit qu'elle va trouver l'adresse et prendre un taxi. C'est ça. Voilà ce qu'elle va faire. Mais elle ne veut pas ouvrir sa valise devant tout le monde, en plein dans le hall de l'aéroport – et puis ces alarmes au-dehors, des militaires et des policiers et toute cette agitation de gens inquiets, les visages affolés, des questions pendues à toutes les lèvres, les gens qui se précipitent – est-ce qu'on va fermer l'aéroport ? Est-ce que c'est toujours comme ça, ici, à Tel-Aviv ? Une telle agitation ? L'idée d'un attentat lui effleure l'esprit, mais elle la rejette parce que les accidents existent même ici, est-ce que c'est un accident ? Quel accident ? Quel genre d'accident ? Elle préfère ne pas réfléchir. Elle transpire, elle a soif, ses yeux se brouillent derrière ses lunettes. Elle voudrait passer la main sur ses joues, se frotter les yeux aussi, mais non, elle tire sa valise et cherche la signalétique qui lui indiquerait les toilettes. Sans trop savoir pourquoi elle marche de plus en plus vite ; elle avance, le nez vissé au moindre mot, au moindre signal. Enfin elle voit le panneau et entre dans les toilettes.

Mais là encore il faut attendre, des femmes font la queue – une dizaine de femmes assez jeunes, certaines avec des foulards et d'autres tête nue, comme elle. Elle se met près des lavabos et couche sa valise. Elle a l'habitude d'ouvrir et de fermer ce vieux bloc de laiton et reconnaît le mot Master écrit en creux, qui est devenu presque noir à force de saleté incrustée – elle voyage tellement souvent, Salma, elle connaît le code par cœur. Zéro. Six. Quarante-six. Le mécanisme répond, la valise s'ouvre et laisse apparaître, pliés, rangés, dociles comme s'ils n'avaient pas voyagé des heures dans une soute, malmenés, triturés, balancés de chariot en chariot pendant les escales, transbahutés, les chemisiers, les pantalons, les sous-vêtements, les baskets. Autour d'elle des odeurs parfumées, et puis des bruits de talons, des pas de femmes qui résonnent sur le carrelage. Des bruits d'eau de robinet, de sèche-mains, de chasse d'eau et son souffle très lourd lorsque Salma se penche au-dessus de sa valise. Elle plonge les mains sans se soucier des fringues repassées et pliées, c'est comme si elle fouillait dans les entrailles d'une bête morte, qu'elle-même était une bête sauvage fourrageant dans les entrailles encore bouillonnantes et chaudes de la vie de sa victime – et elle brasse, remue, retourne et froisse sans ménagements – d'abord en vain, puis elle remonte la chemise plastique transparente. Des feuilles volantes détachées d'un cahier. Des prospectus avec des photographies sur papier glacé. Des publicités avec des photographies de gens qui sourient. Elle pense soudain que son guide touristique a disparu avec son sac ; elle trouve des papiers blancs avec le logo de l'ONG qui va l'accueillir. Ce sont des lettres qu'elle a reçues, dactylographiées, où a été ajoutée à la main une note manuscrite lui disant qu'on était ravi de la recevoir. C'est signé par le directeur local de l'ONG, mais ce qu'elle cherche, c'est un numéro de téléphone ou une adresse. Surtout une adresse. Et merde, merde, grince-t-elle, elle n'en trouve aucune, ni aucun numéro de téléphone.

Avant tout, trouver un policier pour signaler le vol à l'arraché.

Elle ressort et cherche des policiers et des militaires, mais ceux qu'elle voit sont tout entiers mobilisés, sur le qui-vive. Ils sont très jeunes et, inquiets, ils regardent les gens avec ce qu'il faut d'agressivité pour leur faire baisser les yeux et accélérer le pas ; Salma regarde les mitraillettes, elle ne connaît rien aux armes. Celles-ci ont l'air légères et ressemblent à des jouets. Les deux militaires vers qui elle marche ont dix-huit ou vingt ans – le plus petit des deux, le roux, lui fait le geste de passer son chemin, du bout de la mitraillette. Mais elle vient et en anglais elle lance des *sorry, excuse me, a thief, a man, my luggage,* elle agite ses bras pour montrer un sac invisible et mimer le geste de l'homme qui arrache son sac, mais eux, *don't worry, move, move, don't stay here,*

99

please, thank you, don't stay here – et leurs voix à eux aussi se perdent sous les voûtes de l'aéroport. Elle reste là et, si elle n'écoute pas, c'est qu'elle aussi s'est mise à parler, vite et fort, sa voix recouvre la voix du soldat, le regard fixé sur eux comme pour leur dire ça suffit, écoutez-moi, j'ai cinquante-six ans et toi, toi, tu vas m'écouter ! Elle s'acharne – mais sans crier, sans hurler – pourtant sa voix est si haute qu'elle vibre dans sa gorge et résonne à ses oreilles comme une voix extérieure. Salma garde son calme. Salma est une femme au corps massif, pas très grand, comme posé. Une forme compacte et ramassée qui dégage une impression de solidité et de sérénité. Mais ce calme, maintenant, Salma pourrait le perdre. Elle parle plus fort pour dire en anglais, un type m'a arraché mon sac, alors maintenant dites-moi ce que je dois faire, qu'est-ce que je dois faire ? Où je dois aller ? À qui je dois parler ? À qui ? Dites-le-moi, dites-le-moi.

Puis elle abandonne.

Bientôt elle se retrouve assise dans un bar, toujours dans le Terminal 3. Une jeune femme lui a servi un café très chaud dans un grand gobelet en carton. Elle regarde le mouvement du liquide marron, la mousse couleur de sable ; l'odeur de l'arabica lui caresse le nez comme une odeur familière et douce qui va l'aider à oublier, quelques minutes seulement, les débuts si pénibles de son arrivée. Mais son corps se raidit sur cette chaise trop haute dont le dossier, en maille d'acier plié, laisse de larges espaces vides qui lui blessent le dos. Elle se tient penchée sur sa tasse pour ne pas s'appuyer sur le dossier de la chaise. Elle pose ses lunettes devant elle, elle voudrait pouvoir ordonner ses idées mais n'y parvient pas ; un long soupir s'échappe d'entre ses lèvres, jusqu'à ne laisser que l'étrange et tiède vibration de sa disparition dans l'air. Elle se frotte les yeux puis, longtemps, frotte les paumes de ses mains. Elle voudrait essayer de se masser la nuque – elle regarde le jeune homme, un garçon petit embarrassé d'un duvet horrible sous le nez et d'une peau rougie par l'acné, qui s'agite derrière son bar, range, trie et voudrait disparaître derrière son comptoir.

Je peux vous aider ?

C'est une jeune femme, ou plutôt une jeune fille qui s'adresse à elle. Elle est vêtue d'une sorte d'imperméable – comme les inspecteurs de police dans les films américains des années quarante ou cinquante, pense Salma, sauf qu'il est d'un rouge très vif et que la fille parle directement en espagnol. Elle dit que toutes les deux étaient dans le même avion. Salma ne la reconnaît pas, s'étonne, essaie de sourire et dit, excusez-moi, c'est possible, je suis tellement fatiguée, vous savez.

– Il semblerait que ce ne soit pas notre jour, à toutes les deux.

– Ah bon ? On vous a volé votre sac ?

– Non, on m'a posé un lapin. Je vous ai vue dans les toilettes, vous aviez l'air paniqué, je n'ai pas osé vous demander...

– Je me suis fait voler mon sac. Vous savez ce qui se passe ici ?

– Non. Vous allez où ?

– À Jérusalem. On m'attend, ils vont s'inquiéter... L'adresse était dans mon sac...

– Écoutez, on m'a réservé une chambre dans un hôtel de la vieille ville, si vous voulez, on peut y aller ensemble ? On prend le même taxi, on pourra trouver votre adresse là-bas.

– Oui, c'est gentil, pourquoi pas ? Je... Je m'appelle Salma.
– Moi, c'est Luli.

Le chauffeur les a prévenues qu'il n'allait pas à Jérusalem-Est. Il a fait un geste de déni avant même qu'elles
ouvrent la bouche et puis, sans les regarder, un simple revers
de main accompagné par quelques mots, *no east, no east,
only west*. Luli a dit Jaffa-Center. Il a fallu le répéter parce
que l'homme avait continué à assener *no east, no east*,
comme pour lui-même, sans écouter ce qu'elle disait ; puis
il avait fini par lâcher *okay, okay, all right*, pour en finir au
plus vite.

La voiture s'est lancée et maintenant les lumières d'un
réseau ultramoderne scintillent dans la nuit qui vient. Salma
baisse légèrement la vitre et l'air lui caresse le visage, réveille
ses joues, son front, ses lèvres. Elle ouvre la bouche pour
laisser entrer l'air, même si elle aurait préféré qu'il soit plus
frais, plus vigoureux, presque glacé. Elle n'a pas voulu
demander ce qui avait pu se passer à l'aéroport, mais elle
cherche le regard du conducteur dans le rétroviseur intérieur
– elle doit comprendre qu'il évite de la regarder, les yeux
rivés sur son rétroviseur extérieur, comme s'il se préparait
à doubler. La voiture roule assez vite mais le bruit du moteur
est doux, c'est presque un souffle continu, un ronronnement
lointain. L'homme a monté le son de la radio – des chansons
tristes qui envahissent l'habitacle de la voiture.

– Vous avez quoi comme numéro, sur votre passeport ?
– Quoi ?
– Au dos, ils ont collé quoi ?
– Je ne sais pas.

Salma sort son passeport et voit l'autocollant avec le chiffre trois.

— Trois, rit Luli.

— C'est drôle ?

— Non, mais vous n'êtes pas considérée comme une tueuse, c'est déjà ça.

— Ah bon ?

— Oui, moi, je me suis retrouvée avec un quatre, c'est presque vexant ! On m'a expliqué que c'est numéroté jusqu'à cinq, le cinq étant le plus inoffensif.

Les deux femmes se sourient. Un sourire qu'elles prolongent parce qu'elles veulent lutter contre l'ambiance qui règne dans la voiture à cause de la musique si mélancolique – des voix de femmes qui ont l'air de parler d'amour et de mort, quelque chose comme ça, comme partout. Et pourtant, ici, ce n'est pas partout. Ou bien peut-être que d'une certaine manière si, la Terre entière est ici, que *partout* est ici, quittant Tel-Aviv et abordant bientôt Jérusalem dans la lumière d'une fin de journée, laissant la nuit apparaître le long de la route.

Car bientôt ce sera la nuit, elles entreront dans la ville trois fois sacrée. Cette idée les impressionne l'une et l'autre, sans qu'elles osent en parler. On suit d'autres taxis, d'autres voitures qui vont vers Jérusalem, mais on fait plutôt attention aux Jeeps, aux camions militaires qui filent vers l'aéroport, dans l'autre sens. Personne ne dit rien, les voix chaudes pleurent le malheur dans les enceintes qui grésillent à l'avant de la voiture. Les mains du chauffeur sont épaisses et larges, grisées par des poils très bruns – Salma se surprend presque à rougir lorsqu'elle comprend que son regard est figé sur les mains de cet homme –, et quand elle croise son regard dans le rétroviseur intérieur, c'est elle la première qui baisse les yeux, ou plutôt les détourne, les envoie loin derrière la vitre qu'elle ouvre davantage pour respirer encore plus fort, se dégriser, se réveiller de sa fatigue. Elle aurait préféré que l'homme baisse la musique, qu'il dise quelques mots de bienvenue, mais il ne l'a pas fait. Elle a soudain énormément de questions à poser. Elle voudra demander à chaque visage qu'elle rencontrera, à chaque homme ou à chaque femme, vieux ou jeune, riche ou pauvre, juif ou arabe, ce qu'il pense du conflit israélo-palestinien, ce qu'il pense de l'actualité, du printemps arabe, ce qu'il en espère ou en redoute pour lui-même, ce qu'il attend pour sa vie et pour celle des autres, sachant que chacun dira bien ce qu'il veut et pensera peut-être encore autrement que ce qu'il dira. Alors, lorsqu'elle croise le regard du chauffeur et qu'on pourrait encore suivre l'image s'amenuisant des camions militaires dans le rétroviseur, elle voudrait avoir le courage ou l'audace de demander, et vous ? Comment vous vivez ça ? Est-ce que c'est difficile pour vous ? Mais au lieu de ça, Salma se retourne vers Luli et lui demande si c'est la première fois qu'elle vient ici. Oui, répond Luli, et Salma pense au rendez-vous manqué et s'étonne qu'une jeune fille si jeune puisse voyager seule. Excuse-moi, tes parents ne sont pas inquiets ? Elle attend vaguement une réponse pendant que, sur les côtés de la route, avant que la nuit dilue entièrement l'espace dans l'épaisseur de son obscurité, on aperçoit des carcasses de chars rouillés emmêlées au pied de hauts cyprès noirs, des tamaris qui surgissent et s'évanouissent sous les phares, comme des hallucinations avec les apparitions de chatons d'un rose pâle s'amenuisant et disparaissant entre les oliviers – des images mentales sur l'écran gris d'un défilé invisible, des arbres partout sur la route.

Voilà, glisse Luli en s'approchant de l'oreille de Salma, six millions d'arbres autour de Jérusalem à la mémoire des six millions de déportés par les nazis. Salma hoche la tête, comme pour approuver, mais au fond elle ne sait pas si, dans la vitesse de la nuit, elle pourrait voir les ombres noires se profiler autrement que comme une armée de spectres, des gardiens de la mémoire venus de très loin, de trop loin – presque inquiétants dans la fulgurance de leur apparition et la simultanéité de leur évanouissement. Salma ne pensait pas qu'une jeune fille d'à peine vingt ans pouvait savoir des choses que même des gens de sa génération à elle ignorent ou ont oubliées. Elle est frappée par le regard vif et intelligent de Luli, impressionnée par sa voix claire et coupante qui ne cherche pas ses mots. Non, Luli parle avec une forme de gravité qui lui fait froncer les sourcils et lui donne un air soucieux, presque solennel. Elle a les cheveux blonds, la peau est très claire, comme on en trouve peu au Chili, se dit Salma – elle qui était si brune autrefois, *avec sa tête d'Arabe*, comme on lui a toujours dit, avant que des cheveux blancs viennent éclaircir sa coiffure et la recouvrir de ce poivre et sel qui l'adoucit et qu'elle coiffe chaque matin avec la même patience que lorsqu'elle était jeune.

Mais on va bientôt entrer dans Jérusalem et toutes les deux ne disent plus un mot. Chacune regarde de son côté – la vieille ville s'ouvre à elles, le cœur des deux femmes bat très fort, le souffle, le sang, la pulsation accélère, quelque chose s'emballe. Luli pense aux Sept Portes, elle a vu ça dans les guides et dans des films. Elle se demande si on va prendre la Porte des Lions mais ne veut pas parler ni demander, parce qu'elle aime cette idée de se faire engloutir dans la ville, la laisser advenir petit à petit, sans rien déflorer de son mystère par un savoir qui viendra de toute façon bien trop vite. C'est une grande impression de silence, et pourtant il y a encore de la musique, quelque chose comme du Schubert ou du Chopin. Elle pourrait demander mais elle ne veut pas rompre le charme, l'étrangeté de ce moment. La lenteur de la musique, la voiture qui maintenant roule presque au pas, comme si elle suivait les ordres du piano.

Salma regarde Luli discrètement, elle ne voit que son profil, parce que la jeune femme a le nez presque collé à la vitre. Salma veut la regarder comme pour deviner ce qu'on ressent en arrivant ici – échappant à sa propre arrivée –, avec la musique et le piano pour captiver et souligner quelque chose dans ce qu'elle voit. Elle aime son profil net et un peu buté, son œil brillant et clair aussi, la ville orangée qui se dessine dans la vitre comme les incrustations tremblantes, floues, des vieux films. Salma se demande si Luli est seulement dans la contemplation de la ville ou si, pourquoi pas, elle pense à celui *qui lui a posé un lapin* – puisque pour Salma ça ne fait aucun doute, c'est un garçon *qui lui a posé un lapin* – l'expression l'a fait sourire –, un garçon, un amoureux.

Mais Salma se dit qu'elle ferait mieux d'arrêter de spéculer puisqu'elle ne sait pas qui est cette jeune fille et que, sans doute, elle l'ignorera toujours.

Pourtant, ce soir, elles vont se parler. Jusque tard, elles vont se raconter des choses qu'on ne peut dire qu'à des personnes très proches ou, au contraire, complètement étrangères. Elle ne sait pas que c'est elle qui va provoquer cette longue conversation ; elle qui sera trop fatiguée pour rester dans sa chambre et dormir tout de suite – trop énervée, trop absorbée par la désagréable remontée des images – son corps penché sur la valise – les deux soldats, les mitraillettes – sa voix qui se perd dans l'aéroport – ses bracelets – son sac – l'ours Paddington – tout ce qu'elle ne verra plus et ce soulagement lorsqu'elles arrivent dans le quartier de Jaffa-Center, avec ces rues si animées, ces touristes, les enseignes, comme si ça pouvait la réchauffer de l'intérieur, tous ces restaurants, ces bars, comme si ça pouvait lui faire oublier à la fois la colère de s'être fait voler son sac et la vexation de n'avoir trouvé personne pour l'écouter parmi les policiers et les militaires. Alors, oui, ce réconfort est le bienvenu. Arriver dans un hôtel assez luxueux, malgré les portiques de sécurité, les agents avec les sourires très polis, cette jeune femme leur faisant à l'une et à l'autre lever les bras pour passer un détecteur de métaux.

À l'accueil, un jeune homme au regard doux, avenant, en livrée couleur tabac, aux lunettes à monture noire, s'adresse aux deux femmes dans un espagnol très correct, avec un léger accent madrilène. Luli explique qu'elle a une chambre réservée, mais pas son amie. Salma intervient pour dire qu'elle voudrait une chambre juste pour une nuit et qu'il lui faudrait surtout un accès Internet et le téléphone. Elle hésite à raconter sa mésaventure, l'idée du récit la fatigue. Elle n'en aura pas besoin, le jeune homme lui répond en lui tendant une clé – une carte magnétique au dos de laquelle il note au stylo à bille le numéro de la chambre 206. Il prend les papiers de Salma et ceux de Luli, remplit leurs fiches. Les deux femmes le regardent faire sans rien dire – elles sont peut-être aussi éblouies par les lumières qui auréolent tout le lobby d'un halo sirop d'orgeat.

Dans la chambre, Salma ne veut pas s'allonger pour se reposer, elle a peur de s'endormir. Aussitôt après la douche, elle utilise l'ordinateur portable, se connecte sans trop de difficulté, recherche l'adresse de l'ONG. Elle appelle, on décroche tout de suite – une voix inquiète au téléphone, une voix d'homme. Salma raconte comment elle est arrivée dans un hôtel du centre-ville, disant que tout va bien, seulement furieuse de s'être laissé voler sans réagir, mais ça va, elle va dormir, se reposer du voyage et dès demain matin elle passera à Shu'afat. De l'autre côté, la voix de l'homme se confond en excuses, répète qu'il est désolé que personne n'ait pu venir la chercher, tout ça ne serait pas arrivé. Et puis il était inquiet parce qu'il avait vu à la télévision que – vous ne savez pas ? Non ? Une femme... Vous n'avez pas entendu la radio ? Vous n'avez rien vu à l'aéroport ? Si ? Une femme qui a fait sauter... Oui, une ceinture d'explosifs. Un attentat terrible mais, si l'on peut dire, par chance, enfin, vous comprenez – il se reprend à plusieurs fois, bafouillant, ânonnant –, il n'y a eu que quelques blessés, la femme a eu du mal à manœuvrer sa bombe ou elle se sentait acculée, les services d'ordre, un mouvement de panique, on ne sait pas, la peur d'être interceptée, elle a fait sauter sa charge suffisamment à l'écart de la foule, il y a quelques blessés mais pas de mort, pas encore, parce que, sauf que, oui, une jeune femme entre la vie et la mort, dans le coma et c'est un miracle qu'elle ne soit pas déjà –

L'homme laisse un long silence traîner dans le téléphone, puis reprend. Avec ce qu'ils ont dit à la télévision, avec la violence des images, une voiture carbonisée, un mur explosé, des gravats sur des dizaines de mètres, des débris et une quantité invraisemblable de sang. C'est incroyable que la jeune femme n'ait pas été complètement déchiquetée. Mais se dire que la terroriste est une femme jeune elle aussi et que peut-être elles avaient toutes les deux le même âge, deux femmes de trente ans, peut-être moins, vingt-cinq, l'une avec son désespoir en fermant les yeux sur sa vie et celle de ceux qu'elle veut anéantir – et l'autre, venue à l'aéroport pour prendre un avion ou pour chercher quelqu'un et qui allait peut-être seulement trouver une mort horrible et scandaleuse.

Parfois, résigné, il se demande ce qu'il fait dans cette ONG et ce que font les ONG, toutes les ONG. Le dégoût que Salma devine, son découragement. Il raconte ça avec tristesse et colère, elle sent ce mouvement de résignation à travers sa voix troublée, hantée, comme piquetée, tavelée de petites pointes noires de silence. Et alors, maintenant il peut le dire, oui, il avait eu peur pour elle. Il se tait un moment et elle écoute son souffle presque écorché dans le combiné. Puis il reprend pour s'excuser, parce que ce soir il était seul, il n'a pas pu partir ni laisser les bureaux sans personne. Il était de permanence, vous comprenez ? Vous avez déjà fait ça, ce job, à ce qu'on m'a dit. Il veut s'excuser encore mais Salma le rassure, tout va bien, qu'il se rassure, oui, elle sait ce que c'est, qu'il ne s'inquiète pas. Elle viendra demain, voilà, demain matin, vers dix heures.

Dans la rue, elles se sentent l'une et l'autre presque reposées rien qu'à l'aide d'une douche chaude et de vêtements propres. Salma raconte qu'elle a pu parler avec l'homme de l'ONG. Elle ne dit rien sur l'attentat, elle entreprend de raconter ce qu'est une permanence, pourquoi il y a toujours quelqu'un dans les locaux, toujours des gens qui passent, des gens qui ont besoin de se confier, d'aide, de n'importe quoi. Elle voudrait raconter son histoire aussi, le Mozambique et l'Angola, quand elle avait appris le portugais. Elle s'étonne d'avoir cette envie si irrépressible de parler, comme si soudain elle a besoin de tout dire pour ne pas revenir sur l'histoire de son sac – l'homme en chemisette noire – marron ? – bleue ? C'est ça ? Mais peut-être que c'est seulement la fatigue ? L'ambiance chaleureuse du restaurant ? Parce que le restaurant se remplit très vite et l'ambiance devient bruyante, bavarde elle aussi, accompagnant les deux femmes de rires et de conversations. Salma s'étonne de la vie dans la rue et au restaurant. De cette vitalité. De cette jeunesse très peu religieuse, complètement moderne, vive. Et des hommes et des femmes de son âge, mais aussi des couples, des groupes d'amis, la vie heureuse d'une ville. Elle est étonnée des bars, de la musique techno qui s'échappe dans la rue.

Elles dînent d'un copieux *gefilt fish* arrosé d'un grand verre de vin rouge californien dont le parfum laisse éclater sa suavité dans un large verre tulipe. On boit aussi énormément de San Pellegrino – le plat est peut-être trop salé, la fatigue trop lourde, et puis il fait sans doute trop chaud dans la salle de ce restaurant bondé, avec cette tablée où des vieux amis racontent en hébreu des histoires qui les amusent beaucoup, partant dans de grands éclats de rire qui soulèvent les yeux de toutes les tables autour d'eux, déclenchant des sourires, des interrogations sur les visages des couples de touristes, de ces femmes aux épaules élégamment dénudées, des jeunes femmes et des jeunes hommes qui se font ostensiblement la cour – et Salma les regarde en se demandant comment elle avait pu croire que Jérusalem était une ville seulement écrasée sous les religions et non pas une ville où l'on vit.

Plus tard, lorsqu'elle se retrouve seule dans sa chambre, ayant fini de se laver le visage et les mains, de se brosser les dents, ayant passé son pyjama de coton qu'elle referme jusqu'au cou, Salma entre dans le lit et y reste assise, le dos collé au coussin, la tête un peu au-dessus. Il sera bientôt une heure et demie du matin, le 11 mars. Sur la table de chevet laquée blanc, une petite bouteille d'eau de la marque Neviot, deux épingles à cheveux en bois achetées quelque part dans un village des Andes, un stylo à bille et un bloc-notes à l'en-tête de l'hôtel, et ces lunettes, dont tous les soirs Salma replie les branches avec le même cérémonial pré-cautionneux et lent. Son coussin bien redressé pour qu'elle puisse tenir son dos bien droit. Elle saisit sa fine chaînette en or et porte son crucifix à ses lèvres. Avec une grande solennité, une grande délicatesse, elle pose ses lèvres sur le corps du Christ, récitant un Notre Père.

Puis, enfin, rouvrant lentement les yeux, elle se dit qu'il est grand temps d'éteindre la lumière.

Le lendemain matin, Luli se lève tôt. Elle a mal dormi. Elle s'était réveillée une première fois vers trois heures pour aller pisser, puis avait dû se relever une autre fois, moins d'une heure après. Elle avait eu la bouche sèche toute la nuit, avait vidé une bouteille d'eau minérale en moins de deux heures. Pas étonnant qu'elle se soit sentie lourde, l'estomac gonflé, qu'elle ait dû retourner encore soulager sa vessie vers cinq heures, alors que, cette fois, c'était la chaleur étouffante qui l'avait réveillée. Maintenant, Luli n'a rien à attendre de plus en restant allongée, il faut sauter à pieds joints dans la journée et attendre ce soir pour dormir, sortir de cette gueule de bois – elle s'y connaît un peu avec cette sensation car elle a fait souvent la fête, il y a encore un an, lorsqu'elle finissait ses études à l'Universidad de Chile – la fameuse Chile où elle était entrée célibataire et dont elle venait de ressortir quasiment mariée.

En tout cas, si la nuit a été dure, ce n'est pas la faute de l'hôtel. C'est seulement comme s'il avait fallu ne pas s'abandonner au sommeil parce que celui-ci, parfois, est accompagné par – comment appeler ça ? Un rêve ? Un cauchemar ? Quelle importance ? Ce sera toujours la même brutalité. Alors disons *rêve* – ce rêve qu'elle a commencé à faire dans l'adolescence et dont elle n'oubliera jamais la première fois où il s'était imposé, tant l'impression avait été forte d'une intrusion – une violence si réaliste, si précise que, depuis, c'est la réalité elle-même qui avait perdu de sa vraisemblance et semblait parfois incertaine, perdue dans des contours si peu nets qu'ils s'emmêlaient et disparaissaient dans la succession des heures. Alors que ce rêve, lui, avait le tranchant et la netteté d'une lame aiguisée, comme si lui seul avait la profondeur d'un *vécu*. Hier, elle s'était demandé où mieux qu'à Jérusalem il pourrait revenir. Mais ce matin, elle se dit qu'elle n'a pas fait ce rêve. Pas cette nuit. Pourtant, c'est étrange, elle se sent *comme si* elle l'avait fait. Parce que c'est le même épuisement, la même morosité et déprime qu'après *son passage*.

Maintenant, Luli attrape son téléphone, elle veut voir si on lui a laissé des SMS, un message – mais non, rien. Elle laisse tomber l'appareil sur la moquette. Il ne fait aucun son en touchant le sol, et le seul bruit qui emplit la pièce c'est le soupir de lassitude et de déception que Luli laisse échapper. Elle s'élance dans la salle de bains sans allumer la lumière, se débarbouille et se déshabille très vite – elle retire son tee-shirt imprégné d'une transpiration encore humide et froide, le laisse tomber sur la moquette comme une bête en boule qui dormirait au pied de son lit. Elle saute dans ses vêtements de la veille en se disant que tout à l'heure elle prendra une douche interminable pour se remettre les idées en place et sortir de sa léthargie ; mais pour l'instant il faut manger, boire du café, de l'eau, un jus de fruits, n'importe quoi car il faut qu'elle soit d'attaque pour cette journée. Elle va se dépêcher, engloutir des œufs au plat, du café à la cardamome, puis se précipiter pour retrouver sa chambre. Tant pis si elle ne revoit pas Salma ce matin. Ce n'est pas grave, elle lui avait donné son numéro, Salma lui a promis de l'appeler en fin d'après-midi. Mais plus encore qu'un signe de Salma, Luli est obsédée par son téléphone. Au fond, rien d'autre ne compte autour d'elle que son Nokia et l'écran aux reflets vert-de-gris. Elle se dit qu'il n'y a rien de pire qu'un écran digital qui reste inerte, vide, comme mort, comme si tout le lien aux autres était mort, que tous les autres étaient morts, tous ceux dans son carnet d'adresse, un cimetière de noms. Mais son téléphone n'y est pour rien, les gens de chez Nokia ne sont pas responsables de son impolitesse *à lui*, ni du silence mystérieux et inquiétant des autres.

Luli pose sa tasse de café et prend son téléphone. Elle compose un numéro. Elle écoute la sonnerie, le message, la voix, le bip sonore. Elle hésite, souffle, découragée, puis raccroche. Sa poitrine se soulève, par lassitude, fatigue, elle éprouve un sentiment de ras-le-bol qu'elle combat en reprenant son téléphone parce qu'elle sent la colère monter en elle, une poussée d'adrénaline. Elle compose un numéro – la sonnerie, le message, la voix, le bip sonore. Mais cette fois elle n'hésite pas, elle parle, son débit est rapide, coupant, exaspéré. Bon Dieu, j'espère qu'il ne t'est rien arrivé et que tu vas rappeler. Enfin, je veux dire, si, j'espère que si, qu'il t'est arrivé un putain de truc grave ! Tu vois ? Parce que je crois que sinon tu auras vraiment du mal à te faire pardonner, tu entends ? Rappelle-moi, merde... Et je te signale aussi qu'on doit, qu'on devait, qu'il était question qu'on se fiance, tu te souviens ? C'est toi qui as eu l'idée, non ? Et qu'on devait se retrouver ici ? Non plus ? Tu ne t'en souviens pas ? C'est toi aussi qui as eu l'idée, alors, si tu pouvais au moins me rappeler, ce serait cool. Au moins pour me dire ce que tu fous, si tu as mieux à faire que ce qu'on avait prévu.

En sortant de l'hôtel, elle fait de grands gestes en direction d'un taxi qu'elle aperçoit de l'autre côté de la rue. En réponse, le chauffeur lui fait un signe de la main, il a déjà mis son clignotant. Luli court vers lui comme si elle faisait ça tous les jours, qu'elle vivait et travaillait ici et était seulement en retard à un rendez-vous.

Avant de sortir, elle s'était décidée à prendre son appareil photo, son petit sac à dos, son téléphone, et puis elle était partie, tenant entre les doigts une feuille blanche à carreaux, pliée en deux et arrachée à un calepin, sur laquelle elle avait écrit une adresse.

Maintenant, elle tend le papier au chauffeur, sans même essayer de prononcer le nom de la rue, parce qu'elle sait que sa prononciation serait exécrable. Le chauffeur – un type qui a l'air jeune et très énergique, souriant – saisit le papier, regarde l'adresse et semble réfléchir. Il se retourne vers Luli, sourit en lui tendant la feuille mais sans la lâcher, et bientôt l'un et l'autre retiennent chacun un bout du papier, restant comme ça un moment qui semble très long – le temps pour Luli de se demander s'il ne la drague pas un peu. *Vous êtes sûre que c'est là-bas que vous voulez aller ?* Elle répond presque timidement, comme si soudain elle éprouvait un doute, oui, pourquoi ? Il y a un problème ? Et puis il lâche le papier. Au moment où elle le reprend, elle éprouve presque une déception, comme si le petit jeu commençait à lui plaire et qu'elle regrettait qu'il se termine déjà. Ce jeune chauffeur aux yeux très noirs, avec sa kippa blanche et les lettres JZ brodées – elle se dit que ce sont ses initiales –, est sexy, et il le sait. *C'est pour rien, rien de grave, c'est juste que ce n'est pas très loin.* Et son sourire – un beau sourire franc et charmeur, un regard peut-être un peu trop direct, sacrément gonflé, quand même, se dit-elle –, son sourire lui dit que s'il y a un problème, ce n'est pas la course trop courte pour être rentable, mais trop courte pour que dure leur rencontre.

Et, en effet, le taxi s'arrête quelques rues plus loin. Luli demande au chauffeur s'il veut bien attendre quelques minutes, elle pense qu'elle trouvera très certainement une porte fermée et ne sera pas longue à revenir ; et quelques minutes seulement ont passé lorsqu'elle ouvre la portière arrière de la voiture et reprend sa place. *Vous avez préféré rester avec moi ?* Luli ne répond pas. Le chauffeur comprend qu'il a peut-être fait une gaffe – *ferme ta grande gueule, Josh*, murmure-t-il en hébreu. Elle n'entend pas mais pourtant elle répond, parce qu'elle a compris ce à quoi il a pensé.

– C'est rien, répond-elle en anglais.
– Vous comprenez l'hébreu ?

– Un peu. Écoutez, vous allez m'emmener à Yad Vashem, autant commencer par ça, non ?

– Oui, c'est sûr. Si vous permettez, je ne devrais peut-être pas le dire, mais je crois que d'aller à Yad Vashem, au fond, personne n'a vraiment envie... Mais, bon... Une fois que c'est fait, on se dit que c'était important de le faire, qu'on doit le faire, qu'il le faut.

– Oui, sans doute, c'est quelque chose comme ça.

Il lui parle doucement, le ton de sa voix a changé, comme s'il avait perçu une forme de tristesse, de questionnement, d'inquiétude chez Luli. Il ne sait pas, il ne demandera pas. Il se contentera de faire son métier, chauffeur, il est chauffeur de taxi, alors en avant pour Yad Vashem – la voiture démarre et se met à rouler vite et double une, puis deux, trois voitures. Bientôt il allume la radio, Luli voit juste que le chauffeur réagit à l'information, il monte le son. *C'est dingue ce qui se passe, non ?* Elle lui demande de répéter, elle ne comprend pas bien. Alors le chauffeur lui parle soudain dans un anglais rapide, il ne reprend pas par ce qu'il avait dit en hébreu mais par tout autre chose, souriant, l'air de rien, *vous êtes espagnole ? Je veux dire, votre accent, c'est espagnol ?* Le Chili, vous savez, le ruban qui longe l'Amérique du Sud ? *Ah, oui, bien sûr,* lâche-t-il. Il trouve que *c'est super, vraiment, c'est super.* Elle ne sait pas ce qui est super là-dedans, mais se dit que c'est sans doute un compliment. Luli insiste pour savoir ce qu'elle aurait dû entendre à la radio. De quoi il voulait parler ? Pourquoi il avait l'air si surpris ? Elle se redresse, s'accoude aux deux sièges, il réprime son envie de parler – *Il y a encore eu un putain d'attentat chez nous, une Arabe qui s'est fait péter la gueule à coups d'explosifs...* Et puis il lève une main au ciel en

116

prenant Dieu à témoin – ou à partie. *Il faut dire, avec la vie qu'on leur fait, moi, à leur place... Vous savez, il ne faut pas croire que tous les Israéliens sont d'accord avec ce que fait le gouvernement, les colonies, le mur, la répression, moi, je ne vote plus depuis un bout de temps et s'il n'y avait que moi, on ferait mieux de s'occuper* – puis il s'arrête net, jetant un regard inquiet dans le rétroviseur. *Enfin, bon...* conclut-il, *la politique...* Il essaie une blague qui tombe à plat et change de sujet et balaie celui-ci d'un revers, plutôt un coup de volant, il tourne brusquement sur la gauche – un regard dans le rétroviseur extérieur, un mouvement d'épaule, de cou, la tête penchée presque au-dehors de la portière pour voir s'il peut tourner sans danger, le bruit des roues, le virage, son silence soudain qui s'éternise et enfin il lance, *je vous disais, oui, le truc à la radio, c'est dément* – *le Japon, ce qui se passe au Japon, vous n'avez pas entendu ? Un tremblement de terre comme ça n'arrive qu'au cinéma. Je veux dire, le cinéma américain. Vous voyez, des vagues qui engloutissent des gratte-ciel, un cataclysme, la fin du monde. Non, vraiment, c'est hallucinant ce qu'ils disent. Ils ont même dit qu'une partie du Japon pourrait être engloutie, vous vous rendez compte ?*

Ce qui impressionne Luli, maintenant, c'est plutôt une apocalypse sans terre qui tremble, sans pays englouti par les eaux, sans la main de la nature, une apocalypse implacablement humaine, dont Luli savait qu'elle avait englouti des millions de Juifs. Une apocalypse engloutie à son tour par les années, mais aussi dans des récits, des fictions, des légendes dont Luli avait plus peur encore qu'ils finissent par terminer ce *sale boulot* que les nazis n'avaient pas pu achever – ensevelir, engloutir la catastrophe elle-même, jusqu'à ce

117

qu'elle soit complètement recouverte et pour tout dire totalement annihilée.

Et c'était pour ça qu'elle avait voulu venir ici. Le besoin de venir était devenu, en quelques semaines, quelques mois, de plus en plus fort, de plus en plus important. Pas vraiment une obsession, mais une présence discrète et permanente, comme ce rêve étrange qui à l'époque ne la lâchait pas : des marches d'un mètre, un bâtiment très vaste, des murs peints en jaune, des fleurs dans des pots, une ampoule, une lumière qui s'éteint. Luli avait raconté ce rêve à sa mère, qui avait fait semblant de ne rien entendre. Et maintenant, qu'est-ce qu'elle fait là, à trépigner dans une foule qui fait la queue pour aller à la rencontre de la mémoire de la déportation ? Elle saisit le casque qu'on lui tend, se voit partir au sein d'un groupe dont elle ne connaît personne. Luli suit les gens qui s'agglutinent autour de leur guide, un type d'une trentaine d'années, peut-être un peu plus. Il porte une chemise blanche, des cheveux châtains bien coiffés, une petite tache de vin violacée comme une virgule sur le front, tout en haut, à la base des cheveux – une tête à vivre encore chez sa mère, se dit Luli pendant qu'elle essaie d'installer l'audio-guide. Le lieu est très silencieux, c'est un silence respectueux et épais, puissant, très solennel.

Luli regarde autour d'elle, il y a des gens de tous les âges ; elle se dit qu'ils sont tous juifs, puis se reprend, non, pas nécessairement, mais, en revanche, tous sont concernés par l'histoire et le génocide des Juifs. On ne viendrait pas ici seulement pour savoir, pas par simple curiosité, et elle cherche cette raison dans les regards, dans les gestes, les vêtements, les attitudes, comme si elle pouvait voir sur les visages les histoires de chacun. Mais non, rien. Absolument rien.

Elle a beau scruter les visages, tenter de percer un regard, de comprendre la façon dont un homme passe le bras autour de la taille de la femme qui l'accompagne. Elle avance, elle est ici, et personne ne l'a obligée. Il faut qu'elle entende et voie ce qu'elle est venue voir et entendre, et tant pis si elle préférerait reculer. Les mots du guide résonnent dans son tympan, le son est mal réglé – trop fort – elle tourne la mollette pour le baisser lorsque le guide demande, juste avant de pénétrer dans le musée, à ce qu'on ne prenne pas de photos, qu'on ne mâche pas de chewing-gums, qu'on éteigne bien son téléphone.

Avant même qu'on entre dans le musée, elle voit sur un écran triangulaire une vidéo qui montre la vie dans les *shtetls*, les villages avant l'arrivée au pouvoir des nazis. Les images envahissent son cerveau et Luli les laisse s'imprimer en elle. Et puis elle entend la voix du guide – une voix blanche qui se veut amicale et laisse seulement filtrer son ennui – *bon, est-ce que tout le monde m'entend bien ? C'est bon ?* Le guide balaie du regard les hommes et les femmes du groupe qui l'entourent et parle sans lever la voix, mais avec un air très calme et serein ; sa voix glisse sur tout ce qu'elle dit avec indifférence et rapidité, des mots qu'il a dits des centaines de fois, *il faut connaître l'histoire pour que l'histoire ne se reproduise pas.* Le guide dit ça sans y croire, un prétexte banal pour raconter ce qu'il raconte plusieurs fois par jour. Il débite l'humiliation des Allemands et la fin de la première guerre mondiale. Il lâche en trois phrases la montée des nazis. Les premières mesures contre les Juifs. Les premières brimades. La stigmatisation. La persécution. L'annihilation programmée, méthodique, organisée. Dans sa bouche, les années défilent et l'histoire est inexorable. Tout est simple et conduit à notre présence ici, comme si la finalité de toute chose était de finir dans un musée, la finalité de la seconde guerre mondiale de se terminer dans ce musée précisément, se dit Luli, soudain de plus en plus agacée par ce calme du guide, franchement insupportée par ces deux ou trois touristes qui l'interrompent pour lui poser des questions en secouant la tête d'un air entendu. Elle lui collerait bien une baffe, à ce type qui a l'air de répéter sa leçon. Et aux horripilants bons élèves aussi. Au lieu de ça, elle baisse le son de son audio-guide et, mécaniquement, avec une docilité qui l'effraie, avance d'une salle à l'autre en même temps que le groupe, le suit sans oser s'écarter, son obéissance lui est insupportable.

Elle repense à Salma et à leur conversation d'hier soir, lorsque Salma lui avait dit qu'on ne peut pas vivre sans le passé parce que, tôt ou tard, avait-elle dit, le passé incrimine le présent. Le passé, ce qu'il nous enseigne, c'est de modifier, de corriger la trajectoire maintenant, dans le présent. Oui, il incrimine le présent pour que nous le changions parce que pour lui c'est trop tard. Luli repense à cette conversation qui avait fini dans une sorte d'éclats de rires parce que Luli avait avoué ne pas tout comprendre, et Salma avait reconnu qu'elle était incapable de répéter. Oui, son histoire de passé qui incrimine quoi ? C'était idiot, sans doute, ne fais pas attention, du charabia, avait-elle concédé. *Et moi, quel présent il m'a donné, le passé ?*

Maintenant, cette poussière de mots envahit la tête de Luli. Toutes ces choses que Luli ignore et qu'elle a préféré ignorer en les laissant glisser ou s'évaporer. Et puis, elle pense à cette gêne qu'elle avait ressentie chez sa mère en évoquant son rêve. Cet embarras qui l'avait laissée si troublée. Et maintenant elle marche dans le musée, entre docilité et accablement, fatalisme et colère contre ce guide dont la voix traînante et banale glisse sur tout ce qu'il raconte. Luli voudrait avoir la force de partir. De se mettre à courir. Elle voudrait que son téléphone se mette à vibrer dans son sac à dos et sortir et fuir ce dégoût de voir étalés, dans les allées et dans les salles qui leur sont consacrées, comme exilés des années quarante, des vieux objets ayant appartenu à des gens morts, à l'histoire et à la douceur d'une époque et d'un monde révolus – des landaus comme on en trouvait dans les rues de Varsovie dans les années trente, des lampadaires d'époque qui n'éclairent plus que leur présence fantomatique et celle d'employés fantômes qui courent vers des boutiques fantômes, des spectres de familles glissant avec insouciance vers leur anéantissement, figées dans le recommencement des années d'avant-guerre. Une rue qui va du passé à ce maintenant où l'ombre portée d'un *avant* hypothétique vient faire, en creux, sa propre figuration. L'impression d'errer dans un film en noir et blanc, dans des décors de cinéma. D'être enfermé dans le délicat liseré jauni d'une minuscule photographie sépia et craquelée d'avant-guerre. Une fausse vie qu'on convoque pour la répudier et l'enfermer dans la naphtaline d'une mort de carton-pâte. Une bicyclette suspendue par des câbles qui flotte au-dessus des têtes comme dans un conte pour enfants. Le portail d'Auschwitz. *Le travail libère* suspendu lui aussi comme une devise magique à l'entrée d'un Paradis cynique, dans un ciel laiteux éclairé par des spots blancs. Des photographies. Ce ton sépia. Ces couleurs ocre. Cette mise en scène. Ces reconstitutions qui lui soulèvent le cœur. Elle ne sait plus si elle est émue et bouleversée par ce qui est évoqué ici ou si c'est seulement le dégoût de l'exposition du malheur, l'impudeur, la surexposition des vies éteintes, des lumières mortes qu'on fait semblant de rallumer pour en raviver infiniment la perte, en ranimer sans cesse la disparition. Pourquoi est-elle ici ? Pourquoi essayer de trouver dans le regard des autres touristes et dans leurs attitudes des réponses à sa présence ici ? Non, elle n'a aucune raison d'être ici et de se complaire dans des images qui ne lui apprennent rien du passé et ne font que la révulser sur la cruauté insidieuse d'un présent cynique et obscène. Elle se sent accablée et, pourtant, elle est profondément touchée ; elle se sent en colère en se disant qu'ici on trafique l'histoire non pas en la faisant mentir, mais en fabriquant de l'apitoiement. Il y a quelque chose de sirupeux et de vulgaire, elle le sait, elle le sent. Et, lorsqu'elle entre dans la salle des Noms, lorsqu'elle essaie de se dépêcher pour pouvoir bénéficier de quelques secondes où, elle l'espère, elle pourra être seule sous le grand cône pointant vers le ciel, Luli est saisie d'une émotion si forte qu'elle doit s'arrêter. Elle retient son souffle quelques secondes, son visage penché et ses yeux fixés sur ses Converse. Puis, lentement, elle respire de nouveau ; doucement l'air envahit et gonfle sa poitrine ; Luli reprend courage et redresse la tête. Six cents photographies d'hommes et de femmes et d'enfants déportés. Six cents visages. Six cents regards au silence tourné vers elle. Six cents interrogations braquées vers elle, qui s'adressent à elle et reflètent ses propres incompréhensions devant leur disparition et devant sa présence ici, devant eux. Elle voudrait tous les voir, prendre le temps de les regarder les uns après les autres, comme si elle pouvait reconnaître chacun d'entre eux. Elle voudrait photographier toutes les photographies mais c'est absurde, la mise en abîme est absurde, elle n'y peut rien ; elle voudrait retenir quelque chose, capter autre chose que la mort dans les regards figés en noir et blanc et sous la lumière filtrée du cône ; elle voudrait lire tous les extraits des témoignages, mais ça aussi, c'est impossible.

Luli reste interdite et tellement émue qu'à ce moment elle doit ressembler à sa mère. Ce même visage un peu défait, atterré, dont elle s'était étonnée de la voir soudain affublée quand elle lui avait parlé de son désir de venir à Jérusalem. Elle lui avait dit qu'elle aussi devrait venir, qu'elles devraient même faire le voyage toutes les deux. Et sa mère, d'habitude si encline à l'écouter et à poser son stylo sur son bureau, *oui ma chérie*, sa mère, d'habitude si prompte à suspendre l'activité de son ordinateur parce que sa fille veut lui parler, eh bien cette fois non, la mère de Luli n'avait pas été prête à l'écouter. Luli n'avait pas vu sa mère lui sourire avec douceur et tranquillité comme elle le faisait toujours. Cette fois la mécanique s'était enrayée – une ombre, une barre sur le front, un plissement discret entre les sourcils. Luli avait vu sa mère hésiter, se raidir, essayer d'esquiver. Alors, quoi ? C'était ça ? On lui cachait un secret ? Son grand-père avait été un dangereux criminel nazi ? Comme dans certains films ? Exactement comme une bonne grosse fiction : un vieil homme très doux, très riche, avec des tableaux, des sculptures, des bijoux, dont on s'apercevrait qu'il était un ancien bourreau, un agent zélé de la Gestapo dont la tête était recherchée par des chasseurs de nazis ? Mais cette idée-là, Luli n'y croyait pas, c'était bien trop romanesque pour être crédible. Pourtant, il y avait un secret. Elle en était certaine. Il y avait des bijoux, des sculptures, des tableaux et, du côté de sa mère, des grands-parents venus d'Europe, exilés. Il y avait un secret – mais le mot était trop fort, comme celui de tabou. Non. C'était plutôt une ombre, un silence. Luli avait su tout de suite que c'était lié à la Pologne, aux Juifs, à ses grands-parents, à cette *mémé Maria* qui était morte alors qu'elle avait dix ans. Il y avait donc aussi ce grand-père, ce nazi potentiel, ce tortionnaire qui avait – *qui aurait* – échappé aux justiciers de l'après-guerre, ce vieux monsieur dont elle ne savait rien parce qu'elle ne l'avait pas connu – comme elle ne savait rien de leur arrivée au Chili. Elle était restée au milieu du gué en réfléchissant à tout ça, récapitulant ce qu'elle croyait savoir pour finalement comprendre combien elle était dans l'approximation et l'ignorance. Leur arrivée à Santiago, c'était en quelle année ? *Ça a plus de soixante ans, qu'est-ce que ça peut me faire ? C'est si vieux.* Non, rien à faire. Alors elle avait tout repris. Les soixante ans, dans l'autre sens. Mais avant d'aller chercher sur Internet, de consulter des fichiers, de contacter des réseaux, de vouloir s'intéresser aux archives, Luli avait agi l'air de rien, interrogeant tous ceux qui auraient été susceptibles de l'aider, ses parents, quelques vieux amis de la famille, leur posant toujours des questions anodines, travaillant à les faire parler des grands-parents, mais sans chercher à forcer les réponses et en aiguisant son sens de l'interprétation, guettant plutôt la signification sous l'anecdote, la laissant surgir au détour de phrases plus anodines encore que les questions les ayant suscitées. Ce qu'on mangeait à l'époque, en Pologne, et ils étaient d'où en Pologne ? D'une grande ville ? De la campagne ? Et comment était la grand-mère quand elle était jeune, elle était belle ? Et ces peintures que le grand-père avait dans son bureau, les peintures aux couleurs vives et étranges de ce Schlimmer, est-ce qu'il était encore vivant, ce peintre ? Est-ce que c'était un ami de son grand-père ? Puis Luli s'était mise à fouiller dans les affaires de ses parents. Elle avait enfin vu ce vieux meuble en bois de citronnier, qui avait dû être clair et presque blond et ne l'était plus du tout, même pas sur une quelconque photographie. Il était là, en plein milieu du salon, personne ne le voyait plus. C'est là que Luli avait fini par chercher, déplaçant l'horloge, les bibelots, les regardant à peine et se penchant en revanche minutieusement sur le coffre au-dessus du buffet. Elle n'avait rien trouvé qui lui apporte des réponses très concrètes, mais de quoi nourrir ses questions en les humanisant, en comprenant soudain que quelque chose de ce qui la taraudait avait *réellement* eu lieu, que ce n'était pas une fiction ni un rêve mais des histoires incluses dans l'histoire, figées comme les gouttes de couleur dans les boules de sulfure. Quelques photos grises et pâlies avec leurs petits êtres prisonniers dans des costumes et des poses d'un autre temps. Quelques médaillons avec des visages qu'elle n'avait jamais vus et qui la regardaient de plus loin qu'elle, d'une durée de plusieurs fois sa vie. Et puis des vieux billets de banques, des *zlotys* dont l'un – un billet de cent à la figure vieux rose – était barré du nom de DORA. C'était écrit en lettres majuscules et souligné deux fois d'un geste sûr, d'une encre violette et presque effacée qui, autrefois, avait dû être noire. Quelques cartes, des lettres pliées en quatre dans des enveloppes aux multiples cachets, aux timbres illisibles, des documents écrits en une langue étrangère. Elle apprendrait ces mots de polonais lus sur un passeport, *DOVOD OSOBISTY*, de quoi se poser des questions au-delà de ces « papiers d'identification », au sujet de l'identité de son grand-père et de sa grand-mère.

Avec les photos, les passeports, les médaillons, les lettres dans une langue étrangère écrite avec une belle écriture, comme en ont seulement les vieilles personnes, la seule chose qu'elle avait vue, c'était des faits. Des photos avec des dates et des noms écrits aux dos. Des dates sur des documents officiels dans une langue incompréhensible. Et puis ce nom qu'elle avait vu des tonnes de fois, signature au bas des grandes toiles – les natures mortes bizarres dans les chambres, les paysages oniriques dans le salon, les femmes nues aux couleurs crues dans le bureau du grand-père et dans la bibliothèque, des peintures dont on avait hérité des grands-parents – ce nom qui revenait et qui avait tout changé, une signature brossée en bas à droite des toiles, qui avait tout révélé pour elle – *Schlimmer*.

Et maintenant, alors que le taxi la ramène à son hôtel, Luli retire le papier plié de sa poche, s'il vous plaît, non, j'ai changé d'avis, je voudrais aller – et elle le dit en hébreu – rue Eliyahu Shama.

Les rues, les maisons, les immeubles, toute la ville devant elle, le ciel bleu et pur, un soleil qui dilate ses rayons en colorant d'une teinte violette les zones ombragées. Luli tient son téléphone comme, elle imagine, les Palestiniens leurs pierres quand ils défient l'armée israélienne, avec force, les doigts refermés dessus en serrant puissamment, bandant les muscles de son avant-bras, la gorge serrée. Elle prend ses lunettes de soleil parce que la lumière frappe les pierres des maisons et des immeubles, la blancheur rebondit sur les trottoirs éclatants et sur les routes recouvertes de poussière. Luli reconnaît la rue et quand le chauffeur lui demande le numéro de l'immeuble, elle le dit avant même de relire le numéro sur le papier, qu'elle jette avec le téléphone dans son sac à dos ; elle cherche, trouve l'argent, compte sans vraiment vérifier, même si elle sait qu'elle devrait faire attention pour apprivoiser cette monnaie qu'elle ne connaît pas. Cette fois, elle ne demande pas au taxi de l'attendre. Elle sort et bientôt la portière de la voiture claque et son bruit résonne dans le silence de la rue – un son très fort au-dessus de la rumeur de la ville, puis un nuage d'une poussière granuleuse et blanche soulevée par une bourrasque qui retombe lentement, dans de grandes bouffées éparses. Des bougainvilliers derrière une palissade rouge et jaune à moitié défoncée, la bordure d'un trottoir où alternent des bandes blanches et bleues – Luli pense au drapeau d'Israël.

Elle arrive devant l'immeuble – comme ce matin. Elle se plante devant le digicode et regarde l'écran avec les flèches lumineuses qui font défiler les noms des habitants. Cette fois Luli n'attend pas et s'engouffre dans le hall parce que quelqu'un sort de l'immeuble – une femme suivie d'un adolescent aux cheveux mi-longs qui lui cachent les yeux et un bon tiers du visage. Luli entre et, sans hésiter, regarde les boîtes aux lettres, trouve le nom, l'étage. Elle monte l'escalier et regarde ses pieds sur le carrelage couleur de brique – elle lève les yeux pour voir le palier suivant, les appliques au plafond, les murs granuleux ; elle arrive devant la porte, ce n'est pas le nom qu'elle cherche alors elle traverse le palier, la porte d'en face, ça y est, elle y est et, sans prendre le temps d'hésiter lance son bras et frappe – son index replié cogne, c'est comme si une rafale de coups métalliques résonnaient dans l'escalier et s'évanouissaient aussitôt dans le silence de l'immeuble.

Personne ne répond. Mais soudain c'est une autre porte qui s'ouvre, derrière elle, une voix menaçante et furieuse, *qu'est-ce que vous lui voulez ? Qu'est-ce que vous lui voulez à la fin ?* Luli se retourne et regarde la femme aux cheveux très longs. Ses yeux verts écarquillés. Ses sourcils relevés comme des demi-cercles trop épilés sur un front plissé par la colère, des vaguelettes de chair, des plis, des traits en alerte – son chemisier gris chiné ouvert sur un tee-shirt rose, son pantalon de toile et ses pieds nus dans des mules qui claquent sur le carrelage. Derrière elle, la porte est ouverte. Une odeur de légumes bouillis et le son de la télé dans un écho affreux de voix aigrelettes soulignées par une musique mélodramatique et des pépiements d'oiseaux. La femme avance, les yeux brillants de larmes, son air bouleversé et furieux. La fille traverse le palier et gueule à chaque pas des mots incompréhensibles. De l'hébreu hoqueté, déchiqueté, comme fracassé – des mots qui ne ressemblent pas à des mots, d'aucune langue, d'aucun pays, de nulle part, de personne, dont Luli comprend juste qu'ils sont des cris de colère et de haine, des hachures de mots brisés, jetés comme des projectiles qui éclatent contre les murs, dans l'escalier. Luli marque un temps d'arrêt, puis un mouvement. Le buste, un pas, dans sa bouche, en espagnol, l'étonnement qui éclate comme une bulle – *quoi ?* – et Luli recule encore. Elle a envie de gueuler va te faire foutre, mais elle ne le fait pas. Envie de se dresser sur ses jambes, de se faire menaçante à son tour, pas du genre à se laisser agresser sans broncher mais la femme reprend, cette fois en anglais – *on ne veut pas vous voir, on ne veut pas, allez-vous-en on ne veut pas vous parler, on ne veut pas, vous entendez oui ou non vous entendez ? On ne veut pas parler.* La femme avance encore et Luli fait quelques pas en arrière. Puis sa voix se superpose à la voix de la femme, en espagnol, *foutez-moi la paix, bordel, lâchez-moi*, et toutes les deux gueulent encore quand, du quatrième étage, une porte s'ouvre – une voix d'homme, des pas qui dévalent l'escalier. Un visage. Un corps. Grand. Jeune. Un homme en survêtement et sweat-shirt qui s'interpose et prend la femme dans ses bras. *Ça suffit, Yona, ça suffit.* Et c'est comme si tout s'effondrait en elle. L'homme lui prend le visage entre les mains, il lui répète quelque chose à voix basse, très doucement. Elle reste comme ça quelques secondes, sa voix s'est muée en une sorte de râle, puis des souffles, elle regarde Luli – un regard haineux, fou de désespoir. Luli ne comprend pas, l'homme se tourne vers elle, la voix tremblante, *on n'a rien à vous dire, d'accord ?*

Je viens voir Adéma. J'ai fait des milliers de kilomètres pour la voir. J'ai fait des heures d'avion pour la voir et elle devait venir me chercher à l'aéroport, mais elle n'est pas venue, merde, vous comprenez ? Depuis hier soir j'attends et j'attends et je n'ai pas de nouvelles d'elle, de personne, et mon copain que je devais retrouver aussi je n'ai pas de nouvelles, je suis tellement en colère contre lui que je n'ai pas pensé à Adéma et je ne sais pas quoi faire – Luli regarde la porte de l'appartement et attend qu'Adéma apparaisse. L'homme en survêtement comprend et, soudain, c'est lui qui pâlit et se tait. Ce silence qui vibre après la colère. Et enfin la voix de l'homme bredouillant dans un anglais que Luli n'est pas sûre de comprendre. Sa voix vacillante, cassée. Luli doit tendre l'oreille lorsqu'il lui répète, *mais qu'est-ce que vous lui voulez, à mademoiselle Schlimmer ?*

Maintenant, c'est la nuit. Il est 21 h 30, Luli est dans sa chambre d'hôtel.

Une sonnerie de téléphone, la voix de Luli qui annonce qu'elle ne peut pas parler maintenant, un bip – et puis c'est à Salma de laisser son message. Elle est désolée, elle n'a pas pu appeler plus tôt. Il est déjà tard, c'est vrai, mais la journée a été… enfin, elle lui en parlera volontiers si Luli veut bien qu'elles se voient. On pourrait se promener toutes les deux, demain ? Ça me ferait plaisir, dit Salma. Ce serait bien de se retrouver dans la vieille ville, si tu veux ? Salma dit qu'elle rappellera le lendemain matin, vers neuf heures.

Au moment où elle entend sa propre voix dire à demain, Salma ne peut pas savoir qu'à ce moment du début de la nuit Luli est rentrée à l'hôtel et qu'elle y est seule. Son petit ami ne lui a pas encore téléphoné, il ne peut pas, il est dans un bus quelque part dans le désert, il a perdu son téléphone et avec lui le numéro de Luli. Luli n'a pas dîné, elle ne mangera rien parce qu'elle ne pourra rien avaler, pas après ce qu'elle a vécu aujourd'hui.

Dans cette chambre d'hôtel, Luli est prostrée, vidée de toutes ses forces, anéantie par sa journée – atteinte, comme si la moelle épinière de son existence avait été touchée, et rien ne peut la relever du fauteuil de velours vert dans lequel elle laisse défiler devant elle les images de la télévision – des images aussi folles qu'elle, on dirait que quelque chose a craqué *aussi* dans le monde, un monde qui penche, qui tangue ; elle ne comprend pas ce qui la sidère le plus de sa journée vécue ou de ce qu'elle voit à la télévision, ou les deux, la conjonction des deux – une vague noire submergeant une autoroute – une piste d'atterrissage et des avions encastrés les uns dans les autres, comme des origamis précieux et dérisoires, des tonnes de boue noircissant des paysages – des horizons dévastés et des forêts rasées – des voitures renversées, retournées – des maisons et des routes éventrées et puis la voix de cet homme en survêtement bleu dans l'escalier – la voix de l'homme qui résonnait et vibrait et résonnera longtemps dans sa mémoire, comme il résonne encore dès que ses yeux cèdent à la fatigue, clignant et faisant apparaître son image dans ce survêtement bleu et sa voix surtout, sa voix, *mais qu'est-ce que vous lui voulez, à mademoiselle Schlimmer ?*

Luli inerte et presque nue dans le fauteuil crapaud de velours vert. Luli, qui ne peut pas décrocher lorsqu'elle voit la lumière sur l'écran de son téléphone. Elle qui avait attendu toute la journée que ce putain de téléphone sonne...

Et à ce moment où il sonne enfin, non, elle ne peut pas décrocher.

Mais le lendemain matin, elle pourra. Elle aura retrouvé suffisamment de forces pour décrocher et répondre d'un ton assez assuré et de sourire en reconnaissant la voix de Salma. D'accord pour un rendez-vous, bonne idée, d'accord, devant le Saint-Sépulcre, dira-t-elle.

Et elle arrivera bien avant Salma dans le quartier chrétien. Ce sera vers dix heures trente. Elle prendra un jus d'orange pressée dans un de ces kiosques qu'on trouve sur les trottoirs un peu partout dans la ville. Elle boira en regardant les gens qui arriveront par bus, des touristes marchant par grappes compactes. Le temps pour Luli d'oublier qu'elle attend Salma et de se demander si elle aura le courage de lui raconter tout ce qui s'est passé. Est-ce qu'elle aura la force de faire le simple récit chronologique, linéaire, de sa journée de la veille ? Il lui semble que plus rien ne se présentera à ses yeux comme une succession de faits ou d'événements, une suite d'enchaînements, à peine – ou alors elle pourrait peut-être raconter des bribes, décousues, hachées, la violence à laquelle elle avait été confrontée quand l'homme en survêtement avait proposé de l'emmener à l'hôpital Hadassah ?

Pendant le trajet, Benjamin – c'était son prénom – avait raconté qu'Adéma était une voisine mais qu'il ne la connaissait pas très bien, une fille très chouette. Yona est très choquée, c'était sa meilleure amie. Luli n'avait rien répondu pendant qu'il parlait, elle ne le regardait pas. Elle avait juste redressé la tête vers lui lorsqu'il avait dit *était*. Mais elle n'est pas encore morte, avait failli l'interrompre Luli. Elle n'avait rien dit et s'était contentée de regarder Benjamin sévèrement. Puis son regard avait erré de la rue à ses propres mains, elle ne pouvait pas regarder Benjamin, elle n'aurait pu regarder personne, elle se sentait coupable – et qui pourrait lui dire qu'elle ne l'était pas puisque c'est elle qui avait décidé de retrouver les descendants du peintre Schlimmer, elle qui avait réussi à retrouver la trace d'un neveu, qui avait essayé de le contacter mais avait dû continuer parce qu'il avait refusé de lui répondre ; alors elle avait retrouvé sa fille, Adéma, qui était plus âgée qu'elle d'une dizaine d'années et vivait seule à Jérusalem. Luli et elle avaient fait connaissance par Internet, elles étaient devenues amies. Elle avait voulu aller là-bas, à Jérusalem, et maintenant il avait fallu aller à l'hôpital et rencontrer les parents d'Adéma et les affronter, accepter l'idée qu'on l'accuserait peut-être parce qu'on ne lui avait rien demandé et qu'elle, en voulant réparer des histoires mortes, des histoires qu'on avait oubliées, venait seulement les prolonger, les réactiver, comme un feu mal éteint. Et c'était elle que leur fille était partie chercher à l'aéroport ? Celle qui avait – non, elle n'avait pas tué Adéma. Mais qui lui dirait qu'elle ne l'avait pas tuée ? Est-ce que quelqu'un lui dirait qu'elle n'y était pour rien ? Est-ce que quelqu'un lui dirait qu'elle n'était responsable de rien ?

Lorsqu'elle avait avancé vers l'accueil de l'hôpital, quand les portes de verre s'étaient refermées sur elle, elle avait compris combien c'était important qu'elle soit là, qu'elle voie les parents d'Adéma, son père – le neveu d'un peintre dont tous les jours de sa vie Luli avait vu des tableaux chez elle, au Chili, et cette signature qui avait été pour elle le point autour duquel tout s'était concentré – *Schlimmer*. Parce que tout s'était concentré depuis des décennies vers ce jour et c'était comme si, lorsqu'elle avait pris l'ascenseur avec Benjamin et qu'il l'avait conduite à travers les étages, qu'ils avaient marché dans les couloirs, croisant des femmes en blouse blanche, des chariots métalliques et des portes assez larges pour qu'y passent des fauteuils roulants et des brancards, des portes peintes avec des couleurs pastel et cette odeur médicamenteuse flottant dans les couloirs, et les froissements de tissus, les regards échangés, les saluts polis et discrets, les silences particuliers et un peu cérémonieux, ouatés, oui, comme si, donc, ce silence lourd et plein de précautions déjà, avec les malades, les accidentés, leurs familles, leurs proches, Benjamin marchant juste devant Luli, sur la gauche, presque pour la protéger, comme si tout ça elle l'attendait depuis toujours, qu'elle l'accueillait maintenant avec résignation et fatalisme, presque avec une sorte de sentiment de libération.

133

Benjamin s'était retourné vers elle pour la prévenir, nous arrivons, ses parents sont là tous les deux.

Un homme et une femme assis dans une petite pièce vitrée. Un couple d'une cinquantaine d'années dont chacun semblait ignorer l'autre, pris dans sa propre solitude, enfermé dans sa propre angoisse. Est-ce que Luli raconterait ça à Salma ? Est-ce qu'elle pourrait ? Est-ce qu'elle lui parlerait de ce que c'est que de voir des gens pour la première fois de sa vie alors qu'on sait que depuis toujours on est lié à eux ?

Luli marchera dans les ruelles du quartier chrétien. Elle avancera toute la matinée et bientôt elle aura envie de marcher plus vite encore, de se laisser porter par la présence puissante de la foule, des ruelles, du soleil et des ombres. Alors elle se laissera – oui, c'est ça, elle avance et se laisse porter par cette ville qui contraste tant avec la vie fantomatique de cette Varsovie figée dans les années trente et qui hante son esprit mais ne fait pas le poids, maintenant, ici. Le soleil et la lumière verte sous les grands velums usés des boutiques, les tapis, les colliers, des vases, des bijoux. Luli marche à toute vitesse et croise une flopée de religieux qui parlent de Jésus comme d'un intime ; une femme en niqab avec un panier à son bras et puis aussi des militaires qui arpentent des rues dans lesquelles flottent une odeur d'huile d'olive et de café et puis, encore, enveloppante et sucrée, celle des fruits pressés. Luli continue, elle passe par le souk Khan el-Zeit et croise une procession, puis El-Wad, El-Tuta, et, enfin, elle rejoint le dernier tronçon de la Via Dolorosa.

Son cœur bat si fort quand Luli se demande ce qu'elle racontera tout à l'heure à Salma. Elle se dit qu'elle ne pourra pas vraiment expliquer comment Benjamin était entré seul dans la pièce, comment les parents d'Adéma s'étaient levés, comment Benjamin les avait salués et comment, tout de suite, le père n'avait pas eu un regard pour Benjamin, mais seulement pour elle. Elle n'avait pas supporté ce regard. Elle avait baissé les yeux et avait entendu la voix de Benjamin et celle du père d'Adéma. Il s'était mis en colère, il avait levé le bras et désigné Luli avec mépris en regardant sa femme et Benjamin. Sa femme alors était sortie très vite et, en se dirigeant vers Luli elle lui avait pris le bras, venez, ne restez pas ici, venez, ne restez pas et elles avaient marché toutes les deux dans les couloirs et étaient sorties sur une terrasse où des femmes en blouse fumaient en parlant à voix basse. Luli et la femme étaient allées s'asseoir sur un banc et Salma n'imaginerait pas comment l'air était doux, ni combien les voix des infirmières, à côté d'elles, étaient douces aussi, combien leur présence était rassurante et apaisante. Salma n'imaginera rien de ce qui s'est passé la veille, comme elle n'imaginera pas non plus la porte d'Hérode et le regard lumineux de Luli parce qu'elle était arrivée en avance à leur rendez-vous. Est-ce qu'elle lui raconterait quelque chose ? Est-ce qu'elle dirait comment la mère d'Adéma l'avait prise dans ses bras ? Comment elle avait été si douce avec elle en lui disant que c'était à cause du destin et pas à cause d'elle ? Comment cette femme avait voulu que Luli ne se sente pas coupable, cette femme qui lui avait dit, ici, vous ne le savez pas, vous, mais comment voulez-vous que sept millions de Juifs entourés par une centaine de millions d'Arabes ne soient pas perpétuellement inquiets ? Ici, en Israël, traverser la rue, aller faire ses courses, simplement vivre, tout est recouvert par la peur

135

– non, pas la peur, le risque mais pas la peur – le risque des attentats, de la mort. Ce danger, on vit avec depuis toujours, c'est notre vie, on n'y peut rien. Adéma le sait depuis toujours.

Est-ce qu'elle pourrait dire à Salma, lorsque tout à l'heure Luli la retrouvera, combien tout ça était complètement fou ? Comment elle commencerait ? Par quoi ? Le Chili ? La Pologne ? Sa grand-mère, sa mère, elle ? Par ce qui était arrivé hier ? Non. Il faudrait peut-être commencer avant, il y a quelques mois lorsque, n'y tenant plus, excédée, elle avait obligé sa mère à lui parler de sa grand-mère. Ce soir-là, Luli avait dit qu'elle ne laisserait pas sa mère partir avant de savoir. *Mais savoir quoi, savoir pourquoi, savoir, qu'est-ce que ça peut changer pour toi, hein, dis-moi,* avait lâché sa mère. Elles étaient dans le corridor et derrière elles, au mur, il y avait des fleurs et des sous-bois peints dans des tons fauves et bruns. Luli les avait regardés au-dessus de la chevelure de sa mère pour ne pas affronter son regard et son incompréhension. Un vase de porcelaine et un bouquet de lilas dont l'odeur semblait émaner des tableaux. Il y avait aussi l'odeur de parfum de sa mère – et l'odeur un peu âcre, acide, de la peur de Luli. Mais Luli avait tenu bon. Elle n'avait pas cédé. *Maman, je veux savoir l'histoire de ma famille et si c'était des nazis je veux le savoir.*

– Des nazis, tu es folle ?

– Je veux le savoir.

– Mais ma chérie, c'est ridicule. Qu'est-ce que tu vas inventer ?

Le mot *nazi* dans l'air de cette maison, sous le regard des tableaux, des sculptures, des meubles, des bibelots, de la mémoire de cette maison. Le mot nazi qui éclate aux oreilles de Luli, de sa mère. Son rire tonitruant et cinglant – *ce que tu es drôle ma petite Luli, ce que tu es drôle à tout vouloir savoir.* Et puis soudain elle avait complètement arrêté de parler et de rire, son visage s'était figé parce que Luli ne faisait que répéter un nom, juste un nom, le peintre, ce *Schlimmer*, qui est *Schlimmer ?* Sa mère qui détourne les yeux. *C'est ridicule, Luli, finissons-en. Laisse-moi sortir, ton père m'attend.* Non. Pas avant. *Avant quoi ?* Tu le sais. *Il n'y a rien à dire.* Si. *C'est du passé.* Maman, qui est Schlimmer ? Et la voix de sa mère qui se brise (est-ce que c'est l'odeur des lilas qui est trop forte ? est-ce que c'est d'avoir crié qui lui brouille le cerveau, qui fait vaciller sa vue ?), sa voix qui s'éteint lorsqu'elle prononce le mot juif et le nom de Schlimmer. *Ta grand-mère a vu des gens massacrés. Des gens qu'on tue à bout portant parce qu'on a tous les droits sur eux. C'était il y a cinquante ans et ta grand-mère avait encore tellement de peur dans sa voix. Ta grand-mère, elle a vu des choses horribles, on ne peut pas la juger, tu ne peux pas la juger. Elle a vu ses parents étendus dans la boue, abattus. Elle a reconnu ses deux frères massacrés avec des dizaines d'autres, les corps entassés avec lesquels on avait fait une pyramide dans une église et tu voulais qu'elle ne fasse pas tout pour avoir une chance de s'en sortir ? Elle était blonde comme toi, comme moi. Elle avait la chance d'avoir le profil aryen, tu comprends ? C'était la chance qu'elle a pu saisir et Dieu, Dieu dans tout ça... Est-ce qu'on peut lui reprocher de ne pas avoir voulu mourir en sainte ? Sainte ? Chez les Juifs ? Est-ce qu'il y a des saints chez les Juifs ? Pour sauver la foi juive ? Pourquoi sauver la foi juive ? Est-ce qu'on peut lui reprocher d'avoir choisi de sauver sa vie plutôt que cette... foi, cette... C'est si bien que ça, d'être juif ? Ça vaut qu'on se sacrifie, tu crois ? Est-ce qu'elle n'a pas eu raison ? Les Juifs, les Juifs, tout le monde a ce mot à la bouche mais le sacrifice, son sacrifice, ça aurait changé quoi ? Tu ne crois pas qu'il valait mieux vivre en catholique que mourir comme une Juive ? Est-ce que renier sa foi, dis-moi, c'est plus grave qu'abandonner la vie que Dieu t'a donnée ? Où est l'offense ? Quelle est l'offense ? Et qu'est-ce que ça peut faire de renier une religion comme ça si c'est pour devenir catholique ? Son prénom c'était Dora et elle était juive, et nous aussi nous aurions pu être juives. Toi et moi. Toi aussi. Il paraît que ça se transmet par la mère. Tu entends ? Tu comprends ? Tu es contente, tu es fière ? C'est ça que tu voulais savoir ? Qu'il fallait que tu saches ? Dis, c'est ça ?* Et le silence de sa mère. Sa mère qui écrase son propre visage avec ses mains, ses doigts plaqués sur ses joues, sur ses paupières fermées, sur ses larmes. Qui d'elle-même efface et détruit le maquillage de son visage – *Et puis Schlimmer, le peintre, oui, le peintre Schlimmer était mon grand-père. Luli, c'était mon grand-père.*

Et maintenant Luli est à Jérusalem et dans sa tête les mots de Salma bourdonnent. *Ce que le passé nous enseigne c'est de modifier, de corriger la trajectoire maintenant, dans le présent.* Les mots qui tournent dans l'esprit de Luli. Les mots de Salma. Le sourire de Salma.

Plus tard, dans la matinée, lorsqu'elles sont enfin réunies, Luli, le visage fermé, presque souriante dans sa dureté, ne parle presque pas. Elle évoque Yad Vashem et le jeune chauffeur de taxi, elle parle des images du séisme au Japon, de son petit ami qui ne lui a toujours pas donné de nouvelles. Luli écoute beaucoup Salma. Salma est une femme très belle et bouleversante, même si les choses dont elle parle lui semblent lointaines. Luli ne raconte pas qu'elle devait retrouver une amie, que c'est elle qui est entre la vie et la mort. Elle ne dit rien non plus des parents d'Adéma, de sa solitude lorsqu'elle était repartie de l'hôpital, emportant avec elle l'image de ce père effondré dans une petite pièce fermée, une cage de verre à travers laquelle elle avait vu cet homme et, à travers lui, l'histoire d'une famille étroitement liée à la sienne, un oncle, un cousin.

Salma, buvant son café par petites gorgées et qui, relevant les yeux vers Luli, s'étonne de la trouver plus pâle qu'hier, le visage plus dur, étonnamment défait. Salma met tout ça sur le compte de la fatigue. Elle est concentrée sur ce qu'elle a vu, cette violence ordinaire, ce quotidien banal et injuste pour les Palestiniens ; bientôt elle raconte comment elle-même avait été prise à partie par un militaire qui avait cru qu'elle était Palestinienne. Il m'aurait piétinée, je te jure. C'était horrible, ce mépris. Et quand il a compris que j'étais une étrangère, alors il s'est excusé mais j'ai failli lui cracher dessus tellement j'étais furieuse. Elle raconte ce qu'elle a vu depuis hier dans les quartiers arabes, elle est tellement bouleversée que Luli aussi se laisse déborder, les yeux brûlants, elle aussi, sans plus savoir pourquoi, pour ce monde inconciliable et à jamais inséparable, ce bouleversement qui s'opère en elle et la voix de Salma – Salma qui s'étonne de trouver Luli si émue, si fragile et pourtant si dure aussi. Elle ne sait pas encore que Luli vient d'entreprendre un grand voyage qui changera sa vie de fond en comble, qui va la dévaster, la ruiner, qu'elle traversera ce champ de ruines pour renaître à elle-même, réconciliée avec son histoire. Elle ne regrettera pas le choix qui va naître bientôt, elle qui, dans une dizaine de mois, retrouvera la judéité de sa grand-mère et aura rompu avec ce fiancé qui n'aura jamais pu comprendre en quoi elle avait changé. Elle reviendra ici et repensera souvent à ce jour, à Salma, la chère Salma à la voix si douce et bouleversante ; elle prendra une place dans le présent et fera sienne la signification du prénom d'Adéma – *ne pleure pas*.

Salma s'étonne, quand elle parle des *territoires occupés*, de voir Luli détourner le regard, dire, murmurer, *occupés... disputés*. Salma fait comme si elle n'entendait pas. Elle ne veut pas de malentendus, ou plutôt de conflits, de querelles entre elles, elle préfère ne pas relever. Elle ne peut pas savoir qu'en parlant elle construit à sa façon le basculement de Luli – *transformer le passé en agissant sur le présent.* Lorsqu'elle entend Salma parler de l'humiliation qu'on fait subir aux Palestiniens, Luli ne dit rien et réprime seulement un sourire amer. Elle fixe Salma dans les yeux et l'écoute comme pour percer un secret, un mystère qui la surprend comme la surprendrait le son d'une langue inconnue. Salma parle de Shu'afat comme d'un monde enfoui dans une autre histoire. Salma raconte comment, quand on vient de l'autre côté de la ville, de derrière le mur qui sépare les Arabes des Juifs, c'est comme si on venait d'un autre monde. Elle parle du check-point où elle s'était présentée ce matin. Là, des militaires avaient entrepris de fouiller tous les Arabes qui voulaient rejoindre leur lieu de travail. Pas seulement les Arabes, mais tous les gens, même si les seules personnes qui voulaient entrer dans Jérusalem-Ouest, à cette heure de la journée, c'était les Arabes qui quittaient leur quartier pour aller travailler. Des chauffeurs de taxi, des femmes de ménage, des ouvriers gueulant parce qu'ils allaient être en retard. Gueulant cette fois, alors que d'habitude ils ne disent rien parce qu'ils ont l'habitude qu'on leur fasse faire un détour trop long de chez eux, jusqu'à ce check-point, alors qu'ils habitent en face. Salma raconte ce qu'elle a vu ce matin même, la queue s'allongeant, cette femme qu'on avait obligée à vider ses affaires et qui avait refusé, qu'on avait fouillée et qui refusait de se laisser faire, maudissant les Juifs en disant qu'ici on la connaissait, tout le monde savait qu'elle était honnête, tous les matins elle franchissait le check-point. Pourquoi on voulait l'emmerder ce matin, elle ? Et elle prenait les gens à partie, ils ont déjà détruit sa maison, ils ont déjà terrorisé ses enfants en détruisant sa maison, son mari est à l'autre bout du pays pour construire les maisons des Juifs, elle est obligée d'élever seule ses enfants, quatre garçons, heureusement que les voisins sont de bons voisins, heureusement que la famille est une bonne famille, grâce à Dieu. Salma se met à parler de cette femme, *quel âge elle pouvait avoir ? Une femme de ménage ?* Et maintenant elle est obligée de vivre dans ce Shu'afat où, de ses fenêtres, les seules choses qu'elle voit c'est la hauteur du mur et les gamins qui perdent leur jeunesse à taper dans un ballon et à le faire rebondir sur ce mur maudit. Salma raconte ce dégoût, l'humiliation. Salma connaît le désespoir, la misère. Elle connaît les ravages de la guerre, de l'oppression. Elle parle en se penchant vers Luli pour lui dire que jamais de sa vie elle ne s'y fera, ce monde est impossible – les Palestiniens finiront par avoir gain de cause, il le faudra. Tu comprends, dit-elle, on ne peut pas chasser les gens de chez eux et que ça continue éternellement, c'est une telle violence, une telle injustice.

141

Luli la regarde et écoute. Salma se souviendra longtemps de ce regard, de cette écoute. Elle emportera avec elle, lorsqu'elles se quitteront tout à l'heure, une vague gêne, comme un sentiment diffus et étrange de malaise, presque d'hostilité. Elle ne comprendra pas. Elle raconte qu'elle a vu des choses comme ça en Afrique, lorsqu'elle était plus jeune. Mais elle dit qu'ici il y a une telle désespérance que les Palestiniens regardent le monde se faire sans eux – et l'espoir, pourtant, avec les révolutions arabes, le nom Palestine qui revient dans sa bouche, le mot *colonie*, le mot *liberté* aussi, le printemps arabe leur apportera un peu de réconfort, dit-elle.

Elle croit au sens de l'histoire, mais elle sent que Luli dit oui pour lui faire plaisir. Quand elle était arrivée, elle avait été tellement heureuse de voir que Luli l'avait attendue. Elle s'était excusée longtemps pour son retard ; elle avait entrepris d'expliquer, de raconter, c'était confus et urgent dans sa bouche, comme pour se soulager de toutes ces images qu'elle avait vues, les bennes à ordures dégueulant sur des trottoirs tristes et sales, un autre monde, avait-elle dit encore. Et puis, en proposant de boire un verre avant d'aller visiter le Saint-Sépulcre, elle avait voulu dédramatiser et avait commencé par marcher en prenant le bras de Luli et en lui murmurant à l'oreille, avec ironie, parce que seule l'ironie pouvait la sauver de la colère, seule un peu d'ironie pouvait rendre ce monde supportable, que de l'autre côté du mur, au moins, on n'était pas emmerdé par les touristes – tous ces touristes qu'on regarde comme si nous ne faisions pas corps avec eux et qu'ils représentaient un monde où les spectateurs viendraient assister au spectacle à l'intérieur même du décor, nourrissant la scène de leur présence et l'alimentant par la rumeur flottante et vague, fantomatique et bruyante, de leurs commentaires et des appareils photo créant, par les flashes et les milliers de déclics, ce halo sonore et lumineux, cette aura de prestige nécessaire à toute mise en scène ; et puis les poses au pied de monuments indifférents et blasés d'une telle agitation, comme si les monuments eux-mêmes se résignaient à être des alibis disparaissant derrière le sourire convenu, s'évanouissant derrière le rituel reproduit partout dans le monde avec la même docilité et la joie de cette multitude encline à fabriquer les images de son bonheur, comptant sur tous les ingrédients qui doivent le composer et que nul n'a besoin de répertorier pour chercher à y satisfaire – des monuments connus, du soleil, le dépaysement et des rencontres, toutes ces amitiés de hasard qui deviendront indéfectibles ou, au contraire, simples figures de passage vouées à l'oubli, plus ou moins étranges et insignifiantes – et Syafiq pourrait en raconter beaucoup, lui qui a tant voyagé, même si, maintenant, dans la chambre de son hôtel, il se dit qu'au lieu de rester scotché à la télévision et aux images du séisme au Japon, il faudrait sortir.

Mais, sortir ? Avec cette neige incessante ? Dans ce Moscou glacial où le ciel et le paysage, dans le cadre de sa fenêtre, se mélangent dans une épaisse grisaille laiteuse et aveuglante ? Il éteint la télévision et prend son passeport sur la tablette à côté de son lit. Il ne sait pas pourquoi, il regarde sa photographie, ses prénoms et nom, son numéro d'identification, ses mensurations, ses signes distinctifs, son âge, le lieu de sa naissance, et c'est comme s'il regardait le portrait d'un personnage de fiction.

Car Syafiq ne reconnaît pas vraiment la photographie qui est censée montrer son visage. Elle montre un homme jeune à l'air vaguement maussade, aux cheveux très courts, et une ombre souligne des cernes sous ses yeux – est-ce que c'est elle qui lui donne cet air si triste et peu aimable ? Pourtant, tout le monde dit de Syafiq qu'il est très beau et doux. Et s'il est beau, ce n'est pas parce qu'il a les yeux et les cheveux noirs, car dans son pays tout le monde a les yeux et les cheveux noirs. Ce n'est pas qu'il semble plus grand ni plus mince que d'autres, il a même une certaine rondeur. Mais Syafiq a une sorte d'élégance, de raffinement qui tient peut-être à ses traits et à la fermeté de son regard, comme quelqu'un qui ne lâcherait rien, mais en souriant. À Kuala Lumpur, il passe pour un intellectuel parce qu'il sait mesurer ce qu'il dit et ce qu'il fait sans se laisser déborder par des gestes trop extravertis, sans jamais perdre son *self-control*.

Dans l'enfance, on le trouvait presque trop sage, s'amusant avec retenue, ne criant jamais, levant parfois la voix mais seulement parce que son rire éclatait parmi ceux de tous les autres enfants. Syafiq était un enfant sérieux et travailleur, puis il avait été un jeune homme sérieux et travailleur, maintenant il est un homme jeune mais toujours aussi sérieux et travailleur, peut-être davantage encore. Il travaille beaucoup et, hélas, il n'a pas le temps de rencontrer une femme qui pourrait lui assurer une descendance, avec qui il pourrait construire une famille et assurer à ses parents une joie parfaite. Ils se disent que Syafiq a le temps, il passe sa vie à parcourir le monde. Bientôt, sans doute, il s'installera dans un quartier riche de Kuala Lumpur, il les fera venir près de lui et partira moins, puis plus du tout, et alors il pourra penser à se marier.

Il a commencé à voyager jeune et a sans doute accumulé plus d'heures d'avion que beaucoup de stewards et d'hôtesses débutants réunis. Il est déjà venu en Russie, mais c'est la première fois qu'il s'arrête à Moscou. Syafiq est ingénieur, il travaille pour un groupe mondial de construction de ponts et d'autoroutes. Il supervise les chantiers, participe à l'élaboration des projets, ce pour quoi il est à Moscou depuis une semaine. Le groupe pour lequel il travaille veut des équipes internationales pour que chacun se forge une vision globale du monde et considère, à force de les observer avec distance, tous les particularismes, les singularités, les phénomènes culturels locaux uniquement comme l'expression de réactions rétrogrades, d'attachements sentimentaux et puérils, de résistances vaines et présomptueuses qu'il s'agit de combattre avec détermination. La Malaisie fait partie des *tigres de l'Asie*, c'est un pays qui s'élance, rien ne peut stopper sa progression. Les plans quinquennaux se succèdent pour construire l'évolution du pays, Syafiq y travaille avec toute son ardeur et sa conviction, quitte à parfois oublier qu'il vient de là, puisqu'il est toujours partout, là où le monde est une énorme et proliférante entreprise qui a besoin de béton, de fer, de composants chimiques, électroniques, de plastique mais aussi de verre, de nanotechnologie et, bien sûr, de luxe. Des grandes capitales, il connaît tous les hôtels où les décideurs se croisent, se lient via des réseaux faits de nœuds inextricables, mais dont lui a vu les plans et a, peut-être, travaillé modestement à l'élaboration. Il travaille à ce que les réseaux s'interconnectent, qu'ils se fluidifient, se rencontrent, échangent plus vite encore sur des autoroutes et des ponts qui abolissent les distances et les amoindrissent jusqu'à ce qu'il ne reste bientôt pas un point éloigné de l'autre de plus de quelques encablures, même sur voie terrestre – puisque c'est son domaine. Il a la planète comme terrain d'expérimentation et veut transformer le monde en un immense corps conducteur. On le félicite pour ça, on le veut au top de sa pratique pour que, chez lui, en Asie, il puisse faire la même chose qu'en Russie ou en Amérique du Sud – en mieux.

Mais, pour l'instant, Syafiq ne pense pas à son travail. D'une main distraite, il caresse le bracelet brésilien à son poignet droit. Il ne fait pas attention à ce geste, un automatisme – ça fait déjà plus d'un an et demi qu'il porte ce bracelet aux fils de coton tressés bleu et orange, jaune et violet, aux formes de losange. Il le garde avec lui jour et nuit, les fils semblent ne pas s'être encore usés ; il faudra des années pour qu'ils se détériorent et se cassent, pour qu'enfin puisse se réaliser le vœu que Syafiq avait fait, conformément à la légende, au moment où il l'avait passé à son poignet.

Il regarde parfois la neige, mais maintenant c'est encore la télévision qui attire son regard, les images d'un village du nord-est du Japon – une immense plaque noirâtre a envahi le flanc d'une colline, comme si elle avait été crachée là, comme une nappe de détritus, puis des arbres couchés et ceux qui ont tenu mystérieusement, ce bateau suspendu à la cime d'un pin aux branches déchiquetées, cette histoire qu'on raconte sur une miraculée sauvée par cette doudoune qui lui aurait servi de bouée et qu'on voit enroulée dans des couvertures, debout, hagarde, sidérée et seule dans un monde ravagé où elle reste l'unique point de verticalité. Syafiq se demande qui est cette fille. Il se dit qu'il l'a peut-être croisée un jour à Tokyo, et soudain il pense à tous les gens qu'il a rencontrés au Japon, par hasard, dans la rue, des gens avec qui il a échangé un regard ou seulement un peu d'espace et d'air dans le flot de la circulation, ou dans un bar, un restaurant. Peut-être qu'il a croisé des gens qui sont morts pendant ce tremblement de terre, pendant le séisme, pendant le tsunami ? Il voudrait ne pas y penser. Il se souvient de certaines personnes et il est presque rassuré à l'idée que c'est surtout le nord qui a été frappé, parce qu'il le connaît moins bien que le sud du pays. Mais, tout de même, il voudrait faire quelque chose, donner de l'argent pour aider, faire un don à une organisation internationale, c'est ça, puisque c'est un pays qu'il connaît bien et qu'il aime. Il lâche un soupir de compassion, de lassitude, il se souvient du tsunami en Thaïlande et, maintenant, c'est comme s'il se disait je préfère ne pas savoir, il prend la télécommande de la télévision et dans le même mouvement il éteint la télévision et d'un bond se lève et décide de se préparer.

Il prend un temps infini pour ça. Il se regarde dans le miroir de pied, près de la porte de sa chambre. Il doit allumer la lumière de l'entrée pour vérifier les détails. Tout va bien. Il porte un costume Hugo Boss d'un bleu profond, deux boutons, une veste très cintrée, il hésite à mettre une pochette, il essaie, oui, celle de soie blanche qu'il installe en connaisseur mais qu'il retire aussitôt ; il a peur que ce soit la note de trop, celle qui trahit la volonté de bien faire, qui l'endimancherait alors qu'il ne veut pas qu'on voie combien il a pensé son élégance. Il resserre le nœud de sa cravate – une cravate de laine bleue sur une chemise Cardin blanche, un col à la française. Il vérifie si les manches de sa chemise dépassent légèrement de la veste – pas trop, un centimètre, pas davantage –, si les rabats des poches sont bien sortis et surtout si le tissu n'est pas froissé. Il va dans la salle de bains, remet deux touches de parfum sur son poignet droit, il le sent, retient sa respiration, prend une pince à épiler et corrige l'un de ses sourcils. Maintenant, il n'y a qu'à attendre. Il brosse machinalement sa veste et les plis de son pantalon avant de se décider à prendre ses chaussures de cuir, dont il a peur qu'elles ne supportent pas la neige, mais qu'il prendra quand même, au moins pour ce rendez-vous. Car il sait que le téléphone devrait sonner – soit son portable, soit le téléphone de sa chambre, et qu'il entendra bientôt une voix lui dire que son rendez-vous l'attend dans le lobby, ou peut-être au bar de l'hôtel, il ne sait pas. D'un coup d'œil il regarde son Samsung, il sait que c'est juste pour que ce temps passe une fraction de seconde plus rapidement.

Et puis soudain le téléphone résonne dans la chambre, une sonnerie stridente et sans fantaisie et, sans réfléchir, seulement le temps d'entendre son cœur battre plus fort, un bourdonnement violent dans ses oreilles, comme un afflux de sang et puis les mains presque moites et son souffle retenu, sa bouche elle aussi soudain très sèche au moment où il se retrouve avec le combiné dans la main et où la voix de l'homme du lobby vibre dans un éclat métallique et répète son nom avant de lui dire qu'il est attendu, le tout dans un anglais incompréhensible, camouflé derrière un fort accent russe. Mais il connaît cet accent, il connaît les propos de ce genre. Toujours les mêmes, sans imagination. Il pourrait presque répondre à l'aveugle, sans même comprendre ce qu'on lui dit, oui, merci, j'arrive.

Déjà il sort de sa chambre. La porte claque derrière lui et il se demande – c'est ça, il fait demi-tour et reprend la clé qu'il venait de glisser dans la poche intérieure de sa veste et ouvre la porte, revient dans la salle de bains, jette un dernier regard à son miroir, passe de l'eau très froide sur sa bouche, dans son cou, reprend son souffle, regarde de profil s'il n'a pas grossi – il sait que c'est absurde, mais ce rendez-vous est très important, il ne veut pas être déçu. Il veut donner la meilleure impression possible, tout faire pour être à son avantage et il se décide, repart, ferme la porte, la clé dans la poche intérieure. Il tire sur les pans de sa veste pour les rajuster, marche sur l'épaisse moquette rouge carmin du couloir et se jette dans l'ascenseur et puis descend sous un air assourdi de Vivaldi et des *Quatre Saisons* et se retrouve dans le hall et la première personne qu'il voit est bien celle qu'il espérait trouver : Stas est devant le comptoir du lobby et il n'a pas changé du tout.

Il pourrait même paraître plus jeune encore que la dernière fois, mais c'est sans doute parce qu'il est emmitouflé dans une grosse écharpe de laine marron, une veste de cuir, qu'il porte une barbe de trois jours qui lui donne cet air un peu adolescent, négligé, qui contraste avec le cadre de l'hôtel et surtout avec l'air trop propre de Syafiq, qui ignore encore que ce rendez-vous ne se passera pas du tout comme il l'avait espéré et attendu. Au contraire, il s'enfoncera dans une sorte de conformisme imbécile, ponctué de silence, de gêne, d'embarras que l'un et l'autre chercheront à dissimuler en parlant de la vie à Moscou et du froid qui n'a rien à voir avec ce qu'on peut connaître ailleurs, ni au Brésil ni même en Chine, quand Stas évoquera Shanghai et ce restaurant extraordinaire où on les avait présentés l'un à l'autre.

Après ce rendez-vous raté, alors qu'il sera remonté dans sa chambre et que déjà les mots de Stas résonneront à son cerveau comme des coups de poing qu'il aura du mal à encaisser, il faudra commencer à les entendre encore, ces simples mots pour dire qu'il est désolé mais que non, décidément non, on ne pourra pas se voir, ma femme est à l'hôpital et je pense qu'elle aura accouché d'ici demain, avait dit Stas, comme si c'était une mauvaise nouvelle.

Et pour Syafiq c'en était une, mais il avait répondu, c'est formidable, et il avait serré la tasse très chaude dans laquelle on lui avait servi son café crème. Il avait demandé si Stas savait si c'était un garçon ou une fille, Stas avait dit d'un air suffisamment malin et presque audacieux que pour lui les sexes n'avaient jamais eu aucune importance. Syafiq avait répondu par un sourire qu'il avait trouvé un peu trop équivoque et dont il se rappellera, dans sa chambre, qu'il aurait mieux fait de le garder pour lui et ne pas le laisser traîner sur ses lèvres comme il avait fait, si longtemps, comme s'il avait espéré que ce sourire pourrait rompre la glace de cette conversation figée et pour tout dire parfaitement déplaisante, qui s'était terminée par une poignée de main vigoureuse et des regards fuyants et des mots stupides de part et d'autre, Stas souhaitant une bonne fin de séjour à Moscou à un Syafiq sidéré d'entendre des mots aussi convenus, et lui répondant par des mots qui l'étaient tout autant, Stas sidéré d'entendre Syafiq lui adresser tous ses vœux de bonheur pour sa femme et pour lui et surtout pour l'enfant qui allait naître, que Stas lui envoie un SMS pour lui dire que tout s'était bien passé, si c'était une fille, un garçon, le prénom, le poids, une photo peut-être, et Stas avait dit bien sûr, bien sûr qu'il le ferait, il y penserait. Et puis la conversation avait traîné jusqu'à la porte de l'hôtel et, sans un regard, Stas s'était engouffré dans la porte à tambour et avait disparu de l'autre côté, dans la rue, sous le froid, le blouson de cuir et le bonnet tout de suite tacheté de gros flocons blancs qu'il n'avait pas même voulu chasser. Le dos courbé, il était parti presque en courant, le corps comme cadenassé sur lui-même.

Et alors, lorsqu'il remonte dans sa chambre, Syafiq n'est pas encore bouleversé par la tristesse ni par la rancœur, mais déjà la colère monte en lui et les mots se bousculent, les images – les fauteuils d'un cuir noir lustré très brillant dans lesquels ils s'étaient installés l'un et l'autre, face à face, seulement séparés par cette petite table basse sur laquelle une jolie serveuse blonde et robuste, avec ses pommettes hautes et ses yeux en amande, avait installé un plateau d'argent avec leur café et le lait fumant, du sucre, des bonbons

Korovka dans leur sachet blanc et rouge, avec l'image des pépites de chocolat tombant comme la neige au-dehors.

Voilà ce à quoi il pense, cette configuration idiote, ces deux fauteuils, cette table basse entre eux, ce plateau d'argent.

Et maintenant Syafiq se défoule en retirant sa veste et sa cravate et les jette sur le lit – il ne se rend pas compte que pendant le temps où, en bas, il est resté face à Stas et où ils ont réussi à tuer une trentaine de minutes sans rien se dire de ce pour quoi ils avaient besoin de se voir, une femme de ménage avait passé l'aspirateur dans la chambre de Syafiq, changé les serviettes de bain, lavé les lavabos et la baignoire, vidé les poubelles et fait le lit – ce lit sur lequel maintenant le costume de Syafiq gît comme la peau d'un serpent qui aurait opéré sa mue pendant qu'ailleurs une autre peau, un autre corps, un être nouveau et revivifié s'apprête à vivre une nouvelle vie – oui, Syafiq, comme un serpent glissant vers l'armoire et se jetant sur des fringues plus adaptées à sa colère et se saisissant d'un jean, de boots, d'une parka doublée d'une grosse fourrure de laine, puis se saisissant d'un sac de cuir qu'il passera en bandoulière après y avoir mis son argent, ses papiers, une petite bouteille d'eau et ce carnet d'adresses qu'il avait pris soin de remplir avant même de faire son voyage, lorsqu'il avait prévu que toutes les journées ne seraient pas seulement liées au travail mais qu'il y en aurait quelques-unes réservées à son seul usage, sa seule liberté, avec tout ce qu'il avait espéré et tout ce qu'il avait redouté.

Tout est dans son sac, tout est prêt, il ne veut pas réfléchir et surtout ne pas s'arrêter ni rester une minute de plus dans cet hôtel.

C'est comme ça que trois minutes plus tard Syafiq se retrouve dans la rue et que, sur sa bouche et ses paupières, des flocons glaciaux et frétillants comme des insectes l'embrassent et fondent aussitôt au contact de la chaleur de sa peau.

Mais se résigner seulement au jeu du parcours fléché du parfait touriste laisse un goût amer à Syafiq. Et pourtant il le fera. Toute la journée, sans vraiment prendre de répit, avec une obstination, une énergie tendue uniquement pour ne pas avoir à penser encore à ce rendez-vous manqué, à cette hypocrisie qui avait régné entre eux. Alors, oui, il se décide très vite. Puisqu'il n'y a rien à attendre, pas la moindre bonne surprise possible à Moscou, rien qui puisse lui faire oublier un peu ce matin, ce fiasco, rien, pas un lieu, un endroit, nulle part pour sortir des sentiers battus, alors il fera comme tous les touristes qui viennent à Moscou – il se tapera la vie chère, les rues sales, les gens bourrus. Bref, la sale réputation de la Russie et la Mafia à chaque coin de rue. Et puis non, non, se dit-il, ne sois pas con, tu n'en sais rien. Tu ne connais pas Moscou. Tu as seulement entendu dire, mais tu sais que pour toi Moscou est une ville qui ne pourra pas t'accueillir. Tu sais qu'il y a une partie du monde dans laquelle des mecs comme toi n'ont pas vraiment leur place et qu'ils feraient mieux de disparaître de cette surface de la terre et de réapparaître de l'autre côté, dans des capitales occidentales peut-être complètement corrompues et vicieuses, mais comme tu es corrompu et vicieux toi aussi, voilà qui serait parfait.

Il ira se promener sur la place Rouge. Il prendra quelques photos pour se montrer à lui-même qu'il n'a pas perdu son temps et qu'il a fait du tourisme. Il ira voir les statues de glace dans le parc Gorki. Il ira visiter la ville malgré le froid et il aimera les bulbes des églises, les couleurs vives qui lui rappelleront presque l'Asie et certains temples. Il aimera même la violence et la pureté de ce froid, si différent de la moiteur et de la chaleur de chez lui. Il aimera ça et les lettres cyrilliques si incompréhensibles qu'il aimera se perdre et se laisser guider simplement par le plan qu'il s'était griffonné sur un papier A4 avec des lignes et des points rouges, des réseaux comme il savait en construire et les penser pour se repérer dans des labyrinthes où entrée et sortie étaient l'une et l'autre impossibles à trouver. Alors il avait son système, ses feutres rouges, ses points, ses axes, il avait déjà plus ou moins fait un schéma de la ville pour en dégager une sorte d'ossature avec des points cardinaux et des centres névral-giques. Il sait qu'on ne peut pas se perdre dans un centre-ville si l'on comprend la structure qui le fonde ; alors il savait qu'il ferait ça et déjà il pense, pourtant, que ce qu'il va faire dès ce soir, rentré à l'hôtel, ce sera d'aller sur Internet pour faire changer son billet d'avion et rentrer chez lui au plus vite. Qu'est-ce qu'il peut faire ici ? Il a horreur de s'ennuyer, de regarder seulement les gens, les touristes gravitant aux abords des monuments dans un froid si dur que nul ne songerait à rester si longtemps sans bouger, immobilisé seu-lement par une contemplation un peu vaine et factice. Il a l'impression de s'agiter dans un large et magnifique bocal où l'air est pur et où l'eau a été remplacée par une pluie silencieuse et douce de flocons qui virevoltent dans un air glacé, sous un ciel si blanc, si épais que la lumière du soleil semble avoir du mal à le percer – et pourtant le rouge des façades, les couleurs si clinquantes, comme si tout était sorti de terre si récemment que la peinture avait encore cet éclat et cette odeur de neuf presque étourdissante. Syafiq regarde ça et fait tout pour s'intéresser à ce qu'il voit, les gens qui marchent aussi vite qu'ils peuvent et ne vont pas seulement faire du tourisme mais d'un point à un autre, d'un pied ferme, jaillissant par blocs compacts des bouches d'un métro qu'il ne veut pas se résoudre à prendre. Même s'il sait que certaines stations sont considérées comme des œuvres d'art, il s'en fout. De l'art et du reste. Il veut juste marcher, s'épuiser, se tuer les nerfs et le cerveau. Et tant pis si, dans la neige épaisse et sale, ses chaussures sont de plus en plus trempées et que dès la fin de la journée ses pieds seront eux aussi complètement trempés et glacés – puis non, en plein milieu d'après-midi, n'y tenant plus, il s'arrête dans un magasin sur l'une des grandes artères de la ville et s'achète des boots et deux paires de chaussettes très épaisses, qu'il passe tout de suite à ses pieds, fourrant la paire mouillée et les chaussures souillées dans la boîte de celles qu'il vient d'acheter, sans dire qu'il sait déjà que, à peine sorti du magasin, il balancera la boîte dans une poubelle, ses vieilles boots et ses chaussettes avec, savourant seulement d'avoir à ses pieds réchauffés l'impressionnant privilège d'être au sec, de marcher à nouveau sans cette sensation horrible de froid. Et, lorsque la nuit tombera, qu'il sera exténué parce qu'il aura marché pendant des heures et des heures, s'usant au contact de la ville comme un corps au frottement d'un tissu trop rêche pour lui, il finira par s'asseoir dans un McDonald's et mangera une grande portion de Deluxe Potatoes, un double cheese bacon, le tout accompagné d'un Minute Maid orange et, pour terminer, avec un café, un Brownie Stick caramel et biscuit comme il pourrait le faire partout dans le monde.

Et puis soudain son téléphone qui vibre. Un SMS de Stas :
T où ?
Il hésite à répondre, puis tape :
Chez Mc Do.
Alors, Stas :
Typiquement moscovite.
Syafiq reconnaît l'humour de Stas, et puis soudain les SMS arrivent par rafale, deux, trois. Syafiq n'a pas le temps de répondre, il les lit, d'autres arrivent :
C T con c matin.
J regrette.
Je bois des coups.
Tu fé koi ?
Je viens.

Et il faut trois quarts d'heure, le nez collé à la vitre, à attendre, le temps de se dire qu'il devrait sans doute ne pas rester et partir sans répondre aux SMS, sans prévenir, sans rien dire, simplement partir et Stas ne le trouverait pas et comprendrait, et alors toute cette hypocrisie serait derrière eux. C'est sans doute ce qu'il faudrait faire. Ce qu'il y aurait de mieux à faire, se répète Syafiq, plutôt que de rester vissé sur sa chaise comme il le fait, se réchauffant lentement, les yeux errant d'une table à l'autre, s'attardant parfois parce que des bribes de conversations viennent jusqu'à lui. Et il reste à regarder des Moscovites et peut-être quelques étrangers aussi, des gens comme lui, seuls, et puis d'autres qui viennent en famille, parfois en couple, mais surtout des groupes d'adolescents, avec cet air que les jeunes ont décidément partout dans le monde dès qu'on y trouve un McDo et de quoi s'offrir un casque fiché à un iPhone, des rollers, des jeans et des Nike, cet air si profondément accablé et anti-glamour qu'ils peuvent avoir et dont Syafiq n'imagine pas qu'il avait pu être aussi le sien lorsqu'il avait l'âge de manger des frites à pleines poignées. Il regarde tout ça et se demande comment il pourrait vivre ici, si ce serait aussi difficile que ça l'avait été dans sa jeunesse à Kuala Lumpur. Il regarde son bracelet brésilien et malgré lui il sourit. Il aime ce bracelet. Il se souvient très bien de ce jour où il l'avait attaché à son poignet. Il se souvient de son vœu et de ses yeux fermés, de son souffle retenu au moment de penser à son souhait et de ce sourire heureux parce qu'un instant il avait vraiment cru que ce rêve pourrait se réaliser. Mais c'est idiot de penser à tout ça parce que tout ça, ces histoires-là, il y a pensé des milliers de fois, les a retournées des milliers de fois et à la fin il n'en reste jamais rien qu'un sentiment d'échec et de douleur, une amertume qui persiste et le rend si profondément mélancolique que, depuis des mois, il a décidé de s'interdire tout séjour de ce côté-là de sa mémoire.

Il ne doute pas que Stas viendra – mais, en revanche, lorsqu'il le voit débarquer dans le McDonald's, il est surpris de le voir aussi visiblement soûl et presque laid, les yeux injectés de sang, trop brillants, et puis son visage entier rougi par le froid et l'alcool. Et quelque chose de brutal dans sa démarche, de maladroit, comme s'il boitait, comme s'il luttait. Une bourrasque de froid et de neige s'engouffre avec lui dans le fast-food. Et, alors que la porte de verre n'est pas encore refermée derrière lui, Stas se précipite.

Les vigiles le repèrent tout de suite, il n'est pas plus de vingt heures et quelque chose vient de passer du côté de la nuit ; les pinceaux des phares dans la rue et leurs reflets dans la vitrine, quelques néons et la neige devenue presque ocre et rouge à certains endroits à cause des reflets des lampadaires. Stas arrive tout de suite vers Syafiq et Syafiq se lève sans même que Stas ne dise un mot. Il n'a pas besoin d'un mot, ni que l'autre lui dise ce que tout en lui exprime si nettement – cette fois on ne jouera pas la politesse, on laissera l'hypocrisie de côté et on jouera carte sur table. Et lorsqu'il hésite, c'est d'abord parce que Syafiq est surpris de l'assurance dans son mouvement, dans son déplacement, une telle assurance et en même temps la fragilité d'un type soûl – Syafiq sait qu'il faut se lever pour suivre Stas, pour sortir dans sa foulée, qu'il lui fasse confiance alors qu'à certaines tables on les observe. Et des gens qui font la queue aux comptoirs se retournent pour les voir sortir à toute vitesse, deux ombres, deux tensions projetées, balancées soudain hors de ce calme, des regards ; et c'est comme si l'un venait chercher l'autre pour lui régler son compte et cette brutalité, cette urgence dans ce mouvement c'est pour l'interrompre et la faire taire que Syafiq se lève aussi vite et enfile sa parka, son bonnet de laine, pour la faire taire qu'il prend le bras de Stas, pour sortir tout de suite, sans plus attendre, la parka pas même refermée et tant pis si la neige lui fouette le visage, si le froid le gifle.

Ils sont bientôt tous les deux dehors et Stas dit viens, je t'emmène chez moi, si tu veux bien marcher dix minutes, on prend la voiture et on y sera dans vingt minutes.

Et une vingtaine de minutes plus tard, les deux hommes sont dans un vaste appartement à cinq minutes de la place Rouge, dans un bâtiment qui touche presque la Douma et d'où l'on peut voir le Kremlin et la place Manej. Syafiq n'avait presque pas parlé. À peine avait-il répondu à Stas lorsque celui-ci avait demandé s'il ne lui en voulait pas pour ce matin.

Puis Stas était parti dans des justifications, des explications confuses, brouillonnes. Jusqu'à la voiture il n'avait pas arrêté de parler de sa femme en s'excusant de parler d'elle, et il reprenait, il reparlait d'elle encore et des longs mois difficiles qu'elle venait de passer en partie allongée parce que cette grossesse n'avait pas été idéale – à l'heure qu'il est le travail avait commencé et bientôt il sera père d'une fille ou d'un garçon, quelle importance, maintenant sa femme était entourée de sa mère et de l'une de ses sœurs, on le préviendrait au moment où il faudrait qu'il vienne. Lui, maintenant, était seul comme elle l'avait été si souvent. Stas avait parlé aussi de ce bon Dieu de travail qui l'emmenait sur des chantiers à des milliers de kilomètres de chez lui et de sa femme, pendant des semaines, voire des mois, si loin, même s'il aimait son métier. Bien sûr, il aimait les chantiers – voir les autoroutes grandir et les nœuds des périphériques sortir de terre et s'enchevêtrer dans un réseau aussi complexe et subtil que de la dentelle ou une toile d'araignée –, et pourtant il culpabilisait à chaque fois de partir, et cette fois plus particulièrement, parce qu'il aimait sa femme et qu'elle avait besoin de lui. Il était parti quatre mois au Pakistan, c'était difficile de partir sans pouvoir accompagner sa femme, sans pouvoir la soutenir autrement que par téléphone.

Puis, lorsqu'ils étaient montés dans l'Audi de Stas, un coupé RS5 que Syafiq avait regardé avec intérêt – comme si soudain il reconnaissait chez Stas le goût du luxe, de la vitesse, de la virilité racée et élégante, ce qu'il aimait chez lui depuis le moment où on les avait présentés l'un à l'autre – lorsqu'ils s'étaient retrouvés tous les deux assis dans l'intimité de la voiture, avant que celle-ci démarre, l'un et l'autre avaient su qu'ils ne pourraient rien dire, qu'ils ne pourraient plus parler de rien. Et même Stas n'avait pas essayé de masquer son embarras en parlant de ses semaines au Pakistan, de ce chantier compliqué qu'il avait eu sur les bras, avec les problèmes de vols, de climat, d'incompétence, toutes les catastrophes qui peuvent arriver sur ce genre de chantier. Il n'avait pas essayé de masquer son embarras, et peut-être que celui-ci avait redoublé au fur et à mesure que Stas s'était répété que ça avait été ridicule et grossier de parler avec tant d'insistance de la grossesse de sa femme. Et puis on n'avait plus parlé du tout, ils étaient arrivés chez Stas.

On était descendu de la voiture. On avait franchi encore quelques mètres dans un parking. On avait pris un ascenseur et tous les deux s'étaient regardés et, soudain, s'étaient mis à rire. Stas avait fermé le poing et avait fait semblant de frapper Syafiq qui avait fait semblant de se recroqueviller sur lui-même pour se protéger. Puis l'ascenseur était arrivé au sixième étage. Puis Stas avait allumé la lumière du couloir. Puis une porte s'était ouverte – une femme était sortie, derrière elle un chien gros comme un jouet s'était mis à aboyer d'une voix de trompette pour enfant et elle l'avait fait taire en hurlant quelque chose en russe. Elle portait un peignoir rose avec des dessins de fleurs, elle était usée par la vieillesse et par le tabac, des cheveux gris en chignon, une sorte de délicatesse disproportionnée, puis Stas avait répondu en russe – c'était la première fois que Syafiq l'entendait parler dans sa langue natale –, puis il avait salué la vieille dame qui l'avait salué à son tour et avait refermé sa porte, lentement, doucement, comme pour prendre le temps de vérifier si Stas et son ami allaient bien entrer dans l'appartement de Stas, ce qu'ils avaient fait dans la foulée, le temps d'entendre les clés résonner dans le couloir vide, d'entendre la voix amusée de

Stas raconter comment la voisine avait demandé des nouvelles de sa femme et soudain ils étaient entrés et avaient refermé la porte sur eux.

Stas n'allume pas la lumière, maintenant tout va très vite – des souvenirs que Syafiq gardera comme des icônes profanes et volées, un ciel doré et orange, trouble, sale, d'une lumière de braise dans les cadres de fenêtres, seulement la nuit, la neige, les lampadaires, la porte qui se referme, le clic, un verrou, double tour, l'odeur particulière de l'appartement, les lumières orangées qui éclairent la nuit et la nuit qui éclaire l'appartement. Des halos, lumière pâle, vibrante, des ombres brunes, des reflets ocre, pourpres, couleur sang sur le parquet, là, au bord des plinthes, des lames de parquet luisantes et très claires, en chevrons, puis des meubles design, des fauteuils recouverts d'un tissu probablement jaune. Syafiq n'a pas le temps de voir. Le sofa, la table basse en verre fumé. Il défait sa parka, retire son bonnet de laine et le glisse dans une poche, non, il tombe, une tache de couleur grise sur le parquet, le froissement de sa parka, le froissement du cuir du blouson, des voitures au-dehors, dans la nuit. Stas, Syafiq, le mal au ventre, le bouillonnement dans son ventre, sa tête qui va exploser, son cœur qui bat si fort. Stas, ce qu'il fait, approche, ils se regardent tous les deux et un temps on ne fait rien, à quelques centimètres l'un de l'autre. Stas qui se met à rire, tu veux boire quelque chose ? Et Syafiq répond oui. Il veut bien. De l'alcool. Oui, quelque chose de fort. Et Stas est parti déposer les vêtements quelque part. Il va dans la cuisine chercher des verres, une bouteille. Syafiq est seul quelques secondes, non, pas encore, Stas revient. Stas pose la bouteille et les verres sur la table basse.

Stas veut servir, il n'y arrive pas, il tremble, Syafiq pose sa main sur sa main. Ils se regardent, il pose la bouteille, la main sur la main et cette chaleur, cette main, les doigts qui se cherchent et tout de suite ils sont sur le sofa. Déjà les mains de Stas sur sa bouche, le souffle de Stas près de lui, de plus en plus fort, l'odeur de l'alcool, les mains de Stas qui remontent et se referment sur lui, plus pressantes. Il ferme les yeux et bientôt il sent les lèvres de Stas qui lui frôlent le cou, le lobe de l'oreille. Stas lâche un murmure, du russe, des mots de russe ruissellent dans son oreille et ont la suavité et la chaleur de la voix de Stas. Syafiq tremble et maintenant il voudrait hurler et ses mains plongent dans les cheveux de Stas et les bouches se cherchent, et les bouches se trouvent, et les langues se confondent, et les dents s'entrechoquent, et les poils de la barbe de Stas sont si rêches, si raides, si durs que la peau de Syafiq s'embrase à leur contact, Stas est sur lui, ils s'effondrent l'un sur l'autre et bientôt toute la pièce n'est qu'un râle, la langue de Stas mange le lobe de l'oreille, la salive dans l'oreille de Syafiq, les salives mêlées et la langue qui fouille sur le visage – oui ce souffle qui parcourt la langue et qui lèche les yeux, le nez, le front, les lèvres qui se collent et les doigts qui s'accrochent et puis bientôt la chair qui se raidit, la chair de poule et les peaux frissonnantes qui laissent venir les mains sous les pulls, sous les tee-shirts, les tétons des seins durcis, pincés, les sexes durcis aussi contre les tissus des slips, des pantalons, les sexes qui se frottent l'un l'autre contre les tissus et les tissus que les mains cherchent à retirer, libérer les corps, des mains, des doigts qui vont et prennent les fesses, tâtent, pressent et veulent s'immiscer, une main qui cherche et puis la peau apparaît, les pulls, les tee-shirts bientôt en boule sur le sofa et qui tombent sur le parquet et les chaussures qu'on a du mal à retirer, les chaussettes en boules et les boucles de ceinture dans un cliquetis tremblant, les braguettes, les doigts qui fouillent et qui enserrent le sexe à pleine main et tâtent bientôt les couilles, les encerclent, les caressent, les palpent et bientôt le visage collé sur le ventre, la pointe de la langue qui darde, lèche, les pantalons s'échappent dans un grand fracas de tissus nus et libérés et la chaleur de l'appartement n'empêche pas le frissonnement et la peau durcie par l'excitation, puis les mains à plat pétrissant les muscles du buste, du torse et les cuisses se raidissent et le dos se cambre et soudain les lèvres encerclent le gland et le gland disparaît dans la bouche, le mouvement de langue, les râles, les mouvements de la main pour appuyer sur le crâne et les doigts nageant dans les cheveux de Stas et Stas qui suce et bientôt gobe les couilles et puis la violence de la décharge qui éclabousse le visage et le laisse surpris quelques secondes, avant que Stas se redresse et revienne attaquer le visage de Syafiq qui le léchera jusqu'à ne plus laisser la moindre goutte de sperme sur le visage de Stas, le moindre soupçon de sueur et les deux hommes noyés dans leurs odeurs et dans leur corps, l'un humant la sueur, la désirant, la léchant, allant la cueillir dans les poils du torse de l'autre et l'autre d'un coup de langue la réclamant au moindre pli de peau, sous les aisselles, dans les touffes épaisses des poils blonds et l'autre s'agenouillant, écartant bientôt les fesses, un doigt longeant la fine raie et cherchant l'anus, et le doigt qui cherche, fouille, l'anus se dilate et le doigt entre à peine, puis de mieux en mieux, l'anus se dilate encore, les fesses s'écartent et les deux hommes se regardent et dans leurs yeux grands ouverts la nuit brille de dehors et les flocons de neige et les reflets orangés donnent à leur peau des couleurs d'ambre et de cuivre, la sueur qui fait les corps souples et presque liquides et les corps sont des mouvements et des circulations de désir, l'odeur de sperme, de sueur, et bientôt Stas vient s'asseoir sur la queue de Syafiq et Stas est accroupi et ses pieds sont à plat sur le sofa, de chaque côté de Syafiq qui bande si fort que sa respiration est bloquée quelques secondes, le temps pour lui de pénétrer le cul de Stas, Stas qui retient sa respiration et les mains de Stas s'accrochant au cou de Syafiq et le mouvement, le lent va-et-vient, la queue qui pénètre de plus en plus profondément Stas, quelque chose en lui qui s'épanouit et tous les deux sont face à face et, accroupi sur Syafiq, Stas se penche et l'embrasse et l'autre lui prend les fesses à pleines mains et Stas l'aide et se relève lentement et puis se rassied lentement, il imprime son rythme, le rythme qui est le leur, qu'ils prennent ensemble, l'air grave, les visages stupéfaits, la lumière qui les inonde, leur étonnement, les souffles, les halètements, les râles soudain trop puissants, la gorge et les muscles et les veines qui s'offrent devant Syafiq qui voudrait mordiller les seins de Stas qui se retient de crier, il veut crier, et le rythme de plus en plus rapide, violent, et puis ils tombent tous les deux du sofa et dans un grand souffle expulsé du plus profond d'eux-mêmes ils s'affaissent et se laissent, vidés, abandonnés, choir sur le parquet qui craque comme l'ossature d'une vieille charpente de bois dans un incendie gigantesque.

Et puis le silence, leurs souffles et les mains qui se joignent, les caresses plus douces, lentes, les pressions des doigts et les effleurements – les doigts de Stas qui caressent lentement le bracelet brésilien au poignet de Syafiq, les deux hommes qui se sourient et Syafiq sait que Stas repense au jour où Syafiq avait acheté ce bracelet avec lui. Il sait qu'il repense à ce chantier à Rio qui les avait réunis et où, pendant des semaines, ils avaient pu vivre sans se poser d'autres questions que de ne pas trop montrer ce qui les animait, mais qu'ils pouvaient le vivre chaque nuit, le corps fourbu par la fatigue à cause de ce travail par lequel ils s'étaient rencontrés six mois plus tôt à Shanghai, puis retrouvés, donc, à Rio, pour ce travail encore.

Pendant quelques semaines ils avaient réussi à prolonger leur séjour, quelques semaines à profiter du soleil et de l'indifférence des regards sur eux, à se mêler parfois à la communauté des touristes qui venaient comme eux se mêler à l'indifférence des autres, vivre une vie qui ne regarde que leur vie. Et puis c'était fini et désormais il ne restait que ce bracelet dont il faudrait des années encore pour que la trame des fils s'use. Alors on verrait si les vœux se réalisent – de se revoir, de baiser encore comme on avait pu le faire si librement et s'aimer devant les autres ; mais pour l'instant non, il fallait se dire que tout ça se terminerait ce soir, que tout serait dit ce soir.

Et c'est pour ça, alors, avec son sens de l'humour si désespéré et paraît-il complètement russe, que Stas dit qu'il faut se soûler, se soûler à la russe, complètement, torcher la bouteille de vodka et balancer quelques verres vides contre les murs. Il se relève et sert deux verres de vodka, elle est encore suffisamment glacée, les verres, on trinque, les brûlures de l'alcool et le corps qui se réchauffe de l'intérieur et la voix tremblante de Stas qui parle en russe et oublie que Syafiq ne comprend rien, parce qu'il se dit que peut-être il le comprend malgré tout. Et il dit, tu sais, quand j'étais petit, mon grand-père n'arrêtait pas de dire que Dieu au premier jour avait créé la pomme de terre, puis qu'au second jour il avait créé la pomme de terre, et ainsi de suite pour finir par dire qu'au septième jour, Dieu avait aussi créé la pomme de terre. Je me souviens que je ne comprenais pas, ça m'agaçait parce que tout ça était absurde et je trouvais mon grand-père un peu con avec son histoire, mais maintenant je sais qu'il avait raison et que c'était vraiment absurde, et que c'était ça qui était juste et bien. Syafiq aime entendre la voix douce et lente de Stas qui se met à rire et, aussitôt, Stas ressert deux verres et bientôt tous les deux seront totalement ivres. C'est vrai, Stas l'est déjà. Lui, il rit, il embrasse Syafiq et la tête de Syafiq commence à tourner si fort, le froid le saisit et il voudrait se relever, mais c'est difficile.

Alors Stas l'aide et les deux hommes sont debout et nus l'un contre l'autre, maintenant ils restent muets et bientôt ils referont l'amour. Cette fois c'est Stas qui pénètrera Syafiq, c'est Syafiq qui restera tremblant, pantelant et qui parlera en malais pour raconter comment il voudrait que ça dure toujours. Et puis non, le téléphone soudain déchirera la nuit – un instant l'un et l'autre figés, le corps glacé soudain alors que la transpiration et le sperme n'auront pas fini de sécher sur eux, qu'ils seront encore bercés l'un et l'autre par la sensation des corps se pressant, l'un contre l'autre, l'un en l'autre, la pression des mains, des bras, les tensions des cuisses contre les cuisses et il faudra, il faut soudain que Stas se relève et en titubant il prend le téléphone et entend sa voix inquiète qui demande *alors*, *alors*, et il conclut par un rire très rauque et son rire est vrillé soudain par un sanglot – Syafiq déjà se rhabille et il regarde Stas, il est heureux pour lui, vraiment. Il se dépêche, et puis Stas raccroche et la voix émue, bouleversée, dit, *c'est un garçon*. Il prend le visage de Syafiq entre ses mains et l'embrasse à pleine bouche et son visage resplendit de bonheur et Syafiq aussi est heureux, il est heureux pour Stas, sans arrière-pensée, sans rien d'autre que le bonheur de le savoir heureux, même s'ils savent que ce moment ils ne le partageront pas davantage, que maintenant c'est fini. Mais ce moment est à eux, ils ne l'oublieront ni l'un ni l'autre, jamais, et bientôt ils descendront de l'immeuble et reprendront la voiture et dans la nuit glaciale de Moscou soudain il n'y aura que ce silence trop chaud dans la voiture, et les mains tremblantes, Stas se concentrant, les doigts serrés sur le volant pour ne pas commettre d'imprudence. Il sait combien il est soûl, combien il est bouleversé, combien il a peur aussi de tout ce qui va arriver d'ici quelques minutes quand il faudra se présenter à l'hôpital et rejoindre la mère et la sœur de sa femme, quand il faudra aller voir le nouveau-né et ne pas céder à l'envie si forte de pleurer, montrer qu'on ne pleure pas, garder son sang-froid, rire aussi, éclater de rire, étaler sa joie et prendre sa belle-mère et sa belle-sœur dans ses bras, aller voir sa femme bien sûr mais la laisser se reposer et dormir et l'embrasser tendrement en lui disant je suis si heureux mon amour, mon amour, mon amour et lui prendre la main, lui caresser le visage, l'embrasser – oui, de sa bouche, sur sa bouche, déposer un baiser sur ses lèvres avec ces lèvres qui ont sucé, mordu, qui ont encore le goût du corps de Syafiq, et maintenant dans la voiture Stas voudrait se dépêcher d'arriver devant l'hôtel de Syafiq, il voudrait qu'on ne reste pas tous les deux des plombes à se promettre des retrouvailles qui n'arriveront sans doute jamais, nous ne nous reverrons jamais, c'est ce qui est mieux, se dit Stas, au moment où déjà il aperçoit l'avenue où l'hôtel de Syafiq attend dans un halo lumineux et blanc, avec les drapeaux des grandes nations qui pendent, inertes dans le froid, alors que la neige maintenant ne tombe plus et qu'elle a été déblayée sur les grandes artères – comme si tout désormais était fait pour que Syafiq et Stas se séparent au plus vite et que chacun retourne à sa vie, son histoire, et que puisse se profiler un lendemain où l'un et l'autre ne seront plus rien qu'un souvenir fragile et entêté qui s'obstine dans un coin secret de leur cerveau – et ça, que ni l'un ni l'autre ne peuvent encore savoir : comment, dans trois jours, peut-être quatre, près du sofa, Stas trouvera un bout de papier plié en quatre, quelque chose au stylo-feutre rouge, comme un quadrillage, un plan de Moscou, quelques artères, des places et puis des indications, place Rouge, Kremlin, Gorki – et le papier restera dans sa main de longues minutes, puis, pendant de longues années, plié, à l'abri des regards, quelque part entre un guide de voyage de l'Asie et un minuscule dictionnaire d'anglais, comme en ont toujours sur eux les touristes qui ne sont ni anglais ni américains et visitent des pays dont l'anglais n'est pas la langue.

Mais l'anglais est la langue de tout le monde, elle glisse dans les valises comme les cartes postales et les souvenirs. Monsieur Arroyo vit à Dubaï depuis trop longtemps, il n'est pas un touriste – à moins que le tourisme ce soit seulement se sentir à *côté* des autres, en spectateur, en invisible ? Alors dans ce cas monsieur Arroyo pourrait lui aussi se dire *touriste*, même s'il travaille depuis des années sur les lieux de villégiature des autres et que, lorsqu'il pense aux vacances, ce n'est pas avec l'idée de partir de chez lui, mais uniquement avec celle d'y revenir.

Chez lui, aux Philippines, on doit regarder la télévision comme lui mais en s'inquiétant presque exclusivement de ce qui se passe au Japon, parce que les tsunamis sont trop fréquents en Asie.

Monsieur Arroyo pense qu'à Dubaï, au moins, il ne craint pas les inondations. Et puis il a, comme depuis qu'elle est arrivée et s'est installée avec son fils dans une des chambres du grand hôtel pour lequel il travaille, la chance de vivre à l'ombre de très belles femmes, dont il lui semble parfois que certaines le regardent avec insistance, sans doute pas du désir, mais une sorte d'*émoi* – comment pourrait-il nommer ce frémissement qu'il pressent ? Quelque chose qu'ils partagent, même s'il est embarrassé de le penser et de se l'avouer.

La Française est arrivée avec son fils depuis déjà quatre jours et, tous les matins, son fils et elle viennent nager et barboter dans l'eau quelques minutes, avant de demander à monsieur Arroyo de leur proposer des serviettes, puis parfois de les prendre en photo lorsqu'ils nagent. La Française n'est pas toute jeune, son corps est un peu gras et très pâle, son visage à la fois fatigué et diaphane, sa peau brille à cause des crèmes qu'elle doit appliquer soir et matin. Elle a des cheveux courts, un nez un peu pointu et long, mais elle sourit volontiers et monsieur Arroyo a vraiment cru, l'autre matin, que son sourire lui était *personnellement* adressé, à lui et pas seulement au Philippin préposé aux serviettes de bain. Cette idée l'avait mis en joie, mais le soir même, au contraire, la fausse exaltation qui l'avait agité toute la journée l'avait navré, il avait eu un peu honte de se sentir flatté par le regard qu'il imaginait concupiscent d'une femme envers laquelle il n'éprouvait rien.

Comme des milliers de Philippins, il vit à l'étranger depuis trop longtemps. Il se dit qu'un jour, lorsqu'il aura amassé assez d'argent, il rentrera chez lui, sur l'île de Mindanao – si Dieu le veut, car Dieu a des visées tout de même assez étranges, qu'il ne comprend pas et ne cherche pas à discuter ni à élucider. Mais il aimerait parfois qu'on lui dise pourquoi c'est à Dubaï que Dieu a envoyé un catholique comme lui. C'est une question qui le tracasse souvent, tant les réponses lui paraissent impossibles à imaginer ; parfois, elles font place à un immense doute et à un désarroi que monsieur Arroyo accepte sans plus le remettre en question. Il fait comme si tout ça n'était rien, il y a un tas de choses que Dieu, dans sa grande bonté, laisse opaques et mystérieuses aux yeux des hommes simples comme monsieur Arroyo pense l'être lui-même. Car les hommes simples ne sont pas là pour éclairer le monde de leur lumière, mais seulement pour le servir. Ainsi, lui-même sert des gens très

170

riches depuis déjà plus de dix-huit ans. D'abord, ça avait été dans de grands paquebots avec quelques centaines d'individus, qui venaient à peu près tous des Philippines. Il était resté près de quatre ans à naviguer sur l'*OdysseA*, en pleine mer du Nord, avant de revenir vers le sud. Il avait servi une population dont, du temps de son enfance et de sa jeunesse, il avait à peine soupçonné l'existence. Des gens de type européen dont il avait appris qu'ils ne l'étaient pas tous et pouvaient venir du monde entier, mais des gens dont la vie semblait faite pour que d'autres la servent, la rendent plus douce encore, plus agréable sans ces tracas qui affligent le quotidien. Une élite dont la vie était taillée dans le rêve, une vie faite d'oisiveté, d'insouciance, des gens qui semblaient chez eux partout et n'avoir pas le moindre problème avec des passeports, des justifications, des employeurs, à vrai dire un monde étrange mais dont il était bien content qu'il existe, puisque c'est par lui qu'il avait trouvé les moyens de sa propre subsistance, comme ces milliers d'autres Philippins dont le premier talent était de savoir vivre à l'ombre de cette minorité heureuse et parfaite, même si, parfois, ignorante ou oublieuse, elle pouvait se révéler ingrate et désagréable.

Ce qui n'est pas le cas de cette Française qui lui a demandé avant-hier matin de lui passer de la crème dans le dos. Elle n'est pas la première à lui parler des Philippines, à lui dire que ce doit être tout à fait différent de voyager comme elle le fait, pour son plaisir, et comme lui le fait, par nécessité économique. Monsieur Arroyo sourit avant de répondre qu'elle doit avoir raison, mais que chacun a ses propres contraintes. Elle est bien d'accord, et d'un coup d'œil complice et légèrement résigné elle lui désigne son fils, un garçon de huit ou neuf ans déjà un peu replet qui aime manger des glaces, boire des sirops de fraise et du Coca-Cola, et qui lit des magazines annonçant la fin du monde.

Monsieur Arroyo sait qu'être là, à l'ombre de la richesse, c'est déjà être presque riche soi-même, que l'ombre du soleil est déjà presque le soleil. Dans sa vie, il a tout fait. Les chambres, les salles de bains, les cuisines. Récuré les toilettes et les assiettes, les plats d'Inox et d'argent, les baignoires et les lavabos. En Inde, il avait travaillé dans un très grand hôtel international et avait passé ainsi quatre ou cinq ans à l'intérieur des toilettes, ayant pour mission d'ouvrir et fermer le robinet d'eau chaude et d'eau froide au client venu se laver les mains, de lui verser quelques gouttes de savon liquide et de lui tendre, souriant et toujours de bonne humeur, une serviette propre et fraîche. Parfois, on lui donnait un pourboire, parfois un sourire, parfois rien du tout, parfois même certains semblaient ne pas le voir alors que leurs yeux croisaient les siens. Mais ce n'était rien, il ne s'en formalisait pas. Il était bien logé, blanchi, il mangeait à sa faim et gagnait de l'argent qu'il pouvait envoyer à sa famille. Il avait travaillé souvent avec d'autres Philippins, avait trouvé du plaisir à évoquer le pays, les îles, les histoires, à partager avec eux des espaces communs et parler en filippo. Mais il n'aurait pas cru, si lui-même ne l'avait pas vu, si on lui avait seulement raconté que les Philippins, dans les arrière-cuisines du monde entier, dans les soutes des grandes croisières, à demi cachés, presque effacés et invisibles au regard de ce monde où tout un chacun semble être un voyageur permanent, que seuls des milliers de Philippins infiniment négligés et infiniment précieux faisaient vivre et tourner ce grand corps grouillant qu'est le monde globalisé.

C'était ce monde qui avait flotté au-dessus de sa tête, à lui et à tous les autres, tout le temps qu'il avait travaillé dans un des grands paquebots qui sillonnaient les mers du monde avant d'échouer ici, à Dubaï, toujours plus ou moins dans l'eau, même si cette fois c'était dans une eau douce et légèrement chlorée, l'eau d'une piscine où des gens très riches venaient prendre la fraîcheur et s'amuser, se dégourdir une petite heure, entre deux siestes ou deux cocktails. Il voyait des gens très blancs venus s'enduire de crème sur des plages artificielles, et son travail consistait à leur porter des serviettes éponge, leur proposer une bouteille d'eau ou les prendre en photo, ou, s'ils voulaient une bouée alors qu'ils étaient dans l'eau, oui, il pouvait faire ça aussi, puisqu'il était uniquement là pour rendre aux touristes ce moment de détente le plus lisse et le plus agréable possible, sans accroc, sans choc qui puisse déplaire. Il était là, avec ces quelques préposés dont il grossissait les rangs, au bord de l'eau ou parfois même, le plus souvent, lui-même dans l'eau, dans un grand parc artificiel, prêt à bondir pour aider.

C'est d'ailleurs parce qu'elle avait voulu de l'aide que monsieur Arroyo, avant-hier matin, avait été obligé de se pencher sur le corps huileux de la Française qui murmurait qu'elle avait une douleur insoutenable au niveau des épaules. Mon Dieu, j'ai tellement mal, se plaignait-elle. Il ne comprenait pas ce qu'elle disait, ne s'y intéressant pas vraiment parce qu'il avait supposé que la touriste s'adressait à son fils qui lisait un manga assis à une table, sous un parasol.

Elle ne voulait pas se relever, prétendait ne pas pouvoir, elle s'était mise à geindre en anglais et monsieur Arroyo avait compris que c'était à lui qu'on s'adressait.

– Je peux quelque chose pour vous ?

– On s'ennuie tellement.

– Vous avez votre fils.

– Il s'ennuie autant que moi, et son père ne nous rejoint que dans deux jours.

Là, seuls les gens étaient réels. L'eau, le sable, les palmiers, tout avait été construit, importé, agencé et, ce qui parfois paraissait dérangeant, c'est que les gens semblaient croire que monsieur Arroyo lui-même n'existait pas, qu'il n'était, lui et ses quelques collègues, qu'une figurine posée là, à disposition, aussi artificiel que les mouvements qui agitaient l'eau toutes les deux minutes, pas plus vivant que ces palmiers importés, comme si à Dubaï il n'y avait pas de vrais palmiers. Mais il ne cherche pas à comprendre tout ça, monsieur Arroyo. Il s'étonne juste, parfois, de ce que le monde lui semble de plus en plus étrange, plus étrange en tout cas que ce qu'il lui semblait être lorsque, enfant, on voulait le mettre en face de la réalité et le prévenir des dangers auxquels il pourrait avoir affaire.

Ainsi, il avait été surpris que cette Française s'intéresse à lui, lui demande depuis quand il travaillait ici, lui dise qu'elle aimait beaucoup la couleur de sa peau et la blancheur de ses dents, lui répète encore qu'elle s'ennuyait tellement, elle en mourrait, c'est sûr, il n'y pas tant de choses que ça à faire à Dubaï – la mer, la mer, la mer. Elle avait parlé de la beauté, des pays merveilleux qu'elle avait vus, l'Inde – il n'avait pas raconté qu'il connaissait New Delhi –, la Chine, Shanghai,

Pékin, Canton, qu'on n'appelait plus du tout Canton, et le Brésil et l'Argentine. Elle racontait ces pays merveilleux, les longues heures de voyage, le tourisme avec son mari et son fils, parfois sans l'un ou sans l'autre, mais le plus souvent sans aucun des deux, l'un à l'école, l'autre au travail. Elle avait tellement besoin de voir la beauté du monde. Elle avait tellement besoin de faire connaissance avec des gens qui venaient d'autres univers. Des rencontres riches, toujours stimulantes. Oui, aller à la rencontre de l'autre, c'est ce qu'elle avait toujours aimé. Elle parlait et avait enduit les mains de monsieur Arroyo de crème pour qu'il lui masse les épaules. Elle avait fini par s'asseoir et lui, derrière elle, massait et écoutait ce qu'elle disait dans un anglais scolaire et lent, mais précis. Elle avait un joli accent français. Il le reconnaissait parce que chaque langue donne à son anglais une inflexion singulière, comme si l'anglais disparaissait sous les particularismes de chacun, devenait une langue inédite, nouvelle, incompréhensible. Mais il aimait bien ça, monsieur Arroyo. Il écoutait la Française pendant que son fils avait décidé de rentrer à l'hôtel. Elle lui avait demandé dans leur langue, où vas-tu mon petit Paul ? Il avait répondu qu'il en avait assez de tout ça, ce soleil, ces glaces, ces sirops de fraise, ce manga débile, cette huile solaire, les bavardages de sa mère. Il rentrait au frais, dans la chambre, et il y avait dans sa voix une lassitude et un dégoût, une colère rentrée qui n'avait pas échappé à monsieur Arroyo, même s'il n'avait pas compris un mot de ce qu'il avait entendu. Mais l'enfant était parti sans un regard pour sa mère, qui pourtant l'avait appelé encore deux fois alors qu'il était déjà sur le chemin de l'hôtel. Elle avait murmuré quelque chose, puis s'était retournée vers monsieur Arroyo qui lui massait encore les épaules.

C'est un enfant si triste, vous savez. C'est terrible, un enfant aussi triste. Vous avez des enfants ?

Lorsqu'il pourra partir d'ici, monsieur Arroyo se dit qu'il oubliera les secrètes humiliations qui sont liées à sa condition de travailleur et aux regards indifférents que les touristes du monde entier posent sur lui à longueur d'année.

Quand il pourra repartir, il oubliera aussi ceux qui sont très gentils et très bons et le mettent dans un embarras plus grand encore en lui demandant d'où il vient, ce qu'il fait là, s'il a une famille qui l'attend quelque part. Ceux-là, bien sûr, ignorent à quel point ils le mettent dans une situation inconfortable, comme si soudain on le sommait de décliner son identité, de faire état de son existence et de sortir de cette coquille dans laquelle il peut préserver, un minimum, un espace qui lui soit propre et inviolable. Il leur pardonne. Ceux-là le piétinent avec une bonne volonté admirable de mansuétude et, s'ils sont humiliants à force de l'interroger comme un enfant ou un malade mental, ils ne pensent qu'à s'intéresser à celui qui, pour eux, est un dépaysement total.

D'ailleurs, avant-hier, alors qu'il finissait de répandre la crème sur la peau brûlante des épaules de la touriste française, monsieur Arroyo avait dû entendre cette voix tremblante et forte qui parlait, s'arrêtait, hoquetait, reprenant sur un ton qui se voulait enjoué mais dont monsieur Arroyo savait reconnaître la timidité, l'embarras qu'il trahissait ; cette voix lui parlait comme s'il était un ami, comme s'ils étaient, lui et la Française, des gens faits pour s'entendre, se comprendre, se raconter dans le secret de l'alcôve ou d'ailleurs les aléas de leur vie respective. Il répondait par petits blocs de phrases, des petits morceaux fins, délicats, comme de la nourriture précieuse et goûteuse, et il ne relançait jamais les questions qu'elle posait. La Française lui demandait s'il avait une femme, des enfants, si son pays lui manquait. Elle voulait savoir s'il n'était pas trop exploité, s'il avait des droits sociaux, des avantages, quels genres d'avantages, elle aurait sans doute apprécié qu'il lui dise qu'il avait parfois celui de frotter les épaules d'une belle et riche Française qui avait l'air de s'ennuyer et d'espérer qu'on la console. Mais il n'avait rien dit. Il n'en avait d'ailleurs pas eu besoin, car un moment elle s'était retournée vers lui et il avait vu, sur le visage de cette femme – ces yeux brillants et avides, sa bouche tremblante –, quelque chose entre l'émotion et l'envie de pleurer, une sorte de fragilité compensée par une force, un désir qui animait les traits d'une vigueur et d'une puissance qui l'avaient presque impressionné tant elles donnaient à la Française une force *désirable*, oui, qu'elle n'avait pas quelques minutes encore avant que monsieur Arroyo vienne lui masser les épaules. Il avait eu un moment d'arrêt – un temps pendant lequel il avait simplement relevé sa main loin du contact de la peau de la touriste, ses doigts écartés, comme suspendus. Ils s'étaient regardés pendant un temps assez long, très long, embarrassant, qu'elle avait voulu rompre, et elle s'était remise à parler et avait ri en disant, j'aime la beauté, j'aime tellement la beauté.

Quand il pourra repartir aux Philippines, monsieur Arroyo imagine qu'il sera plus que temps de fonder une famille, de s'asseoir et de raconter à des enfants émerveillés le monde qu'il a connu et qui est un monde plein de surprises et d'objets étranges, fait de créatures de rêve et d'hydres monstrueux, de femmes magnifiques comme des déesses et cruelles et hautaines, perchées sur des talons aiguilles, et des messieurs aussi, des rois, des émirs, des princes, des gens dont la richesse dépasse l'idée même de richesse. Il s'imagine qu'il prendra le temps de raconter comment, tout jeune homme, il avait embarqué pour changer de vie très loin de la misère et d'un monde sans avenir, et qu'il était revenu, et que maintenant il pouvait certifier qu'il avait travaillé à Dubaï, dans un endroit étrange où les touristes venaient par dizaines visiter non pas des monuments ni des animaux extraordinaires, mais qu'ils venaient de leur hôtel visiter d'autres hôtels, qu'ils venaient de chambres faites de marbre et d'or pour visiter des chambres avec plus de marbre et plus d'or encore, qu'ils avaient pour quelques heures laissé en jachère de vastes espaces pour aller visiter des hôtels si haut perchés, dans des tours si hautes, qu'il faudrait vraiment être très doué pour imaginer comment, de là-haut, le regard se perd si loin que l'idée même d'horizon semble une idée à courte vue. Il s'imagine qu'il parlera de cette vie en disant que c'était le début du siècle, que le monde était sans doute complètement fou et que tous avaient perdu la boule, à tel point qu'il y avait des jeunes gens très pauvres et des gens même plus si jeunes qui passaient une partie de leur journée les pieds dans l'eau avec des bouées dans les bras et des appareils photo autour du cou, pour parer au plus pressé et photographier, ou donner une bouée à des gens en maillot de bain à fleurs, à pois, aux corps huileux et blanchis par les crèmes, qui ne demandaient rien que de passer la journée à l'ombre d'un Philippin discret et serviable.

Ce matin, alors qu'il préparait des serviettes pour un couple de Russes, il les avait vus arriver tous les trois, la

Française et son fils, encombrés d'un mari et père qui ne leur ressemblait ni à l'un ni à l'autre, comme un père peut ressembler à un fils par la vertu de gènes communs, ou comme un homme et une femme peuvent finir par se ressembler à force d'amour, de vie passée à se mirer dans le regard de l'autre. Mais là, non. Lui ressemblait à un homme sans histoires, sans doute très occupé, s'adonnant aux loisirs du tourisme pour concéder quelque chose à sa femme et à son fils, plus que pour lui-même. Un gros monsieur aux cheveux blancs très épais, à la mine rosée et au corps en forme de poire. Monsieur Arroyo les avait vus s'installer et s'enduire de crème, se préparer à plonger dans la piscine. Elle portait d'immenses lunettes de soleil, dont le noir si profond couvrait une partie du visage, comme si monsieur Arroyo, en ne voyant plus ses yeux à elle, ne pourrait en retour plus jamais être vu par eux. Elle était là, indolente, prise d'une immense fatigue, comme les premières fois, mais son corps était seulement plus coloré. Elle portait un maillot de bain noir et n'avait pas jeté un œil sur monsieur Arroyo, ne le voyant sans doute pas, ne s'y risquant pas, ne regardant jamais dans sa direction et parlant assez fort lorsqu'elle s'adressait à son mari, comme si elle avait peur que monsieur Arroyo ne comprenne pas qui était le gros monsieur avec elle. Alors elle en rajoutait en lui disant en français, chéri, mon amour, tu me passeras de la crème dans le dos ? Elle avait mis du rouge à ses ongles et même à ses lèvres. Le mari avait réclamé des serviettes pour eux trois, et monsieur Arroyo s'était exécuté avec un grand professionnalisme. La Française n'avait pas levé le nez du livre qu'elle lisait, et c'est bien longtemps après leur départ que monsieur Arroyo avait retrouvé le même livre, oublié sur la chaise longue. Il l'avait rapporté au lobby de l'hôtel, sans même essayer d'y trouver une adresse, un mot, un numéro de téléphone – une étrange idée qui lui était passée par la tête. Il avait regardé le titre du livre, avait feuilleté quelques pages et s'était dit que le français, désormais, aurait pour lui le visage un peu défait et pointu d'une femme du même âge que lui.

De toute façon, monsieur Arroyo ne se pose pas de questions. Il regarde les gens, les sert et le soir, exténué, il va dîner avec quelques amis, des gens comme lui, qui attendent et rêvent d'une terre qu'ils ne reverront peut-être jamais plus que dans leurs désirs.

Tous les soirs, contrairement aux touristes qui vivent leur rêve en venant dans un pays qui est une bulle de savon sophistiquée, fragile et improbable, eux espèrent retrouver une île, la leur, très lointaine, où la vie n'est faite ni d'or ni de marbre ni de tours les plus hautes du monde, en se disant qu'aucun paradis ne vaut un chez-soi. Car monsieur Arroyo ne veut pas d'autres pays que le sien pour finir sa vie et, parce qu'il pense que le mariage et l'amour sont un monde à part entière, il rêve de fonder une famille et de vivre ce voyage inoubliable, magique, magnifique et éblouissant, un retour chez lui comme le plus beau des voyages de noces – un voyage comme celui que vont connaître Denis et Dorothée, jeunes époux s'élançant dans la vie comme dans la grande aventure d'un monde nouveau, comme de Dubaï aux chutes du Niagara il n'y a que le temps d'un souffle, d'un clignement de cils, Dorothée et Denis attachant leur ceinture et réglant la climatisation au-dessus de leurs têtes, observant scrupuleusement les consignes lumineuses – l'avion décolle, une légère vibration sous la moquette, presque rien, une hôtesse demande un peu d'attention, les ceintures s'attachent comme ceci, vous trouverez un gilet de sauvetage sous votre siège, en cas de dépressurisation des masques à oxygène tomberont automatiquement – l'avion s'élève rapidement et traverse sans encombre d'épais nuages gris bleuté.

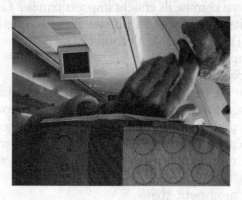

Denis s'attarde longuement sur les mains de la vieille dame devant lui et tout à l'heure, en plein vol, il finira par les prendre en photo avec son portable. Dorothée a une légère appréhension, elle retient son souffle et puis le calme revient. Bientôt nous serons dans un hôtel magnifique avec vue sur les chutes du Niagara, nous penserons à Montréal, chez nous, à notre quotidien, aux collègues de bureau. Et cette fois c'est le grand saut, murmure Denis à l'oreille de Dorothée.

– Quoi ? Qu'est-ce que tu dis ?

– Je dis, cette fois nous y sommes.

– Oui. Comme je suis heureuse, mon amour. Quel mariage ! Hein, que c'était un beau mariage ?

– Magnifique, mon amour.

181

– Tu étais heureux ?

– Pourquoi tu le demandes ?

– Tu as l'air toujours tellement... *insatisfait*.

– Exigeant, ma chérie, exigeant.

– Oui, c'est ça. Tu es tellement exigeant.

– Tu as vu comme ils étaient impressionnés ? Comme s'ils n'avaient jamais cru que tu puisses être aussi belle.

– Oui, j'ai bien fait de t'écouter.

– Ah, tu vois.

– Je reconnais. Tu es tellement sûr de toi.

– Et toi tu peux être tellement belle, quand tu veux. Enfin, si seulement tu voulais m'écouter plus souvent, pas seulement pour la robe mais, reconnais, tu fais semblant de ne pas m'entendre mais c'est dommage que tu traînes toujours avec ton vieux jean et ce tee-shirt gris, là, alors –

– Alors, quoi ?

– Rien, mon petit chat.

– Si. Vas-y. Qu'est-ce que tu as ? Tu insinues –

– Rien du tout.

– Si. Tu insinues.

– Mais non, voyons.

– Je devrais m'habiller autrement, c'est ça ? Quelque chose comme la femme de John, avec des décolletés et des trucs affriolants, c'est ça ?

– Mais qu'est-ce qu'elle vient faire là-dedans, la femme de John ?

– Parce que, elle...

– Tu as encore des choses à dire sur la femme de John, franchement ?

– Dire que c'en est une –

– Une quoi ?

– Tu le sais très bien.

– Une quoi, dis-le, Dorothée.

– C'est simple, Denis, dès que tu parles d'elle tout le monde ricane dans ton dos.

– Si tu écoutais moins les ragots.

– Chéri, j'ai des yeux pour voir.

– Tu me fais *encore* une scène avec ça, Dorothée ? C'est absurde, c'est ridicule, à la fin. On part en voyage de noces, tu as encore des grains de riz dans les cheveux et des confettis et à peine dans l'avion tu reviens à la charge avec la femme de John ? Dorothée, mais tu te rends compte ? Qu'est-ce qui se passe, à la fin ? Mon amour, tu m'entends ?

– D'accord, tu as raison, je m'emporte. C'est l'excitation, toute cette émotion, c'est tellement...

– Passons à autre chose.

– Oui, d'accord. Je voulais te demander.

– Oui, mon amour ?

– Tu penses vraiment que je crois ça ?

– Que tu crois quoi ?

– Tu sais bien.

– Non ?

– Mais si, les filles, le bureau.

– De quoi tu parles, à la fin ?

– Mais si, tu sais, ce qu'elles disent, au travail.

– Ah non, on ne va pas recommencer...

– Denis, ne te fâche pas, s'il te plaît, ça me tourmente, tu sais bien.

– Tu vas recommencer *maintenant* ?

– On peut en discuter, non ?

– Tu crois que j'ai le poste parce que ma mère était la meilleure amie de la femme du chef de l'agence, c'est ça ?

– Ce n'est pas ce que j'ai dit.

– On pourrait éviter ce sujet le jour de notre mariage, non ?

– En fait, c'est que j'y pense maintenant, alors je me dis qu'en en parlant on pourrait ne plus avoir à s'en soucier.

– Mais c'est toi qui t'en soucies ! Pas moi !

– Tu vois bien, on ne peut pas discuter, dès que j'essaie de t'expliquer, tu te mets en colère.

– Je ne suis pas en colère.

– Tu peux comprendre que ça me rend malheureuse.

– Tu n'as qu'à pas les croire.

– Je ne les crois pas, chéri, comment tu peux penser ça ?

– C'est à toi de le dire.

– Denis, ne sois pas bête, non, vraiment, c'est trop con et puis, c'est que...

– Moi, *bête* ?

– Non, bien sûr... Disons...

– Alors ?

– C'est que... Tu sais... Elles se méfient de moi.

– Qu'est-ce que ça peut faire ?

– Elles m'épient...

– Et alors ?

– C'est Sabine qui me raconte, après.

– Ah... *elle*.

– Ne ris pas, s'il te plaît. Sabine est la seule avec qui je m'entends bien.

– Tu n'as pas à les écouter, mon chaton. Qu'est-ce qui est important, hein, dis, tu le sais ?

– Oui, oui, bien sûr, mon amour.

– Tu m'écoutes, moi, et ce sera très bien.

– Je sais, Denis, je sais.

– Alors ?

– Tu as raison. Il n'y a que nous deux.

– Oui mon chat. C'est ça. C'est nous. Alors arrête de trembler et de t'énerver.

– Oui, mais tu sais, l'ambiance, au bureau.

– Je t'ai déjà dit que tu allais arrêter de travailler.

– Mais, chéri, j'aime mon travail.

– Et moi, ma femme. Dorothée ? Qu'est-ce qui compte ?

– Oui, c'est nous deux.

– Tu t'occuperas de la maison, du jardin, des enfants.

– Oui.

– Tu auras suffisamment à faire, crois-moi.

– Oui.

– Tu ne voudrais pas tout gâcher ?

– Bien sûr que non, mais...

– C'est bien, mon chaton, alors n'en parlons plus.

Elle se tait et, sans savoir vraiment pourquoi, se met à rougir, à se sentir honteuse et presque mortifiée, comme si Denis, en trouvant les mots qu'il fallait, avait réussi à lui creuser l'intérieur du cœur et de l'âme et à tout dynamiter.

Elle trouve une miette sur son chemisier, la saisit entre l'index et le pouce, la regarde, l'approche près de sa bouche et la grignote. Elle déglutit longuement et repense à ce mariage magnifique, cette promesse, elle se dit que l'amour doit triompher. Oui, il faut qu'il triomphe. Il va *triompher* et la vie sera une vaste aventure – et c'est comme si soudain le pilote avait envie que le quotidien démarre très vite, tout de suite, le bip résonne au-dessus des têtes, une lumière d'un jaune d'or apparaît au-dessus d'eux puis une voix, attachez vos ceintures, redressez vos sièges et rangez votre tablette, merci, nous allons commencer notre descente. Dorothée se cale sur son siège, elle serre bien la ceinture. Elle va compter jusqu'à cent et voit qu'autour d'eux les gens sont indifférents aux secousses de l'appareil qui glisse vers la piste, ils lisent, ils dorment, ils sont si calmes pendant qu'elle compte, elle finit par se dire que décidément Denis et elle ont des progrès à faire pour ressembler aux plus aguerris des touristes.

— Touristes, nous ?

— Voyageurs, plutôt.

— Pourquoi ? Tu ne veux pas qu'on te prenne pour un touriste ?

— Mon Dieu, Stephen, tu me demandes *pourquoi* ?

— Oui, Stuart, je te demande pourquoi ?

— Eh bien, disons, premièrement, je sais que, *nous*, on ne pique-nique pas en buvant dans des verres en plastique.

— C'est une bonne raison.

— Je trouve aussi.

— Tu disais premièrement, il y a donc un deuxièmement ?

186

– Je pourrais te dire que je préférerais mourir plutôt que de porter des Birkenstock, ça te va ?

– Bien.

– Tu veux un troisièmement ?

– Hmm... Les chemisettes ?

– Stephen, évidemment.

– Rien d'autre, Stuart ?

– Disons... les gens qui portent leurs lunettes de soleil sur le crâne sont des...

– Sous-hommes ?

– Touristes suffira.

– En somme, tu n'as que des raisons valables.

– Il me semble.

– Tu as oublié de parler des shorts et des bermudas.

– Je ne pensais pas que c'était nécessaire de faire ce rappel entre nous.

– En effet, Stuart, ce n'est pas la peine.

– Je pourrais ajouter... Tu devines ?

– Ne jamais entreprendre un voyage en juillet-août ?

– C'est le b.a.-ba. Tu imagines, j'ai lu que pendant deux mois il y a plus de cinq cents 4×4 par jour dans le cratère du Ngorongoro.

– Quoi, *par jour* ? ici ?

– Oui. Exactement devant ce paysage. Tu imagines la file indienne ? L'autoroute des vacances, un safari... Les types appellent ça un safari...

– Je comprends mieux pourquoi tu ne voulais pas qu'on repousse le départ. Maureen ne comprenait pas, elle n'a pas arrêté de dire que c'était de la folie de partir maintenant, à cause de la mousson.

– Si elle préfère l'autoroute et les heures de pointe. C'est pourtant une fille intelligente, Maureen.

– J'espère. Je te rappelle que je l'ai épousée un peu sur tes conseils.

– Et avec ma bénédiction.

– Tiens, là, regarde !

À peine est apparu un troupeau de zèbres qui galopent – sans doute effrayés par les moteurs des trois Toyota Land Cruiser qui roulent sur la route asphaltée qui sépare une immense prairie toute piquetée d'acacias –, qu'on décide d'arrêter les voitures. Tous les six sont morts de fatigue, mais ils sont surtout très excités. On a quitté Sydney hier, on est passé par Bangkok, il a encore fallu changer à Addis-Abeba et, après onze heures de vol, on atterrissait enfin à Kilimanjaro, Tanzanie, avec Ethiopian Air – et surtout avec deux mille trois cent cinquante et un dollars et soixante-trois cents de moins par tête sur nos comptes courants, avait persiflé Jennifer.

Et maintenant, on a quitté Arusha, au nord, il y a moins d'une heure. Depuis, les trois Toyota roulent vers le Ngorongoro, un immense cratère au nord-est du pays. Les trois voitures se suivent, Stuart et Stephen ouvrant la route, leurs femmes respectives au milieu, Jennifer et Maureen et, refermant le convoi, Mark et Christina, le seul couple non marié mais le plus ancien, le modèle absolu pour eux tous. Tout le monde se précipite hors de sa voiture – sauf les trois conducteurs, des Noirs impassibles et souriants qui ont l'air suffisamment blasé avec les touristes pour ne pas s'affoler au premier signe d'hystérie devant les élans de la faune. Les portières claquent et, appareil photo en bandoulière, mains levées, gestes, mouvements pour faire signe aux autres de regarder, pour montrer son emballement, la main en visière pour voir au loin, puis les jumelles pour certains, le télé-objectif pour les autres, c'est la même histoire dans les trois voitures – la même histoire à chaque fois, se disent les conducteurs, qui n'ont pas un coup d'œil pour la scène qu'ils connaissent par cœur. On s'émerveille, on se tait ; les accros des photos mitraillent sans prendre le temps de regar-der les zèbres qu'on voit déjà s'enfuir dans un long pano-ramique qui accentue encore l'effet 16/9ᵉ du paysage. On a cessé toute conversation, même Maureen et Jennifer ont dû arrêter de se plaindre de leurs maris respectifs et de leurs grands adolescents compulsifs, *addicts* aux drogues douces et aux écrans d'ordinateurs. Elles ont laissé tomber ce qu'elles étaient en train de redire encore, puisqu'elles se le répètent toutes les semaines depuis qu'elles ont épousé les deux vieux complices que sont Stuart et Stephen, depuis que les enfants ont grandi et ont acquis les comportements typiques des adolescents blancs et immatures des quartiers riches de Sidney. Tout ce qu'elles ont à dire, elles se le rediront tout à l'heure, à l'arrière du Land Cruiser, profitant de se retrouver l'une à côté de l'autre pour préciser et libé-rer une parole que le quotidien – croient-elles dans leur moment de solitude et d'abattement – s'acharne à tenir en laisse. Elles peuvent se voir et se parler au moins tous les jeudis, parce que c'est le jour où elles partent courir une heure, vers dix-huit heures, en vue du marathon qu'elles feront, comme tous les ans, à l'occasion de la *City to Surf*. Elles sont très sportives, font leur cardio-training tous les jours, mangent des compléments alimentaires à base de plantes pour les aider à éliminer les graisses le matin et empêcher le corps de les stocker la nuit. En conséquence, elles ont toutes les deux des corps de jeunes femmes, des corps sans doute plus durs que fermes, des visages aux traits plus tirés et creusés que fins, mais l'allure générale est celle recherchée, celle de femmes de moins de trente ans. Elles ont des cheveux blonds mi-longs, entrelacés de cheveux blancs un peu plus épais et moins lisses, qu'elles n'essaient ni l'une ni l'autre de dissimuler, parce qu'elles sont résolues à rester *naturelles*. Elles détestent les femmes *botoxées* et n'ont jamais eu l'idée de se refaire le visage, les lèvres, le nez, non, elles le jurent, même les fesses, non, jamais l'idée ne leur a traversé l'esprit – elles se moquent souvent de Lydia, une voisine et amie qui s'est fait redessiner, retailler, redresser plusieurs fois lèvres, pommettes, paupières. En général, de toute façon, Jennifer et Maureen se moquent gentiment des autres dès qu'elles sont entre elles, mais aucune des deux n'avouera que, alors que les quarante ans sont déjà un souvenir presque lointain, elles ont quand même cédé un peu aux injections. Mais c'est trois fois rien. Elles l'ont fait pour plaire à leur mari, pour elles aussi, bien sûr, et pour tenir le coup, *gagner du temps* et s'accepter mieux dans la vie, vieillir progressivement, à leur rythme et non pas à celui, imposé, de leur corps, de leur âge, de la nature. Mais rien à voir avec Lydia. Non, rien à voir, d'ailleurs, parce que l'idée du bistouri les effraie et les écœure. Elles aiment la nature, la vie comme elle est, et trouvent souvent beaucoup de charme à certaines personnes âgées – la mère de Stuart fait l'unanimité, c'est un modèle de plus de quatre-vingts ans, dont tout le monde envie l'intelligence et la vivacité. Alors, en attendant de devenir une aussi belle personne âgée que la mère de Stuart, elles résistent, font beaucoup de sport, mangent autant d'antioxydants que leur corps peut en ingérer. Le reste du temps, toutes les deux travaillent d'arrache-pied dans des cabinets d'avocats d'affaires où elles décortiquent des contrats, chassent des alinéas, exigent des précisions, des rectificatifs, et régentent une armée d'apprenties tueuses dont elles ne feront qu'une bouchée à la moindre occasion, surtout si elles ont moins de trente ans, que la nature les a dotées de certains avantages et qu'elles affichent – pour leur plus grand malheur – beaucoup d'ambition.

Mais, pour l'instant, c'est l'émerveillement, le partage d'une sensation d'immensité, ce sentiment de participer à quelque chose comme *la nuit des temps*, le monde originel comme si vous y étiez – ils y sont, ils en sont sûrs tous les six, même s'ils *connaissent* l'Afrique, qu'ils y sont venus plusieurs fois, une fois au Kenya, une autre au Mali, au Congo et au Burundi. Maintenant encore, c'est le même sentiment de retrouver quelque chose d'une *profondeur*, d'une âme que la vie de tous les jours ne leur laisse apercevoir que trop peu, alors même qu'ils vivent en Australie et connaissent par cœur des paysages uniques au monde, qui n'ont rien à envier à l'Afrique. Mais l'Australie, ils en ont retourné chaque *bush*, chaque gorge et les *outbacks* n'ont plus de secrets pour eux. Il leur faut une terre vierge, où ils ne croiseront ni collègue ni personne qui s'aventurera à leur raconter ce qu'eux-mêmes ont expérimenté il y a longtemps. Si quelqu'un doit raconter des histoires de voyage, Stuart et Stephen ne supporteront pas que ce soit quelqu'un d'autre que l'un d'eux, et certainement pas l'un de ces clowns du *Central Business District* qui bavent sur le sud de la baie et visitent les concessionnaires Rolls et Ferrari en se contentant d'acheter des costumes italiens une fois par an, en déjeunant dans un restaurant français sans prendre le risque d'une carte aveugle ni d'y inviter leur femme, qui, de toute façon, préfère sans doute les trucs bio du quartier nord de King's Cross. D'ailleurs, qui se soucie aujourd'hui de vivre dans le sud de la baie et de montrer qu'il est riche prouve de fait qu'il ne l'est pas. Il convient de vivre plutôt dans un quartier moins tape-à-l'œil, par exemple une maison cachée dans la forêt, ombragée, loin des regards qu'on porte sur vous et surtout loin des regards que *vous* portez sur les corps huileux s'exhibant sous vos fenêtres. Stuart et Stephen le savent : pour être très riche, il faut dédaigner aussi les riches, ne pas se montrer là où tous se montrent – garder quelque chose de secret et de rare, c'est la règle. Voilà aussi pourquoi il n'est pas possible de passer ses vacances à crapahuter en Australie, même si les terres rouges préhistoriques le méritent amplement, même si tout y invite. Non, il vaut mieux laisser les plaisirs abordables à ceux qu'on ne veut pas croiser – et leur laisser ces plaisirs que nous délaissons puisque nous ne cherchons à flirter qu'avec l'inabordable, le hors de portée –, et filer sous d'autres latitudes, d'où l'on rapportera quelques commentaires qui agrémenteront les conversations lors des repas d'affaires, au moment de se montrer engageant, *humain*. À l'occasion, les mêmes commentaires – avec quelques détails revus et corrigés – pimenteront les discussions qu'on pourra avoir avec l'une ou l'autre des jeunes femmes qui passent de temps à autre dans les lits de Stuart et de Stephen.

Depuis une heure qu'ils roulent, les Land Cruiser se sont déjà arrêtés trois fois. La première, on avait freiné de toute urgence et les voitures s'étaient garées sur le bas-côté pour voir un groupe de girafes que Maureen avait tenu à approcher pour les photographier, comme si elle ne pouvait pas avoir, avec le zoom de son appareil photo dernier cri, les moyens d'obtenir les mêmes images en restant assise dans la voiture. Mais quand on fait un safari on ne reste pas planqué à l'arrière de son Land Cruiser à contempler le monde par la vitre, à regarder la nuque et le crâne dégarni d'un conducteur local dont la peau noire est luisante de sueur, bien qu'il ne fasse pas si chaud sur ces hauteurs. Il avait fallu que Maureen descende de la voiture pour photographier les girafes, puis ça avait été les gnous, et, enfin, les zèbres. Tout ça en une heure. Maureen s'avançait dans les herbes hautes, l'appareil en bandoulière, le zoom trop lourd penchant vers le sol, elle avançait lentement, jambes fléchies – elle avait dû voir ça à la télévision –, comme pour une embuscade. Elle ne voulait pas faire de bruit, elle entendait ses pas sur le sol craquant, une terre sèche, aride encore, des herbes jaunies et cassantes, elle avançait en retenant sa respiration, guettant les mouvements des zèbres, s'arrêtant parfois pour ne pas éveiller leur inquiétude, ayant même songé à vérifier le sens du vent et profitant de l'avoir face à elle, le vent chassant alors ses odeurs loin des zèbres, derrière elle, là où, impavides, les cinq autres restaient droits comme des i et la regardaient. Parfois ils observaient seulement l'horizon, les animaux s'ébattre dans la jungle avec indifférence et lenteur, à leur rythme, ce rythme du vent dans les herbes, du calme, de l'indifférence aux spectateurs, des bruits inconnus. Au loin, les nuages et le ciel semblaient avoir des projets pour la suite, noircissant, se densifiant comme pour amonceler des munitions en vue d'une déferlante qui ne laisserait pas les animaux à leur tranquille décontraction, ni les humains à leurs observations et à leur admiration.

Maureen, les trois premières fois où l'on s'était arrêté, avait avancé seule, et les autres avaient gentiment ri de son côté grand reporter – Stuart et Stephen ne prenaient jamais de photos, les journaux en sont pleins, qu'on a vues des milliers de fois et qu'on ne regarde même plus. Leur vraie raison étant bien sûr qu'un appareil photo déclassifie le voyageur et le range de facto parmi les touristes et, parmi eux, au bas de l'échelle, le touriste qui croit vraiment qu'il fait *œuvre* et accumule de quoi nourrir l'imaginaire de l'humanité par ses observations et la pertinence de ses découvertes. Maureen le sait, mais elle s'en fout. Elle se fout de ce que Stuart et Stephen penseront – elle les connaît trop bien pour faire comme si leur avis avait la moindre importance. Après tout, si elle est mariée depuis longtemps avec Stephen – avec la bénédiction de Stuart –, elle avait continué à coucher avec ce dernier pendant des années, même après la naissance de son premier enfant et avec une discrétion toute relative – Stuart, un soir qu'ils étaient soûls, n'ayant pas pu s'empêcher de balancer à Stephen que si Maureen était sa femme, elle n'avait pourtant pas renoncé à faire l'amour avec un homme de temps en temps, sous-entendant, bien sûr, avec lui. Malgré ça, on était restés amis. Stephen avait cru pendant des semaines qu'il ne pardonnerait pas à Maureen, puis il avait pardonné et, pendant les mêmes semaines où il n'avait pas croisé une seule fois Stuart, il avait cru qu'il le tuerait comme on se tue dans les faits divers ou les mauvais films, ou, au moins, qu'ils se battraient, mais non. Ils s'étaient légèrement injuriés, puis avaient reconnu que les femmes étaient faites pour que des hommes comme eux les consomment sans modération, conscients qu'ils étaient d'appartenir à une race d'hommes qui pourraient s'honorer de leur indifférence envers les femmes, de cette indifférence souveraine et de cette capacité à les prendre et à les jeter aussi facilement qu'un ticket de bus, et les partager comme les amis partagent tout, les barbecues et les cours de tennis, le cricket, le golf, les bons restaurants, les voitures de sport, les voyages, les bons mots et donc aussi les *bons coups*, puisque c'est comme ça qu'on les appelait. Ce qu'elles n'étaient pas forcément, bien sûr, mais ce qui compte ce n'est pas le réel, pas la vérité – ou alors si, la vérité, qui n'est jamais que cette lueur d'envie qu'on voit briller comme une lame de couteau dans le regard de celui à qui l'on raconte nos exploits.

Et ce soir même on pourra s'étonner et disserter long-temps, à l'abri de son lit et d'une chambre à bonne tempé-rature, légèrement fraîche, de ce besoin d'exploit – comment appeler ça autrement ? – dont Stuart avait soudain été pris alors qu'on venait de croiser, sur une piste défoncée et loin de la dernière route goudronnée, un groupe de lions. Un mâle, une femelle et trois lionceaux. On avait fait arrêter les voitures, on s'était fait des signes en ouvrant les vitres, lais-sant échapper les bras, les mains, s'agitant pour montrer aux autres tout ce qu'il fallait voir et qui entrait dans un champ de vision invraisemblablement étiré : les lions assoupis qui formaient presque un cercle et, au milieu, une carcasse de gazelle encore sanguinolente. Barbouillant le ciel, de lourds nuages couleur ardoise ou anthracite et puis, au fond, derrière les arbres dont les formes se dessinaient en noir sur le bleu sombre d'une masse indistincte qui se confondait avec les nuages, des morceaux de ciels marron, bitume, virant presque couleur de cigare – mais tout ça au loin, indistinct, bercé par la moiteur et la chaleur brumeuse qui noyait chaque forme et couleur dans une sorte de halo laiteux et brouillé.

Mais, voilà, on avait à peine pu regarder l'image – s'émouvoir du tableau des lionceaux faisant leurs dents et leurs griffes sur la carcasse rougeoyante, et leur mère se léchant parfois, rassasiée, apaisée et presque somnolente –, prendre la mesure de ce qu'on avait sous les yeux, ce spectacle où des touches de vert émeraude et de bruns, de couleurs pâlissant vers le fond, l'aspect minéral du ciel, les ombres des nuages caressant l'aridité du sol, des éclats de blancheurs, la lumière filtrant le ciel et percutant les herbes, les cailloux, les creux, la poussière et les arbres, que Stuart, d'un mouvement imprévisible, d'un bond rapide, souple, n'entendant pas le cri de Stephen derrière lui et encore moins celui du conducteur censé protéger les hôtes des dangers potentiels – et d'eux-mêmes comme dangers – avait jailli de la voiture en s'élançant vers les lions, sans prendre d'autre précaution que d'avancer en les regardant fixement, comme pour les prévenir de son arrivée. Mark et Christina avaient été les premiers à comprendre ce qui se passait, parce qu'ils étaient debout dans leur voiture, le buste penché au-dessus du toit ouvrant, l'un tenant des jumelles et l'autre un appareil photo ultrasensible aux variations lumineuses. Ils avaient étouffé un cri, il ne fallait surtout pas affoler les lions ni les déranger parce que, jusqu'à ce moment-là, les fauves n'avaient pas bougé et ne semblaient s'être aperçus de rien, ou simplement ils ne se sentaient pas en danger, ou ils s'en foutaient, se prélassant en famille après un repas suffisamment copieux pour qu'ils puissent laisser une légère torpeur gagner sur leur vigilance. Mais Stuart avait continué à avancer, lentement, doucement, se penchant légèrement en avant, mais pas autant que Maureen avait pu le faire pour photographier les girafes et les zèbres, ne voulant pas, lui, s'avilir à se courber, à fléchir les jambes et pencher le dos, à se mettre en quatre pour se fondre dans la savane et avancer comme un trappeur. Non, il n'avait pas voulu ça. Il avançait avec un appareil photo entre les mains en regardant dans le viseur pour photographier, à moins de trois mètres maintenant, les lions qui ne le regardaient pas – sachant qu'il se moquait complètement des photographies qu'il pourrait prendre, ne vibrant que pour ce pur moment d'adrénaline, alors que, derrière lui, il avait entendu que des portières s'étaient ouvertes, et il imaginait les conducteurs des trois Land Cruiser, chacun le fusil en joue, l'œil dans le viseur, guettant le moindre geste des lions et prêt à tirer au cas où l'un d'eux viendrait à attaquer. Il avait entendu le cliquetis des armes qu'on charge, et même s'il savait sans doute qu'on lui ferait des reproches, le jeu était trop fort, la tentation trop excitante, trop exaltante pour y renoncer. Et puis, il payait. Il pouvait s'acheter le mécontentement de ses conducteurs qui étaient aussi ses gardiens, qui vivaient grâce à des gens comme lui. Il avait le droit de prendre des risques, ou plutôt de faire comme s'il prenait des risques, puisque, eux, derrière, étaient payés pour que les types comme lui puissent s'offrir le luxe de l'adrénaline et l'apparence du danger. Et, maintenant, malgré ce qu'il savait des fusils braqués sur les lions, le protégeant, il sentait son corps fondre sous lui, les

197

jambes vacillantes, la bouche sèche, la gorge serrée, et pourtant il avançait encore et tenait l'appareil photo à bout de bras et s'était mis à regarder dans le viseur, il avançait, retenant son souffle, ses mains tremblantes, et l'appareil photo devenait de plus en plus lourd, un poids soudain incroyablement lourd, le boîtier soudain trop chaud dans ses mains moites, les doigts le retenant avec de plus en plus de difficulté et s'accrochant de plus en plus difficilement alors qu'il semblait maintenant à Stuart que son corps entier tremblait d'un tremblement qu'il aurait bientôt du mal à contenir. Et pourtant, il avançait encore. Derrière lui, il n'y avait pas un bruit – les moteurs avaient été coupés depuis le début. Il y avait seulement la sidération dans les regards – Jennifer et Maureen avaient ouvert leur portière et l'avaient refermée aussitôt que le conducteur de leur Land Cruiser avait fait un geste leur en intimant l'ordre, geste qu'il avait fait avec une colère contenue mais si explicite, si autoritaire, que ni l'une ni l'autre n'avaient songé à répliquer.

Alors, ce soir, dans le lodge, chacun ira de son commentaire. Mark et Christina, consternés une fois encore par l'incroyable cuistrerie de Stuart, son arrogance et son sens de la provocation. Maureen et Jennifer, à la fois scandalisées par le risque inutile et fascinées, malgré tout, par la beauté virile de cette même inutilité. Et Stephen, lui, soudain taciturne, plongera dans une sorte de rage froide, renfrognée, à la fois très en colère contre cette prise de risque spectaculaire et puérile et, surtout, presque exclusivement jaloux, fou de rage d'en être, lui, parfaitement incapable.

Et tous de commenter comment Stuart avait avancé au plus près, de plus en plus lentement, se garantissant de plus en plus difficilement la possibilité de revenir sur ses pas sans éveiller la vigilance et peut-être l'incrédulité des fauves. Il avait avancé comme s'il était seul avec les lions et qu'ils ne l'impressionnaient pas du tout, fixant des vues dans son appareil photo sans les regarder (toutes se révélant floues, ratées et trahissant sans doute sa frayeur), mais atteignant son vrai but quand, se dressant sur le toit du Toyota, Maureen avait eu le réflexe et l'intelligence, l'à-propos, de se saisir de son énorme Nikon et de son super-téléobjectif AF 70-300 mm pour immortaliser ce moment, afin que finisse, au-dessus du bureau de verre de Stuart, à côté de photographies arrachées à prix d'or à des galeries new-yorkaises, l'image et la preuve non pas de cette folie qui l'avait pris de se mettre en danger inutilement, mais de mettre en scène aussi brillamment, par instinct, avec rapidité et clairvoyance, sa supériorité sur le reste de ses concurrents au bureau et dans la vie, dans le monde ouaté et néanmoins violent d'un homme d'affaires de Sydney et du monde civilisé.

Et, durant l'été de l'année cinquante du vingt et unième siècle – soit trente-neuf ans plus tard –, dans une chambre abandonnée depuis la mort de la grand-mère Jennifer, l'un de ses trois petits-enfants retrouvera cette photographie étonnante. Il voudra savoir, avant de l'avoir identifié formellement, s'il pouvait bien s'agir de grand-père Stuart. Stuart, définitivement cloué à un fauteuil, ne s'agitant encore que pour réclamer les chiffres de ses affaires, tentant d'améliorer les rendements, achetant et revendant comme au temps de sa jeunesse, mais sans la vivacité qui l'avait rendu si riche, s'amusant à jouer à l'homme d'affaires pendant que d'autres géreront pour lui des portefeuilles auxquels il n'aura plus accès depuis longtemps, regardera cette photographie sans se souvenir d'abord que cet homme risquant sa vie, c'était lui. Il pensera une seconde que c'était peut-être Stephen, dont il avait gardé un souvenir qui s'amenuisait et revenait, par vagues de plus en plus lointaines, jusqu'à n'être plus que de minuscules clapotis de réminiscences de toutes sortes, depuis sa mort d'un cancer du foie ou du pancréas ou de la prostate, une vingtaine d'années auparavant. Puis non, soudain ça reviendra, c'était bien lui sur cette photographie. Lui-même, oui, lors de ce voyage dans les années 2010 ou 2011. Il ne saura plus, il suffirait de regarder dans les papiers, on pourrait trouver, ce serait facile. Et, en effet, l'un des petits-enfants s'en chargera et trouvera qu'il s'agissait d'une photographie d'une certaine Maureen McCall – une amie de la famille disparue tragiquement dans un accident d'avion pendant l'hiver 2037, et dont il retrouvera aussi la nécro sur Internet.

En 2050, Stuart sera le seul survivant de cette équipée partie en voyage en mars 2011, au nord de la Tanzanie, et il s'assurera, grâce à cette photographie et à des petits-enfants enthousiastes, une renommée de baroudeur, de grand reporter animalier. Une admiration qui dépassera de loin sa vie puisqu'elle durera jusqu'à la mort de ses petits-enfants, près d'un siècle plus tard, alors que la photographie elle-même aura disparu de tous les disques durs des ordinateurs, des clouds des fournisseurs d'accès Internet et aura disparu aussi des coffres, boîtes, lieux de l'histoire familiale, pour atterrir chez un brocanteur quelconque avant de finir, pâle, grise, presque invisible, dans une benne à ordures de la banlieue de Sydney.

Mais le soir de ce jour où la photographie est prise, bien sûr, personne ne sait ce qui arrivera dans les quarante prochaines années, et encore moins après. Personne ne sait que celui pour qui tous ont tremblé sera celui qui les verra mourir les uns après les autres, le seul qui survivra à leur groupe et les oubliera plus ou moins, lui qui pourtant, ce soir-là, croit qu'il se souviendra toujours de ce face-à-face extraordinaire avec les lions et de l'admiration craintive qu'il avait pu savourer dans le regard de ses cinq spectateurs.

Ce qui est vrai, c'est que l'exploit de Stuart, alors qu'on se retrouvera dans l'intimité du lodge, n'aura pas la vertu de projeter les uns et les autres dans un hypothétique futur, mais, au contraire, par un de ces retours du passé qui accompagnent les grands mouvements à travers la géographie, réactivera des souvenirs, des images, des êtres calés confortablement dans les secrets de la mémoire. Ainsi, peut-être parce qu'elle aura eu peur pour lui, qu'elle aura été impressionnée par son coup de folie, par l'excitation et le danger – la possibilité soudaine de la mort de Stuart, qu'elle avait pu, une fraction de seconde, imaginer déchiqueté, dévoré par une famille de lions et gisant alors en lieu et place d'une carcasse de gazelle –, Jennifer aura envie de faire l'amour avec son mari comme elle n'en avait pas eu le désir depuis des années. Et, malgré la fatigue, malgré les corps éreintés par la journée et le jet-lag, malgré le désir de se reposer et de jouir aussi de la vue que leur offrait la terrasse du lodge, c'est ce désir qui s'imposera, le désir d'un couple qui se connaît depuis plus de vingt ans et dont la passion s'était éclipsée depuis de nombreuses années, laissant place à une routine heureuse, familiale, sans désordre amoureux ni passion excessive – et puis ce soir, soudain, comme un basculement que Jennifer ne verra pas venir et qui la débordera, ils se jetteront l'un sur l'autre à peine la porte de la chambre refermée derrière eux.

Mais c'est à ce moment où elle retrouvera un désir comme réactivé, revenu de sa jeunesse, pour l'homme qu'elle aimait et avec qui elle vivait depuis presque la moitié de sa vie, que resurgira un souvenir très lointain d'un séjour au Maroc, où elle avait rencontré un jeune homme – c'était à Ouarzazate. Elle se souviendra de la nuit étoilée, des yeux magnifiques de Mohammed, de son visage doux et des yeux aux reflets jaunes, brillants, de sa peau extraordinaire et soyeuse. Elle fermera les yeux et, lorsqu'elle les ouvrira à nouveau, ce sera Stuart qui lui malaxera les seins dans un lodge en Afrique, au cœur de l'Afrique, et puis elle les refermera et repartira plus de vingt ans en arrière et ce sera plus fort qu'elle, le ciel étoilé du Maroc, le souffle de ce Mohammed qui avait voulu qu'elle l'épouse, lui avait fait tourner la tête parce qu'elle était une jeune fille prête à beaucoup d'aventures pour avoir une vie meilleure que celle promise par ses parents. Ce Mohammed lui avait fait si bien l'amour qu'elle était restée accrochée à son souvenir, languissante et encore vaguement énamourée, pendant de longues années. Et ça lui reviendra alors qu'elle n'y avait pas vraiment repensé depuis des années, presque une dizaine d'années qui avait recouvert la volupté du souvenir. Ça lui reviendra alors que Stuart sera en train de malaxer ses seins, qu'il titillera fébrilement, ayant déjà retiré le chemisier et dégrafé le soutien-gorge sans trembler, la bousculant pour l'étendre – presque la jeter – sur le lit, les seins bientôt libérés et Stuart, sur elle, la tête glissant entre les seins qu'il cueillera comme d'énormes fruits mûrs et puis, d'un coup de langue, humectant les aréoles et les tétons d'une épaisse salive qui aura encore le goût sucré du jus de mangue qu'ils avaient partagé tout à l'heure, Stuart, se réfrénant, oscillant entre l'excitation et la retenue, caressera, mordillera, léchera et elle se cabrera de plus en plus pour qu'il puisse la prendre par la taille, glisser ses mains vers ses fesses, elle étirera les bras et l'image du Marocain aux yeux brillants et d'un ciel étoilé dans la nuit de Ouarzazate éclipsera tout autour d'elle, et bientôt ce ne sera plus Stuart qui lui fera l'amour et la fera jouir, mais un spectre marocain à la beauté plus indocile et presque menaçante d'un jeune homme qui lui avait donné tant de plaisir autrefois, il y a longtemps, lorsqu'elle croyait encore que l'amour se lit dans le regard comme un point précis à trouver sur une mappemonde et qu'un sourire, s'il est bien fait, vaut toutes les promesses de la jeunesse et d'un bel avenir.

De leur côté, Maureen et Stephen auront tout le temps de profiter du confort de leur lodge – le temps d'apprécier le silence ou ce qui en tient lieu, alors que dès le début de la soirée il faudra entendre la rumeur des bruissements, des râles, des cris lointains perdus quelque part au fond de la savane ou des lodges voisins, des animaux en liberté passant près d'eux et broutant la pelouse avant de s'éclipser au moment de la tombée de la nuit. Ce sera exotique et puissant, profond comme le point de vue que Maureen restera à observer de la terrasse, malgré le froid. Stephen, lui, regardera à peine le confort douillet de la chambre. Il restera indifférent au cherry posé près de la cheminée, aux bonbons délicieux, au tapis de yoga, et ne verra dans la baignoire, avec les sels et les pétales de rose, qu'un simple outil pour se retaper, contrairement à Maureen qui voudra se détendre, se reposer longtemps dans la chaleur du bain qu'on leur fera couler à peine rentrés du safari. Elle trouvera ça *prévenant et adorable* ; il trouvera que c'est la moindre des choses. Puis il se mettra à grommeler qu'à ce prix-là, autour des mille dollars la nuit, on pourrait au moins avoir la télé ou une connexion wi-fi, ou, quelque part dans le parc, un gymnase, je ne sais pas, une salle de badminton. C'est à peine s'il appréciera sa canette de Coca-Cola. Il aurait préféré un Coca Zero ou au moins un Coca Light, mais il n'y en aura pas. Alors il prendra ce qu'il y aura sans broncher et repensera à ce que Jennifer avait dit sur le prix exorbitant de ces vacances. Elle avait bien raison, tout le monde le savait, lui et Maureen, les autres aussi, d'autant que, comme l'avait dit aussi Maureen, prendre le risque de passer le séjour sous la pluie torrentielle de la mousson, c'était un risque que seul Stuart pouvait prendre et imposer aux autres, comme, de toute façon, il imposait toujours tout aux autres. Stephen essaiera de ne pas y penser. Mais il devra s'avouer, lorsqu'il aura bu son Coca en regardant les buffles traversant la pelouse centrale et en refoulant la fatigue qui l'avait éreinté toute la journée, qu'il ne pourra pas laisser croupir ce sentiment qu'il avait reconnu encore tout à l'heure, au moment où, arrivés au campement, on avait à la fois sermonné Stuart pour son imprudence et où, dans le même mouvement, Stephen avait dû reconnaître la fascination que le même Stuart avait alors exercée sur eux tous – ce petit sourire, ce rictus insupportable qu'il avait toujours dans ces moments de triomphe, cette façon de se tenir debout avec la main gauche posée sur sa hanche et la tête légèrement relevée, le menton pointé vers l'avant, Stephen regardant ça avec toujours la même consternation, non pas parce qu'il était lui-même un modèle de vertu et de modestie, mais parce qu'il était effaré de voir combien l'arrogance et le sentiment de sa supériorité ne nuisaient pas à Stuart et même, au contraire, l'auréolaient de cette réussite et de cette puissance qui, à lui, Stephen, faisaient défaut depuis toujours.

Et il avait beau vouloir se persuader qu'il s'en moquait, tout prouvait le contraire. Depuis toujours, c'était comme ça. Il n'avait jamais pu supporter ce succès, cette excitation qu'il voyait briller dans les regards sur Stuart, cette envie qu'il suscitait et qui le renvoyait, lui, à l'indifférence polie, alors qu'il savait tout de Stuart, ses combines, sa médiocrité, ses petitesses. Ce serait tellement facile de déboulonner cette belle statue. Il avait pardonné à Maureen et à Stuart de l'avoir trompé pendant des années – fier, au fond, que Stuart ait désiré sa femme, et fier aussi, d'une façon plus retorse, que sa femme ait désiré son meilleur ami. Il ne gardait de cette époque qu'une intime et discrète blessure qu'un rien pouvait réactiver, comme ce regard trop languissant, trop émerveillé qu'il surprenait parfois chez Maureen lorsqu'elle regardait Stuart à la dérobée. Ce soir, il ne saura pas pourquoi, Stephen ira rejoindre Maureen dans la salle de bains et lui racontera quelque chose, une chose qu'il n'a jamais dite et qu'il avait promis de ne jamais dire à personne. Il s'élancera et lui aussi lèvera le menton et se tiendra bien droit sur ses jambes, bientôt il posera lui aussi la main gauche sur sa hanche et racontera, la voix presque haletante et frémissante, en cachant mal l'émotion et la colère à laquelle sa voix cédera, prétendant, au contraire, faire preuve de maîtrise parce qu'elle se donnera lentement, doucement, dis-moi, tu te souviens ma chérie quand on est

allés au Congo il y a trois ans – Oui, je me souviens,
pourquoi ? – Tu te souviens ma chérie que j'étais parti avec
Stuart pendant deux jours, rien que lui et moi – Oui, peut-
être, je ne sais plus, peut-être, si tu le dis – Oui, je le dis.
Est-ce que tu te souviens, rappelle-toi, vous étiez restées
avec Jennifer et nous on était partis comme deux vieux
baroudeurs et, tu te souviens peut-être, on vous avait
raconté que dans la nuit, en plein désert, venant de nulle
part, on pouvait trouver des gamins qui partaient à l'école
à pied, à quatre heures du matin, sur des chemins complètement défoncés, des gamins qui marchaient par deux ou
trois avec des sacs d'école qui devaient au moins dater des
années quatre-vingt. Tu te souviens qu'on vous avait raconté
– Non, Stephen, je ne me souviens pas, mais si tu le dis
– Oui, je le dis – Si tu le dis c'est que tu dois avoir raison,
mais tu pourrais aussi me dire où tu veux en venir ? – Je
veux en venir qu'on vous a peut-être raconté ça mais qu'on
ne vous a pas tout dit, avec Stuart, le beau Stuart, non, et
je pense qu'il ne l'a pas dit, il ne s'en est pas vanté, ça, non,
crois-moi, quand il a roulé comme un fou sur un sentier et
que c'était encore la nuit, une nuit chaude et moite et que
le ciel était très clair, c'était presque le matin et on avait
encore des kilomètres à faire pour aller je ne sais plus où,
avec nos fusils, et sur la route il y avait des trous, des bosses,
ce con de Stuart évitait les trous et les bosses et s'était mis
à foncer comme un dingue et on entendait les broussailles
qui passaient sous la voiture dans des froissements, des
griffures, et puis la poussière qui envahissait tout et nous
étouffait, et nous comme des cons on riait, il riait ton
fameux – Eh, Stephen ! tu arrêtes avec Stuart, je sais
comment il est, je sais qu'il est prétentieux et vaniteux mais

je te rappelle que c'est ton ami avant d'être le mien – Oui, je sais, je me souviens ma chérie, pour toi Stuart n'est pas qu'un ami, pas seulement un ami (et là, n'y tenant plus, Maureen se relèvera de son bain et l'eau débordera de la baignoire et de la mousse blanche et des bulles irisées glisseront sur sa peau et disparaîtront sous les plis de la serviette éponge dans laquelle elle commencera à s'essuyer, fermant les yeux, les oreilles, se frottant déjà les cheveux pour ne pas entendre la voix de Stephen, sa haine refoulée qu'il crachera avec dépit et stupidité – elle n'aime pas quand Stephen est aussi médiocre et mesquin –, mais elle devra entendre et bien sûr elle entendra, croyant qu'elle ferait de son mieux pour ne pas retenir ce qu'il dira et pourtant elle ne pourra pas, les mots viendront pour la figer, l'interrompre, la glacer) – le bruit mat des deux gamins prenant le pare-choc de plein fouet et le plus jeune des deux s'écrasant contre le pare-brise avant d'être projeté quelques mètres plus loin – son sac d'école plus loin encore, une dizaine de mètres plus loin, dans les ronces, et le corps de l'enfant, le plus petit fracassé au loin alors que le plus âgé des deux était resté assez près de la voiture, gémissant d'une voix si faible, un filet de voix, une plainte presque douce, mais la voiture avait roulé encore avant de s'arrêter – et tu veux que je te dise ce qu'il a fait, Stuart ? Tu veux savoir – Tu te fous de ma gueule, Stephen ? Tu te fous de moi, ce n'est pas possible, ce n'est pas vrai, ton histoire, ce n'est pas vrai ? Mon Dieu, dis-moi que tu mens, que tu – Je me souviens des putains de phares et du moteur qui tourne et des taches de sang sur le pare-brise et de Stuart qui ne se démontait pas, qui a pris un jerrican de flotte pour laver les taches de sang sur le pare-brise et sur le pare-choc, et moi, je suis allé voir les gamins et le plus petit était déjà mort, mais le plus grand était sonné, il avait du sang dans la bouche et derrière la tête il y avait du sang, du sang, et je me souviens du moteur et moi je me suis penché pour le prendre dans mes bras, je voulais le prendre dans mes bras, Stuart m'a dit non, on se casse, on ne reste pas là – Quoi ? Stephen, qu'est-ce que tu me racontes ? Tu... as fait ça ? Tu – Je te raconte que moi je voulais qu'on prenne les deux gosses avec nous, même celui qui était mort et qu'on aille dans le premier village, mais Stuart a dit si on fait ça on va se faire lyncher, bordel, tu veux te faire lyncher et arriver dans un village et leur dire on a buté vos gosses, on vous les rend et on se barre ? Tu crois qu'ils vont nous laisser partir sans nous tailler en pièces ? Putain, réfléchis, Stephen, voilà, et – Et toi, toi tu l'as écouté ? Tu l'as écouté et vous avez fait quoi ? On a décidé, je sais, je sais Maureen, on a eu tort, on aurait jamais dû faire ça, on a – Putain, vous vous êtes barrés, vous vous êtes enfuis et vous êtes partis deux jours faire votre putain de safari et vous êtes allés faire vos conneries et vous n'avez rien dit à personne ? Tu me dis ça maintenant et tu crois quoi, Stephen ? Quoi ? Quoi, Stephen ? Que je vais dire quoi ?

On s'était dit qu'on dînerait dans l'un des restaurants du campement plutôt que sur l'une des terrasses, à cause du froid. Quand ils se retrouvent pour dîner, c'est Christina la première qui s'étonne de voir Stephen arriver seul, l'air souriant et dégagé comme si de rien n'était, comme si c'était parfaitement normal et habituel que Maureen ne soit pas avec lui. Alors, quand il se lance dans des explications, ou plutôt quand il se débarrasse des questions qu'on lui pose, il explique que Maureen est très fatiguée, elle n'a pas faim, elle a préféré se coucher. D'ailleurs, depuis quelques semaines – vous n'avez pas remarqué ? –, elle ne mange pas beaucoup. Elle a maigri de façon tout à fait anormale. Près de sept kilos en moins d'un an, c'est beaucoup, vous ne trouvez pas ? Maureen refuse d'en parler. Même pour quelqu'un qui fait beaucoup de sport, c'est beaucoup, sept kilos. Et puis, elle se réveille toutes les nuits en sueur, transpirant énormément à cause de tout ce stress lié au travail. Il y a les enfants aussi, bien sûr. Ils lui en font voir et, du coup, elle se réveille vers quatre heures et a toujours de grandes difficultés à retrouver le sommeil. Stephen se met à parler de tout ça avec une extraordinaire volubilité. Il compatit beaucoup mais parle des enfants comme s'ils étaient à peine les siens ; il a tellement à faire, même s'il est d'accord pour dire que les femmes ploient plus que les hommes sous les charges cumulées de la vie familiale et professionnelle. Il le regrette, il aimerait tellement que Maureen sache lâcher prise, même si le travail est important pour son épanouissement personnel. Il s'adresse à Jennifer et à Christina parce qu'elles connaissent ce genre de problèmes, qui sont aussi *leurs* problèmes, des problèmes de femmes, et parce qu'elles connaissent peut-être mieux Maureen que lui-même. Stuart et Mark l'écoutent distraitement, en buvant à petites gorgées une bière bien fraîche dont Stuart regarde l'étiquette avec son image du Kilimandjaro et, dans un médaillon, une tête de girafe –, puis, relevant la tête lorsqu'il écoute enfin plus attentivement, il sourit, oui, il est d'accord, mais il ne s'attarde pas et prend la parole pour ramener la conversation à des choses plus intéressantes.

– On se disait que cette journée a tout de même été folle en sensations et en émotions.

– Tu veux parler de ton exploit ?

– Non, Stephen. Je parlais des paysages, de la faune, de la flore, de ce monde merveilleux.

– Et de ces imbéciles de lions qui n'ont même pas essayé de te bouffer ?

– On n'est pas au bureau, Stephen.

Après que tout le monde a ri de l'échange des deux amis, on se met à table, on continue à boire et puis le repas est servi – un repas très peu épicé, à l'occidentale, personne n'ayant envie de risquer l'intoxication –, par une équipe de jeunes Noirs très beaux, aux corps parfaits – et tous n'ont d'ailleurs que ce mot à la bouche, *parfait*, tout est *parfait*, une journée dont on se souviendra très longtemps. On parle des projets des prochains jours, de la peur que la mousson éclate, le ciel est sombre et c'est peut-être la seule ombre à cette perfection, même si, explique Mark, l'imperfection est l'ultime touche à un monde parfait puisqu'il garantit cette once d'intranquillité et de surprise sans quoi nos vies seraient mortellement ennuyeuses. Stephen, lui, ne trouve pas que le lieu soit tellement parfait. Il avoue qu'il souffre *vraiment* à l'idée d'être déconnecté du monde, de ne pas avoir Internet, la télévision, pas même une radio, rien. On évoque l'idée que la Terre se soit vidée de ses habitants, et l'idée de rester seuls, oui, nous six, seuls avec les Massaï, les Africains qui nous servent et ceux qu'on a croisés – et soudain cette idée déplace quelque chose dans l'air, de désagréable.

Alors Christina reprend, elle parle des courbatures et de la violence des cahots sur les routes défoncées, ce bon vieux cliché du routard en Afrique, mais c'est une réalité, rien à faire. Et tous commentent les *hakuna matata*, ça va bien, tout va bien, comme les conducteurs l'ont répété en swahili à longueur de journée. Ceux-là n'ont pas parlé beaucoup après le morceau de bravoure de Stuart, à peine ont-ils fait des commentaires sur les flamants roses au bord du lac Manyara. À part Mark et Christina, et peut-être Jennifer, personne n'a la malhonnêteté de se faire croire qu'il s'intéresse *vraiment* à ces hommes qui vivent des touristes. Pourtant, ils ont parlé, ils ont été très utiles et, dans le genre, ils sont irréprochables. Tout le monde est d'accord là-dessus, même Stuart. Et pourtant, il avait bien fallu qu'ils parlent, non pas les trois hommes qui leur servaient de guide, mais au moins l'un des trois lorsque, en fin d'après-midi, le soleil disparaissant – ou plutôt, parce qu'il était devenu aussi rougeoyant et énorme que les soleils de cartes postales au crépuscule –, la photographie d'un soleil s'enfonçant loin en arrière plan, comme aspiré, fondant dans le ventre de la terre et inondant le ciel de ce halo rosé et violacé qui se fracasse contre les ombres chinoises des arbres de la savane, avec leur forme si caractéristique de parasol, ces plaines qui s'étendent à l'infini et l'herbe brûlée, avaient surgi, comme des spectres effilés dans un décor de science-fiction – un monde revenu à l'état sauvage –, deux silhouettes qui avaient marché au-devant des voyageurs.

Les deux silhouettes s'étaient approchées lentement ; on avait pris les jumelles, les téléobjectifs, et on avait vu les deux jeunes Noirs vêtus dans de larges tissus marronnasses, sans forme réelle, des tissus recouvrant leur corps des épaules aux genoux, mais laissant les bras nus. Les visages, lorsque, enfin, on avait pu les discerner nettement, étaient apparus et c'était en effet comme des apparitions – triangles, traits, formes blanches tracées sur le visage dont la peau disparaissait derrière cette pâleur fabriquée. Ces jeunes visages, qu'on avait fini par voir derrière la blancheur des peintures, s'étaient approchés, à la fois souriants et très sérieux, pas impressionnés du tout de trouver des hommes et des femmes, blancs de la pâleur des Blancs et non comme eux l'étaient par la peinture et les dessins. Et c'est eux alors qui avaient été surpris de cette absence d'étonnement de la part des deux jeunes Noirs, comme si, pour que le tableau soit parfait, il eût fallu y ajouter cette stupéfaction, cette sidération sans quoi il n'y a pas de rencontre possible entre deux mondes si différents, des mondes que tout oppose. Mais c'est que Stuart et ses amis n'avaient pas pensé que, pour les Massaï d'aujourd'hui, les touristes, les Blancs, les Land Cruiser et les téléobjectifs font partie du monde comme des objets dont on s'accommode, puisqu'on sait que plus jamais on ne vivra sans leur regard braqué sur nous. L'un des trois hommes, l'un des guides – celui qui conduisait le Land Cruiser de Christina et Mark – avait expliqué que les jeunes hommes, dès qu'ils ont une quinzaine d'années, sont envoyés loin du village pour qu'ils apprennent la prodigalité et la modestie afin d'affronter et d'appréhender la vie.

Et à reparler de ça maintenant, Stuart en étoufferait presque de rire tant il trouve étrange et dérisoire les soucis qu'on peut avoir ici, en Afrique, de préserver un monde qui n'existe que dans la mémoire d'un peuple qui survit grâce à la condescendance bienveillante et scientifique, et pour tout dire *patrimoniale*, du reste de l'humanité. On parle de ces Africains qu'on avait voulu photographier au

212

Kenya et qui malheureusement portaient des vieilles Nike à leurs pieds, de comment on avait voulu qu'ils s'en séparent le temps de la photo pour faire plus typique et authentique ; on se met à rire en évoquant l'incompréhension de cet Africain qui ne comprend pas pourquoi on veut qu'il retire ses baskets, puisqu'il les porte depuis des années. On rit du ridicule de la situation, on se met à parler des gens qu'on a rencontrés, de cette générosité affolante qu'ont les Africains, leur curiosité à votre égard, ils sont si différents et pourtant si proches – sans se douter que de leur côté ils commenteront vos allures, vos mots, vos gestes, votre attitude si pittoresque, se disant peut-être entre eux, le soir, alors que les enfants seront couchés et qu'on servira le repas des adultes, *ils sont si différents et étranges*. Et peut-être qu'ils parleront de la pâleur extrême des hommes venus d'ailleurs, de leur pâleur, mais aussi de ces hommes noirs de peau et dont le cœur est blanc, dont les habitudes et les mœurs sont ceux des Blancs – et c'est aussi pour ça que Peter n'a jamais aimé les voyages en Afrique.

Parce que c'était toujours à lui qu'on avait demandé des renseignements lorsqu'il y était venu, une ou deux fois, il y a longtemps, sous prétexte qu'il est Noir – lui qui ne connaît rien à l'Afrique et ne veut rien en savoir. De toute façon, il n'a pas l'intention d'y revenir et le seul lion qu'il veut voir, c'est celui qui sert de rampe à l'escalier de l'hôtel Plaza de la via del Corso, à Rome. Voir d'autres fauves, des animaux sauvages, oui, il veut bien, pourvu qu'ils soient taillés dans le marbre, dans la pierre, qu'ils ornent des façades ou trônent sur des places, en haut d'escaliers imposants, qu'ils soient peints, gravés, dessinés, sculptés, animaux de la savane ou créatures imaginaires et fantasmagoriques qu'on peut trouver dans les *palazzi* et les églises, comme il en a des tonnes en photo, des animaux qui lui démontrent que depuis toujours Rome la catholique est secrètement païenne, animale et sauvage.

En sortant de l'avion, Fancy avait proposé de prendre un taxi, mais il avait refusé. Ils étaient partis avec les bagages à travers l'aéroport de Fiumicino, avaient fait la queue à un comptoir et pris des billets avant de s'agglutiner à une foule compacte sur le quai numéro deux, pour attendre le *Leonardo Express*. Elle l'avait regardé s'acharner, s'essouffler, souffrir presque à vouloir porter seul leurs valises, et tout de suite elle avait bondi pour l'aider – ignorant combien elle est blessante en agissant si rapidement, tant son corps est souple, rapide, sans rien qui l'entrave – et certainement sans l'âge auquel elle vient de le renvoyer. Il va donner le change, se frotter les mains et s'asseoir en face ou à côté d'elle, lui caresser le genou malgré la toile un peu rêche du pantalon, lui sourire, sortir le plan de Rome et ne plus dire Rome à partir de ce moment-là, mais seulement *Roma*. Histoire de détourner l'attention sur autre chose que ce qu'elle a vu en lui, il le sait, la fatigue de son corps, la vieillesse.

Pourtant elle ne se souvient pas s'il lui avait paru vieux ou non quand ils s'étaient rencontrés, beau ou pas lorsque Owen le lui avait présenté un vendredi soir, dans le salon du grand appartement d'Islington. Ce soir-là, Peter avait fait la connaissance de Fancy et, contrairement à tout ce qu'il aurait fait habituellement – refuser le verre qu'on lui propose, dédaigner d'embrasser son fils, de le regarder plus de trente secondes autrement que comme un obstacle entre lui et l'objectif à atteindre, son bureau, ses notes, ses livres –, il avait fait ce que depuis il n'aura pas cessé de faire : le contraire de ce qu'il aurait dû.

D'abord, il s'était arrêté pour demander à Owen comment il allait, s'ils avaient besoin de quelque chose et, comme il faisait froid, c'était lui-même qui avait attisé le feu dans la grande cheminée du salon. Il avait fait un commentaire sur le disque de pop qui faisait dodeliner Fancy, Owen avait demandé à son père s'il voulait un whisky ou autre chose, une bière, avant de repartir. Il avait accepté. Il s'était attardé, avait proposé de faire des cocktails avant de se résoudre à n'en faire aucun et prendre, comme eux, un whisky sans glace. Il avait laissé courir son regard sur la petite amie de son fils, d'un œil ne fixant rien de précis, ne cherchant pas, son œil accrochant seulement des détails – un vêtement, une pose, un geste, une mèche, une façon de s'asseoir. Il était resté sans trop savoir pourquoi, son œil avait flotté autour de Fancy et de son écharpe safran, de ses bracelets nacrés et du rose légèrement irisé de son rouge à lèvres. Elle ne vernissait pas ses ongles et il s'était dit – encore sûr de lui et légèrement condescendant – *pas étonnant, la petite amie de mon fils n'est pas vraiment une femme.*

Ce dont Fancy se souviendra, c'est comment, tout en ne la regardant pas, ou seulement par à-coups, baissant la tête comme si croiser son visage de jeune femme typiquement anglaise avec sa pâleur, ses yeux clairs, était une impolitesse, il avait passé son temps à marcher autour d'elle lentement, son verre à la main, dessinant autour de son corps une sorte de spirale dont elle était le centre vers lequel il convergeait puis s'arrêtait, revenait en arrière comme pour remonter le temps ou lutter contre une attirance déjà trop forte, contre laquelle sa bonne volonté ne pouvait rien. Il n'avait rien trouvé d'autre à faire que regarder le fond de son verre, en claquant la langue pour marquer la satisfaction du connaisseur. Il avait pris un cigare, le coupe-cigare dans sa poche, le briquet. Mais le temps d'allumer un cigare ne change rien, il avait fallu un premier échange avec elle – *ça ne vous gêne pas si je fume ?*

Elle n'avait rien trouvé d'anormal à ce qu'un père s'arrête boire un verre avec son fils un vendredi en début de soirée, avant de lui laisser l'appartement familial ; elle trouvait ça même plutôt bien, espérant que ça ne durerait pas trop longtemps, que le père ne se taperait pas l'incruste et en finirait vite des politesses et des échanges du type, alors, Owen ? Ça fait longtemps qu'on n'a pas pris le temps de parler tous les deux. Toujours Greenpeace ? Ta mère m'a dit que tu voulais retourner en Afrique ? Ce sera la huitième fois déjà, tu n'en as pas marre de l'Afrique ? Non, papa, je n'en ai pas marre de l'Afrique. C'est quand même là d'où l'on vient, non ? Fancy avait surpris l'agacement du père à ce moment-là, comme quelque chose de méprisant peut-être, comme l'un de ces sujets rebattus qu'un père et un fils savent éviter s'ils ne veulent pas retomber dans ce qui les sépare. Elle les avait regardés dériver sur un sujet plus facile et consensuel a priori, Coreen, la petite sœur qui donnait l'impression d'être l'aînée car chez elle il n'y avait pas de joints à fumer mais des séances de fitness programmées à l'avance, et qui parlait d'Afrique non pas à cause de sa grand-mère africaine mais seulement parce que le *trekking* est une chose extraordinaire. Peter avait appris qu'elle voulait quitter la fac et devenir grand reporter ou photographe. Il avait entendu : *foutre sa vie en l'air.* Ma fille veut foutre sa vie en l'air et mon fils me dit ça comme si elle voulait juste changer de robe ou faire un petit voyage de quelques jours. Il avait été outré, mais pas surpris. Qu'est-ce qu'il a fait pour que ses enfants se démènent pour faire le contraire de ce qu'il avait voulu pour eux ? Owen s'était entiché de cette Afrique maudite et sale, le cauchemar de ma mère et mon cauchemar à moi aussi, avait pensé Peter. Mon fils s'est entiché de ce que je n'aime pas et de ces cons d'humanitaires qui vous attendent en bas de chez vous à quatre ou cinq dans des imperméables ou des blousons orange ou bleu électrique, très voyants, pour vous faire signer des pétitions ou vous réclamer une adhésion de soutien. Et sa fille, maintenant, prête à se faire trouer la peau pour une photo qu'on survole d'un œil distrait le matin en buvant son thé avant d'aller travailler et de l'oublier dans la foulée.

Dès ce premier soir, quand ils s'étaient retrouvés seuls, Fancy avait voulu parler à Owen de son père, lui dire qu'il n'avait pas l'air si *affreux*. Et Owen de lui répondre, oui, il est très classe, c'est un vieux séducteur. Il avait dit ça en se resservant un whisky, faisant semblant de ne pas entendre qu'elle s'était levée et approchée de lui. Elle avait dit, tu es injuste, non ? Et il avait relevé la tête de son verre, avait souri d'un sourire amer et désolé, franchement, tu ne le connais pas. Elle l'avait regardé, assis dans le profond fauteuil en cuir noir dans lequel il avait l'air minuscule, et elle s'était entendue lui faire un reproche, le premier, tu parles de ton père comme si c'était un mec que tu ne connaissais pas, comme si tu ne voulais pas le connaître, comme si tu le méprisais. Il l'avait laissée dire, s'était relevé pour prendre son tabac et son herbe dans la poche avant de son sac en toile kaki, avec ses badges et ses slogans, *PEACE, NO WAR,* puis s'était installé pour rouler un pétard sans rien répondre encore, la laissant en attente d'une réponse qui ne viendrait pas. Pour la première fois en trois mois, Fancy avait trouvé Owen un peu idiot et borné, presque prétentieux. Elle avait regardé les grandes mains élégantes et vives rouler le joint, avait trouvé belles les longues veines et leur sinuosité sous la peau, la couleur de cette peau qui n'était pas noire, un brun très clair, plus clair que celui de son père.

Ce père qui n'aurait pas imaginé, pendant qu'il roulait vers sa maison de campagne, qu'une jeune femme était déjà en train de le défendre contre son fils lorsque celui-ci avait affirmé, mon père est un putain de Noir qui méprise tous les Noirs, rien n'existe pour lui à part ses cigares toscans et ses connards de clients.

Et maintenant, en entrant dans le hall du grand hôtel de la via del Corso, Fancy découvre ce qu'elle savait sans se résoudre à y croire : un homme peut jeter son argent par les fenêtres pour elle. Fancy retient son souffle et enfin elle accepte d'être loin de Londres, de chez elle, elle s'abandonne à la magnificence des films en costume qu'elle croyait impossible dans la vraie vie et elle voit s'ouvrir, s'épanouir devant elle, sous ses yeux, jusqu'à la chambre, comme un monde de cinéma dont elle serait soudain devenue l'héroïne. Elle ne veut montrer que sa joie et non pas ce vertige contre lequel elle se débat, elle qui se sent soudain si minuscule, réduite à presque rien parce qu'à côté d'elle il y a cet homme qui pourrait être son père s'il n'était pas noir – mais il n'est pas son père et il est son amant, alors elle se laisse porter au pays des merveilles et des songes éveillés – oui, quelques jours d'un bleu léger et liquide comme la pureté de l'air, ce luxe facile et cette beauté devant elle, le lion de pierre, l'immense rampe sculptée dans le grand escalier et le détail de cette opulence, le silence moelleux d'une moquette épaisse d'un rouge profond, des fioritures vertes et or, les lustres, les bois, les cuivres et l'attention prêtée à toute chose – cette vue sur la Trinité-des-Monts, les terrasses, les fleurs, des lis, des arums, mais aussi, lorsque la porte se referme sur eux, lorsque, enfin, ils sont seuls, n'ayant qu'à ouvrir les valises, se doucher, se changer, se reposer peut-être avant de partir chercher cette Rome impossible parmi les rues et les passants, faire l'amour comme lui aime le faire, douce-ment, lentement, puis soudain avec quelque chose de brutal et d'absent, de si profondément absorbé qu'une fois encore elle s'en étonnera et se sentira seule – mais avec cet étrange bonheur de le voir revenir ensuite et de sourire, comme en remerciement pour ce privilège qu'elle lui donne à chaque fois de pouvoir s'oublier complètement, en toute confiance, comme si c'était le but de toute sa vie.

Ce qui est peut-être le cas. Parce qu'elle sait combien il prend à cœur ce qu'il entreprend et qu'il ne s'oublie jamais tout à fait. Elle le sait depuis le jour où elle l'avait vu, à sa manière de venir prendre ses notes dans son bureau, à la façon qu'il avait eu de vouloir prendre le temps de parler à son fils. Elle l'avait vu sourire *sérieusement*, se détendre, partager un whisky avec concentration. Elle sait que Rome, ce sera ça aussi. Qu'il aura déjà en tête les horaires, les adresses, qu'il aura planifié tout ce qui est incontournable et ce qui pourra attendre. Il y aura ce qu'il voudra revoir, mais, surtout, ce qu'elle ne devra manquer sous aucun prétexte. Elle sait tout ça et, contrairement au dégoût qu'Owen avait voulu lui faire partager, elle aime cette dose d'autorité et de volontarisme – et ça, ce jour où ils avaient décidé de solder les derniers comptes, elle n'avait pas eu la cruauté de le dire à Owen. Lui, il voulait juste qu'elle sache qui était l'homme pour lequel elle avait renoncé à lui. Fancy avait eu beau relever les yeux et ne plus regarder Owen, mais, derrière son épaule, à travers la vitrine du Starbucks, dans la rue, le mouvement des manteaux marron et noirs qui allaient et venaient, le ballet des parapluies et les pas pressés de ceux qui n'avaient rien pour les protéger de l'averse, des morceaux éclatés de néons rouges et verts, des bouts de nuages ardoise et minéraux réapparaissant dans les vitres des immeubles de l'autre côté, elle avait eu beau compter les gens dans les bus et reprendre encore sa respiration –, il avait fallu tout entendre. Oui, son père avait été indifférent pendant toute son enfance. Oui, son père avait été écrasant et méprisant. Oui, incapable d'amour. Oui, il s'était servi d'une vague réconciliation pour approcher Fancy. Oui, il avait menti d'abord à ce fils que, pendant des semaines, il prétendait avoir besoin de retrouver, de comprendre car les années passent si vite et bla-bla-bla. Et elle, qui avait essayé de lui dire que c'était faux, que Peter était sincère avec son fils, que ça n'avait rien à voir, que Peter n'avait pas voulu lui faire de mal – mais Owen l'avait menacée de partir si

220

elle continuait à lui raconter des trucs pareils. Il avait fallu qu'elle entende sa voix morte d'humiliation, sa voix triste et haineuse, soulevée par le dégoût lorsqu'il avait demandé à Fancy, comment une fille comme toi peut tomber amoureuse d'un mec aussi cynique ? Comment j'ai pu me tromper à ce point sur toi, Fancy ? Est-ce que c'est possible ? Un mec qui a renié ses origines en prétendant qu'il était fier de son père, parce que mon grand-père avait eu le courage, dans un temps où c'était impossible, d'épouser une Africaine, une Noire, une catholique, affirmant être fier que son père aie bravé le conservatisme de l'Angleterre quand en réalité il était seulement soulagé d'avoir un père blanc et anglais, c'est tout, d'être lui-même presque blanc, même s'il est métis, même si sa peau est noire il est métis et être anglais n'est pas suffisant, il faut être blanc, c'est pour ça qu'il a épousé une blanche, pour ça qu'il drague une fille blanche comme toi – Et toi ? Toi ? avait répondu Fancy. Tu ne me draguais pas parce que j'étais blanche ? Il était resté un moment sans répondre, bouche bée. Puis il avait repris. Quand ça a commencé ? *Non.* Est-ce que ça a duré longtemps ? *Je ne répondrais pas.* Ça a duré longtemps, ce jeu ? *Ce n'était pas un jeu.* Tu as compris quand ? Ça s'est fait quand ? Ça s'est fait où ?

Tu ne sauras rien.

Dès qu'ils ressortent de l'hôtel et qu'elle enlace son avant-bras, Fancy se contente de sourire pour lui dire que cette fois ils y sont vraiment. Peter a tellement attendu, il a espéré ce voyage avec une telle impatience. Elle le revoit, si ému de tenir dans la main les deux papiers cartonnés blanc et vert bouteille qu'il avait agités devant elle en lui murmurant des mots d'amour prononcés à voix si basse qu'elle n'en avait rien entendu, mais dont elle avait retenu l'émotion et la vibration, indéfinissables et pourtant si palpables. Elle lui avait dit de se détendre, ce n'est pas grave, c'est bien, c'est heureux, pourquoi se crisper et être tendu, c'est *cool*, non ? Et il avait fini par rire en disant, oui, c'est *cool*, avec ce que le mot avait de faux dans sa bouche, d'aussi déplacé que s'il avait passé un tee-shirt de son fils. Mais il était ému parce que cette fois ils pourraient marcher dans la rue en se sentant *libérés*, et pas comme à Londres où chacun de leur pas résonnait avec la peur de tomber sur Owen ou sur Coreen au coin de Regent Street ou d'ailleurs, sur un ancien patient pour lui ou une ancienne aventure pour elle, un ami, n'importe qui, la peur de se retrouver nez à nez avec un voisin ou bien d'entendre la voix d'une vieille connaissance qui, de l'autre côté de la rue, hurlerait, Peter ? Peter Mulligan ? ! Mais, ici, ils n'ont personne à rencontrer de ceux qui pourraient les renvoyer à leur passé ou qui pourraient jeter un regard condescendant sur ce monsieur qui se promène au bras d'une femme de vingt-huit ans sa cadette. Certains le feront peut-être, sans doute, dans les rues de la très catholique cité romaine, mais peu importe, ceux-là ne sont rien, des envieux – et des envieux il y en aura forcément, lui avait-il dit, de voir qu'un vieux négro comme moi se paie le luxe de sortir avec une jeune femme comme toi ! Il avait dit ça en riant, déchirant et roulant entre les doigts la bague du cigare qu'il allait finir dans quelques minutes, cette bague couleur de chocolat avec ces lettres blanches où elle avait pu lire le nom de *Toscano*.

Mais, maintenant, tout ça n'importe pas. Sans hésitation, il sait où ils vont aller. Très vite ils tournent sur la gauche pour remonter vers la piazza di Spagna, dont il espère trouver les fameuses marches recouvertes de fleurs rouges ou fuchsia, comme il avait vu une fois à Pâques. Non, il n'y a pas de fleurs. Mais tout est là. Les lampadaires avec leur pied en forme de feuille d'acanthe, la musique d'ascenseur d'une terrasse de restaurant un peu plus haut sur la gauche, les vieilles touristes avec leur visière en plastique rouge plantée dans des cheveux permanentés et teints, le regard accompagnant un doigt hésitant sur les cartes de la ville, les sacs à dos sur les épaules, les couples assis sur les marches et les vendeurs à la sauvette qui ont troqué leurs parapluies contre des roses qu'ils font semblant de donner pour réclamer l'aumône après et, plus haut, la Trinité-des-Monts. Mais d'abord, il y a bien sûr la blancheur des marches – cette pierre d'un blanc virant au gris, tavelée, piquée de noir et de chewing-gum, avec ces aspérités, dont il garde longtemps le nom sur le bout de la langue – voilà, il s'en souvient, le travertin. Mais comment il l'avait su, ce nom ? Il cherche quelques secondes, peut-être que c'était son père qui le lui avait appris lors de ces fameuses visites qu'il faisait avec ses parents et son frère ? Peut-être, oui. Il revoit bien les sandales de cuir à la semelle trop fine qui lui faisait mal sous la plante des pieds, et la boucle en forme de bouton de fleur au ton groseille du sac à main de sa mère ; il revoit les pantalons de lin couleur brique et les cravates de soie jaune de son père, le chapeau de paille qu'il gardait à la main et dont il ne se servait que d'éventail. Il se revoit aussi arpentant cette ville que chaque année de son enfance ils avaient retrouvée, son frère et lui, avec leur même veste et short en velours côtelé d'un vert gazon qui avait viré à l'olive élimé en fin de vie, sous le regard de sa

223

mère avant tout, parce que c'était elle, d'abord, qui voulait faire un pèlerinage ici.

Peter sent le bras de Fancy contre le sien, l'odeur de la peau de Fancy et la forme de son bras, le tissu gris perle du chemisier et ce parfum qu'un jour ils étaient allés choisir ensemble chez Harrod's, pour son anniversaire – oui, un parfum de femme qui avait mis le feu aux poudres. Cette odeur de citron et de jasmin, ces notes de fond d'iris et d'encens, cette sensualité, cette volupté qu'ils avaient aimées tous les deux et dans lesquelles chacun avait voulu reconnaître *leur* parfum. C'est elle qui le porterait, bien sûr, mais c'est eux deux qui en jouiraient, eux deux pour qui le slogan que la vendeuse avait répété sur un ton qui se voulait complice deviendrait la vérité : « *Porter Shalimar, c'est laisser ses sens prendre le pouvoir.* »

Et là, maintenant, il serait heureux que tout s'arrête comme ça. Ou plutôt que tout continue dans ce précaire équilibre grâce auquel lui, Peter Mulligan, se balance entre présent et passé sans que ni l'un ni l'autre s'excluent ni se repoussent, comme des forces antagonistes, mais, au contraire, s'épousent dans un mouvement doux comme le bonheur – ce qui s'en approche tellement qu'il se confondrait presque avec lui. Oui, qu'on se contente de marcher pendant des heures à travers la foule, qu'on se laisse absorber par quelques rires qui s'envolent au-dessus d'un groupe de retraités et même par les shorts et les jambes disgracieuses et rosées de quelques Américaines en goguette, par cette petite Japonaise dont la longue et épaisse chevelure noire couvre les épaules couleur cerise de sa robe à volants. Et que tout soit de ce bonheur, même ce qui n'est rien, les bouteilles d'eau glacée qui émergent des sacs à dos, les poubelles dégoulinantes de journaux et d'emballages de bonbons, tout, il veut tout et il est heureux de voir ces vieux messieurs si soigneusement vêtus, les cheveux gominés – oui, impeccables, on reconnaît les Italiens partout dans le monde, dit Peter à Fancy, un peu comme les Anglais, différemment bien sûr et, tiens, si on a le temps, j'irai chez un tailleur et je me ferai faire un costume. Fancy se dit que peut-être il pense à toutes les fois où il est venu depuis son enfance avec ses parents, mais aussi lui-même comme parent, avec sa femme. Que Peter ait pu venir avec sa femme et ses enfants, quoi de plus naturel, puisqu'il aime Rome depuis toujours et que Rome, c'est son histoire à lui ? Et aujourd'hui, quel bonheur pour Fancy et Peter de marcher dans cette lumière, à travers cette foule qui n'est pas encore compacte, les taxis blancs qui roulent au pas, les gens qui s'arrêtent pour qu'un homme puisse prendre sa femme en photo, son sourire pour les remercier, Peter qui tient dans sa main celle de Fancy et décide d'avancer, de marcher plus vite. Ils ont tellement de choses à voir, à faire, il a tellement à partager avec elle qu'il se dit déjà que le voyage sera trop court. Comment pourrait-on épuiser Rome en cinq jours ? Il le sait depuis qu'on avait fixé les dates et pris les billets, cinq jours, ça ne sert à rien qu'à exciter le désir de revenir. Car on reviendra, il le sait. Rome, on y vient même un peu pour désirer ce retour, organiser la nostalgie qu'on aura bientôt et qui pointe son nez avant d'être reparti.

Ils se sont arrêtés pour manger une glace. Peter a fait son petit discours sur Marco Polo rapportant les sorbets et la glace de ses lointains périples. Fancy l'a écouté en laissant ses yeux choisir pour elle sa *gelato, fiore di latte, stracciatella, sabaione* ; les noms les font saliver, à tel point que Peter est incapable d'arrêter un choix devant les couleurs aux matières si crémeuses ; il en rêve depuis si longtemps, lui qui pourtant ne mange jamais de dessert, fait attention à sa ligne et s'interdit les sucreries et l'excès d'alcool – mais ici, non, ce n'est pas pareil, et encore moins avec Fancy. Tout à l'heure, il aimera la regarder se pencher vers sa glace au citron et tendre la langue pour la laisser glisser sur la crème, mais, maintenant, il attend au milieu de ces touristes qui viennent eux aussi se régaler d'un plaisir typiquement italien – et les couleurs folles, les noms insensés, les parfums de ce plaisir, pistache, menthe, abricot, pêche, myrtille, figue, kiwi, banane, noix de coco, melon et vanille, fraise, l'éternel chocolat et donc le citron, que Fancy avait choisi. Et puis il faut sortir quelques euros – il se souvient qu'on paie d'abord au comptoir, c'est encore comme dans son enfance, même si ce n'est plus avec les liasses des lires qu'il aimait tant et dont il avait gardé des rouleaux entiers et quelques pièces dans une boîte en verre. Mais il n'a pas le temps du regret, il est dans le présent et le présent s'occupe de lui et de Fancy avec une vitesse qui leur donne le vertige. On marche dans la rue en mangeant sa glace et tant pis s'il faut faire vite avant de la voir fondre et couler sur les doigts. Fancy cherche à essuyer sa bouche avec la serviette en papier qu'on lui a donnée ; elle rit de voir Peter se lécher les lèvres sans se cacher, lui d'habitude si discret quand il mange. Il voit qu'elle le regarde en riant, alors à son tour il rit ; elle voudrait se laver les mains et sort de son sac une petite bouteille d'eau qu'elle verse sur ses doigts. Tu sais ce qu'on va voir maintenant ? Oui, je sais, viens. Ils avancent et traversent bientôt ce nuage de bulles de savon qu'un Pakistanais projette sur le trottoir avec un pistolet en plastique, dans un bruit de sirène de voiture de police américaine. Dans la rue, les bulles éclatent et montent au ciel sous le bruit des sabots d'une calèche et ces touristes ravis, le cheval trotte au milieu de la circulation. On marche vite en levant la tête pour voir les façades. On voit à peine, sur le trottoir, le spectacle des statues improvisées par des hommes en blanc et le visage grimé, en blanc lui aussi, une statue de plâtre qui attend les passants ; on croise des garçons en jean et tee-shirt devant les H&M et Zara de la via del Corso, ou d'autres magasins encore, des marques qui s'étendent dans les artères les plus commerçantes de toutes les villes qu'ils connaissent, mais ni Peter ni Fancy n'apprécient ce genre de centre commercial à ciel ouvert. Peter est de trop bonne humeur pour s'en vexer, même si, tout de même, il lui semble que Rome n'avait pas encore sombré dans la vulgarité de cette époque que décidément il ne comprend pas. Il remarque que les *ragazzi* s'épilent les sourcils, avec le gel sur leurs cheveux très noirs – est-ce qu'ils se teignent les cheveux ? Peter les voit et n'aime pas cet air efféminé que leur donne cette manie de s'épiler. Il en voit trop pour que ce soit la lubie de quelques-uns, non, c'est la mode d'aujourd'hui, se dit-il, pensant : pourvu que Londres soit protégé de ça longtemps. Il pourrait s'avouer choqué s'il venait à Fancy l'idée de le lui faire remarquer, mais elle ne dit rien. Peut-être que ça ne choque que les hommes de sa génération ? Et les vêtements qu'ils portent, les sweat-shirts, les jeans savamment lacérés sur les cuisses ; il voudrait croire que les jeunes s'habilleront comme leurs aînés chez des tailleurs et qu'ils porteront toujours les chaussures de cuir qui sont la griffe italienne, l'art des Italiens, cette qualité que lui vient chercher ici et qui se dilue dans sa mémoire comme

227

dans la rue elle semble s'être évanouie. Mais non. Ce n'est rien. C'est le quartier qui veut ça. Ce quartier de touristes et de gens vulgaires ou grossiers comme il y en a partout dans les villes, mêmes les plus chic, les plus élégantes. C'est comme ça et c'est à lui-même qu'il voudrait reprocher d'avoir fantasmé une Italie qui n'existe peut-être que dans son imaginaire et dans cette mémoire trafiquée par les souvenirs, par le temps, par son besoin aussi de créer un monde conforme à ses désirs. Il ne veut pas savoir de quoi le monde est fait aujourd'hui, il veut garder Rome comme *sa* ville éternelle, se dire que ce n'est pas qu'un nom ni une ville fantôme ou seulement un magnifique musée de splendeurs passées, entassées, empilées comme des pâtisseries dans une vitrine. Il voudrait croire que tout peut durer encore ou que, même finissante, cette éternité sache vibrer dans l'air et résonner dans le cœur de Fancy. Peter ne veut pas s'avouer ce qu'il pense, ce à quoi il s'accroche, l'idée que quelque chose, quelque part, puisse durer et affronter le temps sans trembler ; alors il saisit la main de Fancy pour accélérer le pas – on entend un enfant qui tousse, un air de reggae et l'air froid de la climatisation d'une boutique de vêtements, des klaxons, des freins aux feux rouges et, sur le trottoir, cette fille assise sur une couverture miteuse et qui se concentre sur ces feuilles de bambou avec lesquelles elle fabrique pour deux euros un chien ou un chat, des oiseaux, des fleurs – ce que vous voulez je le fais, semblent dire ses doigts et l'attention prolongée qu'elle y met. Fancy pose un regard sur elle avant de disparaître parmi les couleurs des vêtements et les visages de tous ceux-là qui, hier ou demain, sont allés ou iront au musée du Vatican chercher dans la chapelle Sixtine une image de Dieu que tout le monde croit connaître.

Mais le soir même, tout ce qui lui a déplu disparaît dans les vapeurs de la bouteille de Barolo qu'ils ont bue. Il ne reste à Peter que l'émerveillement de cette première journée parce que, avant de s'endormir, ils parlent de ce qu'ils ont vu et plus rien ne reste que la beauté et le sentiment d'un monde fait pour eux. Fancy regarde Peter comme si tout ce qu'elle a vu lui avait été offert par cet homme-là, comme lui appartenant, à lui seul, tout Rome pour elle, comme on peut s'offrir pour presque rien, sur les étals des vendeurs de souvenirs, le Colisée, le Panthéon, la Fontaine de Trevi et la *bocca della verita* et tous les fac-similés horribles et ridicules des statues de la piazza Navona.

Et maintenant qu'elle le regarde dormir dans la lumière violette de la nuit, elle approche de son visage, très près de lui, pour l'embrasser. Mais sa bouche n'ose pas toucher la joue de Peter. Alors elle reste quelques secondes très près de ses lèvres ; elle aime ce temps suspendu et ce bonheur qu'elle a de pouvoir regarder l'homme qui dort, là, si près, et dont elle cherchait le visage, se dit-elle, jusqu'à croire l'avoir trouvé dans celui d'un autre. Parce qu'elle se souvient maintenant de cette nuit où c'était Owen qu'elle avait regardé dormir et où, pour la première fois, l'idée monstrueuse lui avait traversé l'esprit avec la violence d'un coup de hache : c'était le visage de Peter qu'elle aimait dans celui d'Owen. Elle se souvient de comment elle avait voulu fuir cette idée, comment cette idée s'était faite de plus en plus forte au fur et à mesure qu'elle avait tenté de lui échapper. Quelque chose s'était consolidé, cette monstruosité avait survécu et grandi dans le silence, proliférant comme les feuilles et les branches sur les bras laiteux et tendres de

229

Daphné – Tu vois, dans ce marbre, cette blancheur, on dirait que la lumière vient du marbre, que le marbre devient chaleur, devient vie, que les rainures sont des veines et qu'à son tour le sang devient sève, que la chair devient bois et la course, la pétrification, le désir et la mort sont là, comme la stupidité et l'échec d'Apollon parce que Daphné veut le fuir et que pour ça elle se transforme en laurier. Et même si Peter n'était pas Apollon, Fancy avait pensé qu'elle aussi avait tout fait pour le fuir. Quand, dans le silence du musée Borghèse, elle avait fait le tour de la grande statue du Bernin, elle avait pu voir, de dos, comment déjà Daphné disparaissait sous les feuilles et les branchages d'un laurier monstrueux, comment, en prétendant la camoufler, la nature ne faisait que révéler la violence et l'inextricable désordre du désir. Fancy avait pensé qu'on ne peut rien, parfois, et que le bonheur c'est de s'abandonner à l'interdit qui le fait naître. Ce bonheur qu'elle avait refusé jusqu'à ce qu'elle s'y abandonne complètement, ne le craignant plus, dès ce jour où Owen avait tout compris. Pourtant, elle avait eu peur avant, de ce jour et de celui où elle céderait à Peter. Et pourtant, le courage lui était venu si facilement que rien, pas même les menaces, pas même une vague pitié honteuse, scabreuse, n'avaient pu lui faire faire marche arrière.

Pourquoi Owen était-il venu ce mardi, pourquoi en cette fin d'après-midi, à l'appartement d'Islington ? Il ne s'en souviendrait pas, ni Coreen ni leur mère non plus.

Lorsqu'il était arrivé, Owen avait traversé le rez-de-chaussée de l'appartement, passant d'un couloir à l'autre, du salon à la cuisine, ne trouvant personne, appelant sans vouloir crier mais étonné que sa mère ne réponde pas, ni elle ni sa sœur, dont il avait vu le manteau de laine bleu et le parapluie rouge dans l'entrée. Il avait monté l'escalier, avait longé les murs sans jeter un œil aux gravures et aux lithographies des artistes pseudo-baconiens qu'adoraient ses parents – le bureau de son père, sa chambre à lui et celle de sa sœur, la bibliothèque familiale et, enfin, la chambre des parents jouxtant une salle de bains jaune mimosa, au bout du couloir. C'est là qu'il les avait trouvées. Silencieuses, muettes, atterrées l'une et l'autre. La porte était entrebâillée, il avait frappé deux coups très discrets, puis avait poussé la porte. Il était resté dans l'encadrement et avait attendu qu'on lui parle. Mais rien. Rien que la pluie et la gouttière de zinc dans la cour intérieure, de l'autre côté des chambres. Rien que le tic-tac d'une pendule – celle du salon, en bas ? Celle d'une des chambres ? De la bibliothèque ? Et puis sa sœur assise sur le rebord de la baignoire, sa mère face à elle sur un tabouret. Il est embarrassé, il a peur de les déranger et il dit, je peux attendre en bas. Mais sa mère dit non, ça te concerne aussi. Quoi ? Qu'est-ce qui me concerne ? Ton père. Quoi, mon père ? Et puis le silence. Et puis le rire de sa sœur, plus embarrassé encore que sa présence à lui. Et puis les larmes de la mère et l'impossibilité qu'elle a de se livrer à ses enfants. Elle veut les préserver sans voir qu'aujourd'hui ils sont adultes, sans voir qu'en les préservant de sa douleur elle leur rend la tâche plus difficile. Et alors Owen veut dire que tout ça n'est peut-être pas si grave. C'est humiliant, dit sa sœur. Mais ce n'est pas la première fois, répond-il. Pas comme ça, assène la mère. Ça passera, dit-il. Non. Pourquoi non ? Cette fois non. Elle est jeune. Je suis sûre qu'elle est jeune. Comment le sais-tu ? Je le sais. Et qu'est-ce que ça change ? Il l'aime. Qu'est-ce que tu en sais ?

Je le sais. Et la mère, alors, comme une preuve qui les vaudrait toutes, sort de sa paume un papier blanc, froissé. Elle tend la main pour qu'Owen saisisse le papier. Il regarde Coreen comme pour comprendre, pour qu'elle lui dise si, oui ou non, mais sa sœur ne dit rien. Elle se relève et replace une mèche de cheveux en se regardant dans le miroir au-dessus du lavabo. Alors il prend le papier, le défroisse. Il voit un ticket de caisse de chez Harrod's. Il y a tout, le jour, l'heure – un ticket de caisse ça ne ment pas, dis ? Tu vois ? Un ticket de caisse, ça ne ment pas, certes. Mais la façon de le lire, de le regarder, d'y déchiffrer ou non des allusions, des preuves, tout fabrique l'histoire qu'on veut entendre et qu'on veut se raconter, qu'elle avait eu besoin, elle, la mère d'Owen et de Coreen, de se raconter. Parce qu'elle en avait eu assez de cette hypocrisie et de cette indifférence dans laquelle son mari la tenait depuis si longtemps, marre d'être une ombre, un personnage à peine secondaire, une silhouette, la mère de Coreen, la mère d'Owen, la mère de ses enfants, la femme qui lui a donné des enfants mais n'a jamais été une femme désirée ni aimée pour elle-même, ou alors, il y a si longtemps que ça ne compte plus. Et ce ticket de chez Harrod's, ce parfum qu'il avait acheté pour elle ne savait pas qui – ce dont elle était certaine, une femme blonde, une femme jeune. Elle ne sait pas dire pourquoi. Des cheveux blonds, oui, elle en a trouvé partout dans la maison et Owen ne pense pas encore qu'il s'agit des cheveux de Fancy ou alors, s'il y pense, c'est pour disculper son père et dire non c'est impossible ce n'est rien c'est juste que –

Mais maintenant ça suffit. L'idée est venue et elle dévastera Owen jusqu'à ce que la réalité l'achève.

Peter.

L'homme qu'elle regarde ainsi dans la nuit, dont enfin Fancy ose caresser la bouche, le dessin des lèvres, le sillon au-dessus et bientôt le nez. Elle remonte, doucement, avec la pulpe de l'index, jusqu'à la racine du nez, entre les yeux fermés. Le souffle de Peter s'échappe de sa bouche, un souffle régulier, profond, appliqué, et ce souffle caresse la paume ouverte de la main de Fancy. La climatisation de la chambre lui donne presque froid, mais elle reste allongée auprès de l'homme dont elle regarde le sommeil comme un bien précieux et rare. Son abandon, sa confiance en elle. Elle se sent honorée qu'il puisse ainsi se laisser aller au sommeil, lui, si méfiant, si soucieux de ne jamais perdre le contrôle. Il laisse son visage se détendre entièrement, le repos gagner ses muscles et ses nerfs ; et son esprit pareillement ne cherche pas à se défendre. Il laisse refluer les images de cette journée dont il se souviendra comme de l'une des plus belles de sa vie, comme est belle aussi cette femme, l'une des plus belles de sa vie. La journée revient, des bribes se bousculent, des images, des mots, la lumière et l'odeur de ce printemps avant le printemps, le petit restaurant de la via Leonina dans lequel on a déjeuné en attendant les quinze heures pour l'ouverture de San Pietro in Vincoli. Les petites tables blanches en terrasse, le menu si peu cher et l'hôtel Duca d'Alba à côté, une fille aux cheveux verts coupés au carré, l'escalier de la via San Francesco di Paola et, sur le mur jaune, le mot PALESTINA écrit en rouge et recouvert de peinture ocre.

Un magnolia géant, des images s'enchevêtrent dans cette nuit douce et sereine de la chambre de l'hôtel Plaza. Il entend encore l'accordéoniste et son *my way* recouvert par

233

les klaxons en contrebas, les branches nues, leurs ombres roses sur les dalles de travertin et les murs de brique ; ce n'est pas l'été, à peine le printemps, mais des branches escaladent le *palazzo* sous lequel nous passons pour rejoindre San Pietro, des lavis très laids pour touristes, la lumière d'un blanc éclatant sur la *piazza*, le parking et les voitures, les *motorini* sur lesquels des reflets de lumière viennent projeter des éclats aveuglants et les stands de souvenirs – tee-shirts, casquettes, écharpes –, toujours le nom ROMA décliné sous toutes les formes, accompagné par l'accordéoniste qui nous assomme de son *amour est un enfant de bohème*, Carmen et les voix de quatre ou cinq adolescentes qui attendent sur les marches de l'église, celles qui lézardent et ferment les yeux sous la caresse du soleil, un garçon avec le drapeau espagnol sur les épaules, comme s'il allait au stade, qui entre dans l'église, des pas, une rampe d'accès métallique pour les handicapés et, dans l'ombre, dans la fraîcheur humide de l'église, une petite foule au fond, une sorte de brouhaha, un homme, un Japonais au tee-shirt vert qui filme et, sur la droite, moins de gens, puis, enfin, dominant, pâle, émanant d'une vague atmosphère de grisaille, le Moïse de Michel-Ange.

Freud parle de lui et c'est en partie grâce à cette lecture que Peter avait choisi de s'orienter vers la psychiatrie et la psychanalyse. Depuis, il ne pouvait pas venir à Rome sans revenir ici et, bien sûr, pas sans le lui montrer. Pendant que Fancy observait l'imposant marbre gardé par les cordes rouges, isolé par elles, Peter la regardait en repensant soudain à cette soirée étrange où, après être parti et les avoir laissés seuls, Owen et elle, il avait marché des heures dans Londres, incapable de prendre sa voiture et de rentrer vers sa maison d'Oxford. Il n'avait pas été capable de prendre son téléphone autrement que pour le laisser choir dans la paume de sa main et le laisser vibrer, éclairant ses doigts, son visage, tout près, quand sa femme l'avait appelé et que, lisant le numéro sur l'écran bleuté, il avait été incapable de répondre. Quand enfin il avait rejoint sa voiture, au lieu de répondre à sa femme, de prendre la clé de sa voiture et de mettre le contact – au lieu de faire ce qu'il aurait dû, oui, ne pas se retourner, ne pas céder à cette tentation et surtout ne pas écouter en lui ce démon de jalousie qui cette fois lui faisait plus qu'envier son fils, mais le lui rendait odieux, son fils qui n'était pas à la hauteur avec Fancy, son fils – un enfant dans un corps d'adulte qui ne sait pas aimer une femme. Et, après avoir traîné et rodé autour de cet immeuble où il avait son propre appartement, après avoir longé les rues, il était venu s'asseoir dans sa voiture, décidé à partir et pourtant incapable de s'y résoudre. Il était resté une heure les mains accrochées sur le volant de sa voiture. Quand il avait compris qu'il ne pourrait pas s'en aller, il avait regardé ses mains comme pour les supplier alors de le retenir ici, de l'empêcher de remonter à l'appartement – les mains alors s'enroulant au volant, l'écrasant presque, espérant que ses doigts auraient la force de ne pas se libérer, qu'ils pourraient au contraire s'accrocher au volant et enfin faire l'effort de partir, de déserter, comme il le faisait à chaque fois, tous les vendredis, tous les samedis, trouvant la force et la résolution de ne pas s'accrocher à ce fantasme qui lui volait ces heures de sommeil, de travail. Et Fancy gardera longtemps en mémoire le Moïse tourné vers eux et, de l'autre côté, une lumière jaune qui entre par la fenêtre et lustre le sol blanc d'une couleur de miel – la voix et l'agacement de ceux qui veulent faire taire les autres, le bruit de la pièce qui tombe et résonne dans la boîte métallique. Soudain, la lumière sur le Moïse. Les reflets patinés sur le marbre et les gens qui s'agglutinent et accourent pour profiter de l'éclairage. Bientôt pour photographier ils lèvent les bras, ils se hissent sur la pointe des pieds. Et pourtant c'est Moïse qui semble les regarder du haut de son mépris, de son dédain. Il a le dernier mot, ou, plutôt, le dernier silence. Il a tout son temps ; il est maître de leur temps et de leur présence ici. Il les défie, retenant sa colère. Parce que c'est comme si la lumière trop forte venait de le surprendre. Fancy voit le geste des doigts pour retenir la barbe, comme si Moïse se retournait, attiré par la foule, surpris par elle, par sa rumeur, son mouvement, et lui aussi est en plein mouvement. Fancy s'étonne de ce geste, des longues mèches flottantes de la barbe s'enroulant les unes aux autres comme des tourbillons, le bras droit appuyé pour retenir les tables de la loi et, sur l'autre main, la gauche, on voit l'afflux sanguin dans les veines et Fancy s'étonne du pouce qui n'est pas appuyé sur la barbe, et le genou, le genou droit – elle regarde Peter qui dort et pourtant elle entend encore sa voix qui s'enthousiasme lorsqu'il lui a murmuré à l'oreille, dans la fraîcheur de l'église, tu vois, selon la légende, Michel-Ange, en frappant le genou droit de son Moïse, aurait dit : *parle, tu es vivant !*

Elle gardera ces souvenirs longtemps. Elle gardera longtemps cette journée parce qu'elle entendra Peter lui raconter que Moïse, descendu du Sinaï après avoir parlé avec Dieu, avait le visage illuminé et que, parce que *rayon* avait été traduit par *corne*, Michel-Ange avait figuré ainsi son Moïse, auréolé de deux cornes. Mais elle n'entendra pas Peter lui raconter, au moment où d'autres mettront à leur tour un peu d'argent pour éclairer l'énorme statue, sous des mains levées une nouvelle fois pour de nouvelles photos, sous quelques quintes de toux, coincés l'un et l'autre entre Moïse et l'indifférence muette d'un orgue, à côté d'une gardienne que Peter regardera à peine, elle n'entendra pas son cœur tremblant, vibrant si fort – il est ici avec Fancy, lui, Peter, comme il n'aurait pas cru que ce soit possible de seulement l'imaginer ce soir-là, dans la voiture, lorsqu'il était resté si longtemps incapable de se résoudre à partir, laissant tomber alors le portable sur le siège passager puis sortant sans plus réfléchir, sans savoir ce qu'il allait faire, ce qu'il pouvait imaginer faire, puisqu'il n'en savait rien.

Et il avait couru jusqu'au hall de l'immeuble. Il était monté jusqu'à l'étage, mais sans prendre l'ascenseur. Puis il s'était mis à marcher très lentement, sans allumer la lumière de l'escalier. Quelqu'un le croisant à cette heure-ci aurait pu s'inquiéter ou s'étonner – bonsoir ? Il n'y a pas de lumière ? L'ascenseur est en panne ? Mais il n'avait vu ni entendu personne. Il était monté jusque chez lui et, dans l'obscurité, avait fouillé dans ses poches et trouvé le trousseau qu'il avait tenu serré fort dans sa paume – interdisant le cliquetis des clés entre elles – celle de l'appartement, de la maison, du garage, du cabinet, de la boîte aux lettres, quelques autres dont il ne savait plus l'usage. Puis il était entré. Il était resté sans oser un mouvement, un bruit, le souffle retenu, comme ça, ayant juste franchi le seuil de la porte. Il avait avancé lentement, ne percevant pas d'autres sons que son souffle et le vacarme assourdissant du sang dans ses oreilles ; et cette peur qui lui nouait la gorge le faisait vaciller en marchant. Il sait où le parquet risque de craquer. Il sait à quel endroit la porte risque de grincer. Et pourtant il avance. Silencieux. Il avance chez lui comme un prédateur. Il sait qu'à entendre ses pas retenus, ses gestes qu'il veut lents et calmes et cette façon de se tenir le moins bruyant possible, il n'est plus seulement dans l'obsession qui lui brise le cerveau mais que, enfin, son comportement se conforme à ce qui dans son esprit fait la loi et commande depuis trop de semaines, où, pour se donner le change, Peter s'invente des stratégies et des évitements pitoyables qu'il se voit faire sans y croire, consterné mais s'y tenant, s'accrochant pour ne pas s'abandonner à son désir. Sauf que cette fois il sait que si on le voyait chez lui, marchant comme un voleur, on saurait qu'une part de lui est hostile à la conformité de sa vie ; et l'on verrait sa silhouette s'arrêtant parfois, cherchant des appuis pour trouver le calme – histoire d'assagir le souffle, les idées, la pression trop folle quand il se demande bien pourquoi il est revenu, pourquoi il le fait comme ça, qu'est-ce qu'il veut, pourquoi il le fait. Combien il serait dans une position ridicule si Owen le découvrait ici ? Qu'est-ce qu'il dirait quand son fils lui demanderait, pourquoi tu n'as pas allumé la lumière ? Pourquoi tu es si pâle ? Mais son fils ne l'entend pas. Son fils est occupé à autre chose.

Ça se passe dans le salon. Peter marche dans la salle à manger ; il approche, guidé seulement par la lumière de la nuit et les taches de gris sur les meubles et les cuivres, couleur de sable, anthracite, bitume. Il avance parce que le silence le guide mieux que ses yeux brûlants. Soudain il perçoit des mouvements, d'autres bruits, de légers halètements, des chuintements – ce ne sont pas des cris mais des soupirs, des souffles, pas vraiment des râles, non, mais, s'étirant le long de la nuit, des souffles de corps qui se cherchent, se prennent. Et lorsqu'il comprend, Peter s'arrête un moment. Puis il avance. Il marche à travers la salle à manger et, longeant le mur de droite, arrive, glissant, silencieux, presque effrayé de ce qu'il fait et se voit faire, sur le côté de la porte coulissante du salon. Il est bientôt devant le panneau de droite. Il sait que s'il le fait doucement, très silencieusement, il peut prendre la poignée ronde entre deux doigts et que, avec une infinie précaution, il lui suffira de tirer, d'exercer une légère pression pour que le panneau glisse de quelques centimètres à peine, qu'il libère une ouverture pas plus large que l'espace d'un œil et que, libre, l'espace sera alors suffisant pour voir, entièrement ou presque, le couple nu, allongé sur le canapé. Un moment l'idée est trop forte, Peter recule. Mais il ne fait pas d'autres gestes et alors il reste quelques minutes immobile à l'angle du mur du salon et de la salle à manger. Puis finalement il cède. Il sait qu'il est venu pour ça. Les idées se bousculent, la confusion, la peur de voir son fils nu car la nudité de son fils l'effraie, cette idée l'effraie, mais la nudité de Fancy l'attire à ce point que le corps de son fils se dilue comme un mauvais rêve et lorsqu'il ouvre légèrement le panneau, qu'il laisse sa main sur le bouton de la porte et que, lentement, doucement, il bascule en retenant son souffle vers l'espace qu'il a libéré entre les deux panneaux de porte, il ne respire plus, il avance de quelques centimètres, un léger basculement du buste, de la tête, une inflexion du cou, il avance une partie seulement de ce visage effrayé, effaré, dont la transpiration dégage comme des perles irisées de lumières blanches et coupantes comme du verre. Et il regarde.

Et maintenant, pendant cette première nuit à l'hôtel Plaza de Rome, c'est lui que Fancy regarde. Lui qui est regardé dans son sommeil. Elle ne se doute pas vers quels souvenirs la nuit le ramène. Mais, pour elle, en revanche, très souvent, elle repense à ce matin où elle avait trouvé dans sa poche une lettre écrite par lui d'une main tremblante, se jetant dans son aveu comme dans une jungle dont il n'arrivait plus à sortir. Il ne voulait pas ce qui arrivait, ça, oui, il le promettait. Mais il ne pouvait pas tenir. Il la suppliait de lui pardonner sa folie de vieux pervers – il avait mis ça sur le compte d'une folie sexuelle étrange, il en voyait tant dans son métier – mais elle avait lu la lettre en entier et avait compris, au moment où Owen lui avait demandé ce qu'elle lisait et pourquoi elle avait l'air si troublé, qu'elle n'échapperait pas plus à cette folie que Peter, qu'elle y céderait juste un peu plus tard.

Alors maintenant, elle n'y pense pas. Elle est fatiguée, la journée a été épuisante et demain sera aussi une journée épuisante. Peter a parlé du Caravage et de – comment ça s'appelle ? Elle a oublié, elle a du mal à retenir les noms italiens. Tant pis, elle se laissera guider comme aujourd'hui. Elle se lève et va chercher dans son sac, elle a envie d'une cigarette, mais le paquet est vide. Elle reste comme ça, seule dans la nuit. Elle prend alors la télécommande de la télévision et s'installe sur le lit en s'adossant contre le mur. Au moment où la télévision s'allume, Fancy regarde Peter pour voir si le son ne le réveille pas. Elle baisse le volume et laisse les voix et les sons si bas qu'elle n'entend qu'un froissement aigu, comme des papiers de bonbons qu'on chiffonnerait. Elle passe d'une chaîne à l'autre, laissant les jeux, les séries et les films vus et revus. Elle veut monter le son pour écouter comment on peut entendre Jack Nicholson en italien dans un *Shining* qu'elle trouve presque comique avec cette voix-là. Elle regarde la fin du film sans faire d'effort, se laissant porter, puis rebaisse le son ; les chaînes défilent, le bandeau *breaking news* et les infos en blanc sur un fond rouge, une carte du Japon. Il s'est passé quelque chose au Japon, a-t-elle le temps de penser quand, déjà, elle voit les bateaux retournés sur une plage et la plage encore gorgée d'une eau noire qui reflue d'entre des barres d'immeubles au pied desquels il y a des coques renversées, éventrées, puis des images dans un bureau, la caméra qui tremble, des écrans d'ordinateurs qui bougent, tombent, des murs qui vibrent, des gens qui courent, regardent au plafond, cherchent des appuis, n'en trouvent pas et hésitent, se retiennent aux bureaux – les images sont floues, pixellisées, des carrés qui grossissent, se figent, emportent des morceaux de visages et de couleurs, des pans de murs, un zoom qui n'accroche aucune image. Fancy regarde ça et un instant elle voudrait réveiller Peter. Mais elle regarde encore – les images défilent, une raffinerie en feu et la voix – Fancy monte le son – qui parle d'un tremblement de terre d'une magnitude de 8,9 et d'un tsunami comme le Japon n'en a jamais connu. Les bandeaux défilent au-dessous des images et c'est comme si les mots se couraient les uns après les autres dans une course-poursuite sans fin, effrénée, les commentaires, les faits, l'impuissance à rien circonscrire ni tenir, les mots comme un liquide, une eau qui s'échappe, un torrent et Fancy reste figée devant les images qui ne finissent pas, elles non plus, des dizaines de citernes et des voitures minuscules sous un brasier couleur d'or et de cuivre, des boules de flammes, des bouquets qui enflent, roulent, gonflent, se déploient au-dessus et recouvrent le ciel d'une couleur épaisse et chaude. On entend à peine le bruit des pales de l'hélicoptère d'où sont filmées les images. Un roulis de vagues puis de l'eau, des gerbes déri-

241

soires, des lances à incendie, des hommes qui sont comme des points minuscules sur l'écran et s'acharnent, courent, s'agitent. En bas, à droite de l'écran, un plan, un nom, un point rouge, Ichihara. Le Premier ministre japonais annonce qu'il n'y aurait pas de dommage nucléaire – ce conditionnel qui effraie davantage qu'il rassure –, Fancy voudrait éteindre la télévision, ne plus voir ces images et se dire que le réel ce ne sont pas ces images mais la présence d'un homme qu'elle aime à ses côtés, le luxe et l'opulence d'un hôtel en plein cœur de Rome, la beauté, l'éternité des statues, les images de sa journée. Elle ne veut rien voir. Ou alors elle voudrait le silence et le bleu de la mer, l'azur, ou quelque chose comme l'azur. Alors que l'azur, très loin, là-bas, dans quelques heures, ce sera la voix de Juan qui appellera Paula, le golfe d'Aden, le large de la Somalie et la voix de Juan que Fancy n'entendra jamais.

Elle ne connaîtra jamais le catamaran glissant au large de la Somalie, le vent d'à peine vingt nœuds, Paula dans la cabine qui regarde un film sur l'ordinateur et Juan qui descend sur la jupe arrière lorsqu'il voit les deux hors-bord foncer sur eux – ils décrivent des grands cercles blancs qui semblent enfermer le catamaran et se rétrécir dans un bourdonnement.

Dans chacun des petits bateaux, des Noirs, assis, qui soudain se redressent. Bientôt ils sont debout, jambes écartées, bien droits malgré le tumulte de l'eau. Juan a à peine le temps de voir les fusils d'assaut entre leurs mains. Certains sont habillés en tenues militaires et il comprend, il a le temps de comprendre, de réagir, de penser, *le risque*, les pirates, on connaissait le danger en passant par la Somalie. Mais comment ne pas passer par le golfe d'Aden ?

Comment ne pas prendre ce risque alors que depuis deux mois le tour du monde est si beau, la mer si magnifique, si généreuse, les escales si agréables, quand la pluie semble ne tomber que pour remplir les réserves et faire fonctionner le système du taud ? Alors, les risques, il faut en prendre sa part, pourquoi pas celui-ci ? Juan en a pris pendant des années, des pires. Quand il travaillait au Pays basque, il a échappé à deux attentats, alors la mort, il sait ce que c'est. Et maintenant qu'il est à la retraite, il n'aura pas plus peur qu'avec le risque des bombes et de l'ETA. Un vieux flic comme lui ne rebroussera pas chemin, même pour un tour du monde avec sa femme. Pour une fois qu'il tient une promesse. Non, ce golfe d'Aden si dangereux ne lui fera pas peur. Juan ne prend pas le temps de réfléchir lorsqu'il voit les deux hors-bord et les Noirs, combien sont-ils par embarcation, six ? Sept ? Entre les mains ils ont des fusils, AK-47, s'il voit bien

– Juan connaît les armes et sait ce qu'il doit faire. Alors vite il entre par la coursive bâbord. Il ne veut pas affoler Paula, il ne pense pas à l'appeler. Il entend le son du film qui vient du carré, des voix en anglais et des voitures qui roulent très vite, mais c'est un son aigu et sans résonance, sans épaisseur, alors qu'en lui maintenant Juan entend ses idées aussi clairement que possible, aussi clairement que les battements de son cœur dans sa poitrine et vite il court, il sait ce qu'il doit faire, pousser les gaz, donner de la vitesse même s'il entend des coups de feu derrière lui, des cris, car maintenant ils crient, ils tirent – est-ce qu'ils tirent en l'air ? Est-ce qu'ils tirent vers lui ? Il ne sait pas et se penche sans réfléchir, sans attendre, comme si toute sa vie il avait répété ce geste de se pencher et d'appuyer sur le bouton vert pour déclencher la balise de détresse et courir, après, vers le combiné de la radio et appeler, hurler, répéter, *mayday, mayday, mayday de Isabella, Isabella, Isabella, mayday, Isabella, position 12° N, 47° E, attaque de pirates, deux personnes à bord, attaque de pirates, deux hors-bord, une quinzaine d'hommes armés, fusils mitrailleurs, AK-47, RPG-7, demande secours immédiat.* Mais soudain le choc de l'abordage et des voix qui arrivent – des cris et le fracas, des coups de feu qui se perdent dans le bleu du ciel, le bruit du choc des coques et ce mouvement du bateau qui a tangué, si vite, si fort, à tribord, comme une fracture. Soudain il n'entend plus le son métallique des voix américaines et la musique du film que regardait Paula. Soudain le vacarme des pas qui courent. Paula qui crie. Juan ! Juan ! Et il court vers la cabine tribord et traverse le carré pour gueuler à Paula de se cacher et de s'enfermer. Oui, ici, dans la penderie de la cabine. Mais elle aussi elle crie. Elle ne veut pas se cacher, c'est inutile, on doit se rendre. Il le sait, ça ne sert à rien de résister, ça ne sert à rien. Mais Juan a pris le vieux fusil à pompe qu'il avait acheté presque vingt ans plus tôt, une vieillerie de calibre 12 avec laquelle il s'était défendu avec succès il y a longtemps, une fois, en Afrique, sur la terre ferme, contre un homme seul tandis que là, non, il n'a pas le temps de se dire que le fusil n'est pas chargé. Les cartouches sont dans le coffre de l'autre côté, le coffre est fermé et il faudra le temps de l'ouvrir. Il sait qu'il n'aura pas le temps. Paula accourt vers lui, l'attrape, le saisit à pleine main, lui retient les bras, elle crie qu'il ne faut pas mais lui tient l'arme et ne la regarde pas. Alors elle crie et se plante face à lui, Juan, il ne faut pas. Juan sait qu'elle a raison. Elle a raison, c'est sûr. Mais ses mains se crispent sur le canon et sur la crosse du fusil à pompe. Les hommes courent et envahissent le catamaran. Ils sont noirs et leurs peaux brillent déjà d'une sueur épaisse qui ruisselle sur les visages et forme des taches aux formes monstrueuses de papillons et de phasmes sur leur tee-shirt, dans le dos et sur la poitrine. Les pas tapent et résonnent comme des balles de tennis contre un mur creux. Tout est creux sauf les voix, qui viennent de partout. Bâbord. Tribord. Comme en écho. Sept hommes sont montés sur le bateau et courent sous les cris des autres, sous les coups de feu des autres qui continuent à tirer en l'air, encerclant le bateau en continuant de tourner tout autour, le moteur bourdonnant, l'écume et l'eau tourbillonnantes et le cercle blanc d'un épais bouillon de bulles et de traces, des plaques épaisses, c'est comme une toile d'araignée s'étalant, un filet, un tissu qui s'effiloche, se déchire, se desserre au fur et à mesure que le hors-bord s'éloigne. Mais l'eau bouillonne et en crépitant dessine comme un anneau d'acier brûlant sous

le soleil, ou un halo irisé. Et le bruit du moteur aussi tour-
billonne, en remuant, en touillant l'épaisse nappe d'eau, de
l'huile s'écoule en plaques visqueuses, des traînées mauves
et jaunes qui dessinent des formes oblongues, biscornues,
des nervures de marbre. L'un des hommes donne des ordres
aux autres et cet homme-là est le seul à ne pas courir. Cet
homme-là, celui qui dans moins de quatre minutes aura
abattu Juan d'une balle dans la tête, est calme quand il crie
et ordonne et montre du doigt aux uns et aux autres où ils
doivent aller – sa peau noire luit dans le matin bleuté et il
parle à chacun et chacun lui obéit. Ce qu'il dit, ils le font.
Ils courent, s'agitent, s'activent. Ils sont jeunes, vêtus de
tee-shirt blanc, blouson gris, tee-shirt orange, et cet autre,
là, entièrement vêtu d'un treillis et qui porte un bonnet
camouflage avec un écusson de l'armée française, un autre
une sorte de sarouel rouge et des bretelles militaires, avec
des armes – couteaux, pistolets –, et maintenant Juan et
Paula entendent une langue qu'ils ne comprennent pas, des
cris, des bribes qui ponctuent les gestes et les mouvements
rapides, en deux pas, voilà, ça y est, ils y sont, coursives
bâbord, tribord, jupe arrière, carré, ils sont là et bientôt
Juan sait qu'il doit lâcher le fusil à pompe s'il veut rester en
vie. Alors, dès que deux hommes déboulent devant lui il
aspire très fort et Paula s'accroche à lui. Ses ongles entrent
dans son bras et elle appuie si fort qu'il ressent comme une
brûlure et que ses doigts alors se contractent sur le fusil.
Mais des fusils-mitrailleurs déjà sont pointés sur lui, sur elle,
et des cris, des ordres, des menaces, deux types hurlent en
agitant les armes et Juan regarde ses mains et le fusil qu'il
tient encore, mais que l'un des hommes essaie de lui arracher
des mains. Il sait bien que Juan ne tirera pas. Il l'aurait déjà

fait. Il aurait visé. Il aurait pointé l'arme vers eux, mais il n'a pas pointé l'arme et l'autre gueule quelque chose en anglais – ce doit être de l'anglais, il ne sait pas. Pas sûr. Paula non plus ne sait pas. Elle s'accroche à son mari et lui dit qu'il faut lever les mains, les laisser faire, ne pas résister, Juan, Juan, ne fais rien, surtout ne fais rien. Il ne répond rien, il serre les dents. Il se tait, puis ses mains se détendent et les doigts s'ouvrent et l'homme en face de lui peut prendre le fusil à pompe en gardant les yeux fixés sur Juan qui le fixe aussi, le blanc laiteux des yeux, pupilles dilatées, du sang dans les yeux, les gouttes de sueur brillantes comme des diamants, les yeux d'un noir profond face aux yeux de Juan qui reprend son souffle et déglutit, essuyant ses mains sur son tee-shirt. Mais soudain le bateau perd de sa vitesse. Les corps basculent, on doit se retenir, les jambes écartées, les pieds bien à plat, les doigts de Paula serrent plus fort le bras de Juan puis se relâchent ; le bateau perd de sa vitesse, encore, très vite, il s'immobilise – le moteur s'arrête. Plus un bruit. Seulement les pas. Les voix des hommes. Un temps. Un instant. Un silence. À peine. Les moteurs des deux hors-bord à l'extérieur se sont tus. Soudain ne reste que le clapotis de l'eau contre la coque du bateau. Et les souffles, les visages de Juan et Paula figés dans la détresse et la peur – la peur aussi dans le visage des hommes qui les attaquent et savent qu'ils doivent se dépêcher parce qu'ils ignorent si l'homme a eu le temps de prévenir, si les gar-des-côtes internationaux sont déjà en route. Ils ne savent pas. Ils savent qu'il faut faire vite pour aborder un bateau et enlever les touristes, qu'on puisse réclamer une rançon, et ils sont excités, déjà, à l'idée de l'argent et des dollars par milliers, par millions, ils rêvent qu'ils vont fumer des havanes et s'acheter des vêtements et des bracelets-montres en or, qu'ils vont nourrir le village qui attend quelque part dans la moiteur sanglante du pays, le village qui a faim, le village qui n'a rien, qui a besoin de tout, ils auront tout, bientôt, grâce à eux, plus qu'il n'en faut. Ils imaginent les dollars en pluie sur les familles et sur eux, alors, comme des héros anciens, des sourires d'hommes triomphants et excités – allez, allez, avancez ! avancez ! venez. Ils montrent le chemin à Juan et Paula, de la pointe des canons ils veulent guider le couple. Ils comprennent que ce sont des Espagnols. L'un des jeunes dit deux mots en espagnol, *holà, qué tal ?* Mais sa voix devient dure et forte parce que le couple ne bouge pas tout de suite et reste immobile. La femme accrochée à l'homme, qui a l'air mauvais, lui, avec sa coupe de cheveux très courte, presque à ras. Il a une cicatrice sur la lèvre supérieure, les yeux ne cillent pas quand on lui ordonne d'avancer, sa nuque est raide et il ne bouge pas, pas tout de suite. Enfin la femme lui dit qu'ils doivent avancer, obéir, elle est moins bête que lui, se disent-ils. Et c'est elle qui secoue le bras de l'homme. Le couple sort du carré et prend la coursive de bâbord pour remonter sur le pont – le ciel et la lumière aveuglante d'abord, ce qu'ils voient, un éblouissement violent, un flash, un écran irradiant pendant que, en bas, ils entendent que d'autres hommes ont envahi le bateau et commencent à fouiller partout, dans les placards, les cabines. Paula se dit qu'il ne faut pas bouger et elle entend les conversations des hommes en bas – combien sont-ils, trois ? quatre ? Elle ne les a pas comptés. Elle entend soudain la vaisselle qui tombe et les voix qui gueulent. Des bris d'assiettes et la voix d'un homme qui gueule contre un autre pendant que celui avec le bonnet de camouflage et l'écusson français sur le bonnet a ouvert des placards, et il a fouillé, d'un geste il a fait tomber les vêtements de Paula et a trouvé les sous-vêtements. Il a pris un soutien-gorge entre ses doigts. Il a senti sous la pulpe des doigts le tracé très fin de la dentelle de couleur bleu lavande. Il a retenu son souffle et imaginé l'épaisse poitrine très blanche et l'aréole rosée. Un autre le rejoint et tous les deux se mettent à rire et regardent avec attention les sous-vêtements de cette femme qui n'est pas jeune et qui a presque l'âge d'être leur mère. Ils ont bien remarqué ça, alors, lorsque l'un des deux soulève l'armature d'un des soutiens-gorge avec la pointe de son canon, les deux types ne peuvent pas s'empêcher de rire et de parler des femmes – l'un avoue qu'il aimerait coucher avec une Blanche, qu'il ne l'a jamais fait et qu'il aimerait. L'autre lui fait remarquer que l'occasion c'est peut-être maintenant, mais il entend des pas dans la coursive, il faut se dépêcher, on ne doit pas perdre de temps, c'est déjà trop de temps à parler. Alors vite ils remontent, l'un et l'autre, vite, très vite car il y a de l'agitation en haut. Ils ne comprennent pas ce qui se passe, mais lorsqu'ils regagnent la plate-forme ils voient leur chef et son second et le Blanc qui leur résiste, qui essaie de marchander. Il gueule quelque chose et se tient bien droit et la nuque raide, le buste bombé et la tête en avant il regarde et défie le chef qui ne bronche pas et se tient devant lui, face à lui, les jambes écartées. Il dit aux autres de se dépêcher, on ne va pas rester ici parce qu'on ne sait pas s'ils ont prévenu, s'ils ont eu le temps de prévenir, alors il faut repartir. La femme s'accroche à son mari, elle lui dit quelque chose en espagnol. Ils ne comprennent pas ce qu'elle dit, elle répète, elle supplie dans sa langue en lui tenant le bras pour essayer de le calmer parce qu'il est furieux. On essaie de le faire avancer encore mais il refuse, il veut gagner du temps, c'est ce que dit le second au chef, ce salaud veut gagner du temps, c'est ça, il espère que quelqu'un va arriver, il espère –

Qu'est-ce que tu dis ?

Il espère.

Il espère quoi, demande le chef en sortant un pistolet de son pantalon de survêtement et sans attendre, allongeant le bras et le détendant d'un mouvement ample – dans sa main le pistolet brille et renvoie des reflets de soleil et d'eau, un reflet et l'écho du coup de feu rebondit longtemps dans l'air marin et vide et le corps de Juan s'effondre, l'effondrement et le cri de Paula qui se jette sur Juan pour le retenir, elle veut le retenir, le retient quelques secondes à peine. Mais la mort l'entraîne et son poids trop lourd l'entraîne aussi, elle n'a pas la force, les hommes à deux ou trois l'attrapent par les bras et l'un lui agite son canon sous le nez. Il tape sous le nez et aussitôt du sang coule, il tape dans la joue, c'est comme une brûlure, il gueule en même temps et Paula ne répond que par les cris et les pleurs. Elle a juste le temps de voir que des types ont déjà fait basculer leur fusil dans le dos et se sont penchés sur le corps étendu là, et le sang d'un rouge si vif sous le soleil et dans la blancheur du bateau, le sang brille, si rouge, lumineux, il se répand sous la tête et la nuque de Juan – ils saisissent le corps parce que le chef a fait un mouvement de tête vers eux pour désigner l'homme étendu. Il range son pistolet dans la poche de son survêtement, les types se penchent et prennent le corps de Juan, l'un par les pieds, l'autre sous les bras. Ils le traînent, juste au moment où deux hélicoptères de la police maritime internationale apparaissent dans le ciel – trop loin encore pour voir précisément ce qui se passe, mais suffisamment près pour discerner un catamaran immobile et deux embarcations plus légères qui l'ont accosté et l'encerclent, puisqu'ils sont sur les deux côtés. Les hélicoptères se rapprochent déjà pour voir des hommes qui s'agitent et courent, des Noirs, une femme blanche qu'ils retiennent par les bras, des hommes qui s'agitent et jettent dans l'eau bleue et profonde, si calme, si belle, une masse qui pourrait être le corps d'un homme – oui, c'est ça, blanc, âgé, de bonne corpulence, en short, tee-shirt gris, un corps qui s'élève de quelques centimètres et disparaît dans une gerbe d'écume blanche et luxuriante comme une forêt profonde, une masse qui s'enfonce dans l'eau et l'eau qui s'agite et redevient bleue et plate et calme comme un miroir, ou étale comme l'eau d'un lac à la tombée du jour.

– Tu peux éteindre cette radio ?

– Oui, Ernesto. Je voulais juste savoir si la femme avait été sauvée, demande Giorgio.

– Ils ne l'ont pas dit, répond Ernesto.

– Si, si, ils l'ont dit, mais tu parlais.

– Comment tu peux savoir qu'ils l'ont dit, si tu n'as pas entendu ?

– Je le sais.

251

– Ils ont dit que le mari avait été tué en tentant de résister et que la femme avait été repêchée et les pirates arrêtés.

– Ah, tu vois, il y a une justice.

– Qu'est-ce que tu crois, Giorgio, que Dieu ne peut rien faire pour les gens ? interroge Ernesto.

– Il aurait pu sauver les deux.

– Ses voies sont impénétrables.

– J'espère seulement qu'Il acceptera qu'on gagne, nous, tous les deux.

– Il l'aurait déjà fait.

– Ne sois pas négatif, Ernesto. Tu l'as dit, Ses voies sont impénétrables. Il n'y a aucune raison de croire qu'Il nous a abandonnés et qu'Il s'oppose à nos résolutions.

– Sans doute.

– J'en suis certain. Aucune raison, conclut Giorgio, satisfait.

Et pourtant, depuis ce matin, Giorgio traîne l'une de ces humeurs maussades dont il a le secret. Ernesto ne cesse de lui répéter que cette humeur ne sert qu'à lui donner cette mine blafarde qu'il doit compenser à coup de séances d'UV, ce qui n'est pas bon, même si – Ernesto le concède – ce n'est pas à soixante-quatorze ans que Giorgio risque un cancer de la peau. Il sait que Giorgio veut secrètement ressembler au chef du gouvernement – un homme du même âge que lui et qui, dit-il, *porte beau*. Silvio Berlusconi n'a qu'un seul défaut, et ce n'est certes pas d'abuser de séances d'UV. Ce n'est pas non plus les affaires dans lesquelles il est empêtré, ni les très jeunes femmes ni les scandales financiers, mais plutôt de se laisser insulter et diffamer par la presse et les gauchistes, qui de toute façon sont partout. Giorgio évite d'en parler, et, s'il le fait de temps à autre, il faut que ce soit alors qu'Ernesto est monté de son rez-de-chaussée pour dîner avec lui. En effet, depuis cette soirée où Giorgio s'était retrouvé sans femme pour lui préparer son repas ni lui servir un verre de vin, allumer sa télévision et approcher ses pantoufles, tous les soirs, avec Ernesto, Giorgio partage un plat de pâtes, une bouteille de vin et quelques *antipasti*.

C'était il y a vingt-deux ans, sa femme était partie faire le marché et lui était allé Dieu sait où. À son retour, il avait trouvé un mot plié dans une enveloppe sur laquelle était écrit son prénom, avec la même écriture appliquée de sa femme, et cette fois encore l'encre du stylo à bille avait légèrement bavé – une tache comme une chiure de mouche, un pâté qui s'était formé non pas sur une lettre quelconque, mais sur l'initiale même du prénom de Giorgio. On aurait dit un nœud coulant et tout le reste de son prénom était passé à l'intérieur, et il n'avait en effet pas manqué de s'étrangler en ouvrant la lettre, *les enfants sont d'accord, ils me comprennent, ça fait trop longtemps que*, et puis la liste interminable, implacable, des récriminations – longue comme celle qu'elle écrivait une fois par mois lorsqu'on prenait la voiture pour aller faire le plein de courses. Il avait ruminé des années entières ce qu'il considérait depuis comme la grande erreur de sa vie, pas seulement avoir nourri une ingrate, mais avant tout avoir engendré une couvée de renégats qui n'avaient pas manqué d'attiser la rancœur de sa femme plutôt que d'essayer de lui faire entendre raison et de promouvoir l'abnégation, la paix, la tranquillité dans le ménage. Mais Giorgio avait aussi pu constater combien son voisin, malgré cet air effacé et ses promenades tous les matins au cimetière, un triste bouquet de fleurs pâles dans une main et, dans l'autre, au bout d'une ficelle rouge et d'un collier jaune presque entièrement rogné, Geronimo, son chien ridicule, avec ses poils ras d'un blanc presque jaune sur la tête, les oreilles couleur fauve, combien ce petit postier à la retraite, donc, avait été un soutien inconditionnel.

Giorgio avait pourtant longtemps considéré son voisin du dessous comme un veuf un peu pathétique, seulement bon à fleurir la cour dont il pouvait jouir de son balcon. Mais, au soir de ce jour d'il y a vingt-deux ans, Giorgio avait gagné un ami – même si l'amitié n'était pas née comme ça et qu'il avait fallu la conquérir, fermer les yeux sur les défauts d'Ernesto, veuf depuis si longtemps qu'il ne savait plus comment se tenir à table ni ne pas se montrer vexant par des remarques désobligeantes, comme celles qu'il s'était mis à adresser à Giorgio de temps à autre, sans vouloir te blesser, Giorgio, tes enfants ne veulent plus te voir, ta femme ne veut plus te voir, il se peut que tu sois obligé de faire ton autocritique.

Depuis, Ernesto avait pris l'habitude de partager son repas avec son voisin. Il avait aussi pris l'habitude d'ouvrir une bouteille de ce petit vin blanc qu'il achetait sur le marché où il allait faire les courses, tous les matins, vers dix heures. Il ne se rendait plus au cimetière qu'en début d'après-midi, Giorgio avait chamboulé sa vie. Les deux voisins avaient aussi bientôt pris une autre habitude, celle de jouer au *Totocalcio* le dimanche, et, insidieusement, Giorgio s'était pris de passion pour le jeu. Un jour, à force d'en entendre parler, on avait décidé d'acheter deux billets pour le casino de Nova Gorica, sur la frontière slovène, histoire de voyager un peu, de se dégourdir les jambes et de se changer les idées. À nos âges, il faut tenter l'aventure, parce que ce n'est pas elle qui viendra toute seule, avait affirmé Giorgio. Sauf que, d'une certaine manière, elle venait quand même à eux. C'était si peu cher, ce serait une hérésie d'hésiter, s'était enflammé Giorgio. Il faut provoquer le sort, le chercher, titiller la chance, la fortune, le destin, sans quoi on reste là où l'on est et l'on y croupit, vaincu d'avance. Et alors, Ernesto, si on se laisse crever, on n'a plus le droit de rien et surtout pas de se plaindre. Regarde-moi, Ernesto, est-ce que j'ai l'air d'un homme abattu ? Est-ce que la solitude et la vieillesse ont réussi à m'atteindre ? Est-ce que j'ai l'air de me laisser aller ?

En effet, Ernesto était impressionné, Giorgio continuait chaque jour à faire du vélo d'appartement, à se gaver d'huile de foie de morue et de cures de vitamines, à se rendre une fois tous les quinze jours dans une salle spécialisée pour cultiver le bronze de son teint. Il était étonné qu'à son âge Giorgio porte encore une chevelure aussi dense et brune, et, lorsqu'il avait compris que son ami se rendait tous les mois dans un salon de coiffure pour faire une teinture autant que pour se faire couper les cheveux, son avis n'avait pas changé. Ernesto était resté admiratif, parce que, pensait-il, si j'étais comme lui et que mes enfants ne m'adressent plus la parole, je crois que je me laisserais partir en sucette et que je ne serais plus capable de rien.

Ernesto avait été d'autant plus facilement convaincu par l'argument qu'il avait, lui aussi, envie de foutre le camp au moins une journée, car la vérité lui était apparue dans toute sa cruauté : il n'avait pas dépassé le supermarché, à l'autre bout de la ville, là-bas, depuis un bon quart de siècle. Alors allons-y, avait-il conclu avec lui-même, malgré cette autre voix qui susurrait : partir ? C'est tout ce que tu as trouvé ?

Te distraire ? Il n'y a rien de mieux ? C'est ce que tu trouves de moins pire ? Tu veux faire moins pire que ce que tu pourrais faire si tu restais chez toi ? Tu sais faire moins pire que de rester chez toi ? Tu veux voir le vaste monde, mais, est-ce que le vaste monde en a quelque chose à faire, lui, de te voir ? Vraiment ? Regarde-toi dans une glace, Ernesto. Ne te prends pas pour l'énergumène du dessus, avec ses cravates de chez Missoni et ses costumes si beaux, si chers, toute sa retraite y passe et toi tu passes et repasses les mêmes vête-ments avec ton vieux fer depuis bientôt trente ans. Vois, tu es raisonnable et ennuyeux comme ta vie t'offre les moyens de l'être. Tu en as bien conscience, non ? Tu ne fais pas d'excès sauf quand il faut courir tout l'après-midi dans les rues pour rattraper Geronimo parce que quelqu'un l'a laissé sortir de la maison. Ça te fait faire un peu de sport, et de temps en temps ce n'est pas mal. Le reste du temps, la télévision te cale gentiment dans un coin de sa grille horaire, sur ton vieux fauteuil Stressless couleur mastic. C'est pour ça que ta vie finit lentement et que c'est très lent, intermi-nable. Songe que si tu accélères, tout va vieillir plus vite, trop vite, si vite – Ernesto avait haussé les épaules et fait taire cette mauvaise voix. Même avec ses problèmes de cir-culation et ses chaussettes de contention, même avec cette légère incontinence – trois fois rien, personne n'était au courant, Ernesto usait de petits subterfuges, comme par exemple un peu de ouate pour limiter son embarras –, c'était décidé, il franchirait le Rubicon. Il sortirait de sa propre vie et la laisserait au bout de sa laisse avec Geronimo, pendant que lui en essaierait une qui soit plus conforme à ses désirs, au moins le temps d'un aller-retour. Quinze euros pour l'aller et le retour, repas compris. Vingt heures loin de la maison, du cimetière et même de Geronimo, après tout, ça ne valait pas tant que ça réflexion, même si Ernesto ne laissait jamais son chien tout seul, car il savait que son compagnon se vengerait en urinant sur le tapis du salon, qu'il refuserait de toucher à ses croquettes. C'est ce qui s'était passé lorsqu'Ernesto avait dû partir à l'enterrement de son cousin Mario, il s'était promis de ne pas renouveler l'expérience. Sauf qu'il ne pourrait pas expliquer à Giorgio qu'il refusait de venir avec lui parce qu'il avait peur des représailles de son chien, ni qu'il était triste à l'idée de le rendre malheureux. Ce sentimentalisme exaspérerait Giorgio, l'idée d'être méprisé par Giorgio était pire encore que le déchirement de laisser Geronimo. Et puis, l'aventure l'avait titillé suffisamment, jusqu'à ce que cèdent ses dernières réserves – tant pis s'il risquait de perdre de l'argent. Il ferait attention, il n'a jamais été du genre casse-cou. D'ailleurs, il ne le dira pas à ses enfants, ils lui feraient des histoires. Surtout sa fille, toujours à le surveiller pour son bien, toujours inquiète pour lui. Si elle apprenait qu'il part à l'étranger quelques heures pour aller au casino, elle en ferait une maladie, elle exigerait qu'il renonce. Et lui, si vieux, si sentimental, oui, il cèderait, dès qu'elle agiterait le spectre de maman horrifiée de te voir t'abaisser à ce genre de bêtises dangereuses et moralement, tu sais ce que ça vaut ? Est-ce que tu crois que maman serait contente de savoir que tu vas jouer ta pension et que tu vas dans des lieux comme ça, des... des bars à... à *quoi* ? Parle plus fort, je n'entends rien. Tu n'entends jamais rien quand tu ne veux pas. Je ne sais pas de quoi tu parles. D'ailleurs, il n'y aurait pas de bars à – non, ce serait respectable. Des gens très bien vont là-bas. Des milliers comme lui. Des gens qui ont travaillé toute leur vie et ont bien le droit de se payer un peu de bon temps. Et puis, ça ne coûte presque rien. Alors, pourquoi pas lui ? Et quand même, on ne sait jamais, si la fortune voulait lui sourire ? Si, enfin, il y avait quelqu'un là-haut pour reconnaître ses mérites et lui donner un petit coup de pouce pour la dernière ligne droite ? Qu'est-ce qu'ils en savent, ses enfants ? La frontière slovène ! Le plus grand casino d'Europe ! Enfin, l'un des plus grands, avait corrigé l'homme de l'agence qui leur avait vendu les billets. Tout est compris. C'est le premier jeudi du mois, à quatorze heures le bus vient vous chercher sur la place, et nous partons. Quelques heures plus tard vous êtes dans un casino prestigieux sur la frontière slovène, à Nova Gorica, je suis sûr que vous ne connaissez pas Nova Gorica, des hommes comme vous ! Vous êtes à la porte de l'Europe de l'Est et on peut dire sans trop exagérer qu'un continent vous attend, ou la fortune – qui sait ? – si Dieu est de la partie.

D'ailleurs, Ernesto et Giorgio s'étaient accordés sur le fait que Dieu lui-même ne pourrait pas être insensible à leurs mérites. Ernesto, après tout, avait travaillé dur toute sa vie à la poste, qu'il neige, vente, pleuve ou sous un soleil de plomb. Il avait souffert de la mort de sa femme comme peu d'hommes avaient souffert pour une femme. Ses enfants lui étaient reconnaissants de tout ce qu'il avait fait pour eux, lui qui n'avait jamais manqué de les appeler pour les anniversaires de ses petits-enfants. Non, vraiment, il avait beau chercher, il ne voyait pas ce qu'on pourrait lui opposer. Il ne voyait pas qu'on lui refuse une sorte d'avant-goût de paradis sous forme de trois citrons ou de cerises identiques : un Jackpot pour lui dire que, là-haut, on le voit d'un bon œil.

Giorgio, lui, reconnaissait qu'il n'avait pas passé sa vie à affronter la pluie, le vent, le soleil et les aléas de la route pour apporter les bonnes et mauvaises nouvelles aux gens. Il n'avait pas ce mérite, ni celui d'avoir pleuré une femme exemplaire et aimable. Il reconnaissait que, pour la modestie, Ernesto avait un léger avantage. Mais il savait aussi qu'il n'avait pas à rougir de son parcours, que Dieu lui saurait peut-être gré d'avoir été un employé modèle qui n'avait jamais prétendu conquérir le poste d'un supérieur et qui, s'il avait convoité d'autres femmes que celle qui lui était échue, n'avait failli que par sa faute à elle. Parce que tout ce qui était arrivé était bien la faute de sa femme, toujours boudeuse, renfrognée, triste, amère, comme il en tombe parfois dans la vie d'un homme pour le briser ou le ridiculiser et qui finit toujours, par son obstination à se refuser à lui, par le pousser dans les bras d'une ou de toutes les autres. C'était plutôt lui qui aurait dû partir. Mais il était fidèle au mariage, à défaut de l'avoir été à son épouse. C'est que les femmes ne nous comprennent pas, Ernesto, se lamentait-il. Alors, il y aurait bien un Dieu pour un homme comme lui, un Dieu avec une majuscule haute et solide, un Dieu pour un homme qui n'a pas renoncé à être un homme et que l'âge n'a pas fait plier, ni même une femme comme la sienne. Il se disait que la chance saurait reconnaître en lui l'homme qui aime la vie, c'est sûr, un geste venu d'en haut saurait retenir la bille de la roulette le moment venu. Un peu d'argent, histoire de refaire la salle de bains ou de changer de téléviseur. Ou alors beaucoup, beaucoup d'argent, un vrai voyage, des femmes comme seule la richesse peut permettre de prendre ses rêves pour des réalités. Après tout, pourquoi pas ? Parce qu'il n'est pas pire qu'un autre, il est même un peu mieux. Il suffit de voir ses cravates et ses chemises toujours impeccables, ses costumes, sa prestance, sa démarche, son sourire et ses dents si blanches et si bien alignées qu'il devait encore se dire, dix ans après, que le prothésiste avait réellement accompli un miracle.

Mais pourtant, au jour d'aller attendre le bus vers treize heures quarante-cinq sur la place de l'église, ce jour qu'Ernesto et lui avaient attendu avec une ferveur de plus en plus grande, une ferveur soudain abyssale et dévastatrice, puisque l'un et l'autre en avaient perdu le sommeil plusieurs jours auparavant, Giorgio avait sombré dans une profonde déprime. C'est que, quelques jours avant la date prévue pour leur voyage, il avait reçu une lettre qui l'avait à la fois exaspéré et bouleversé. Il avait refusé d'en parler à Ernesto, bien que celui-ci l'invite à se confier, pressentant un secret, une inquiétude, une ombre glissée quelque part entre le firmament à venir et le présent de Giorgio.

– Mais qu'est-ce que tu as ?

– Rien, pourquoi voudrais-tu que j'aie quelque chose ?

– Je ne sais pas, tu n'es pas toi-même.

– Moi-même ?

– Je te connais.

– C'est vite dit.

– C'est que je m'inquiète, tu es étrange. Tu me caches quelque chose, insistait Ernesto.

Et Giorgio répondait en se servant un verre de vin et en montant le son de la radio ou de la télévision, *tststststssss*, qu'est-ce que tu racontes ? Tu sais, Berlusconi on l'attaque, mais il ne se laisse pas emmerder et il a bien raison, Silvio, avec l'argent qu'il a. Si j'avais tout cet argent, si j'étais à sa place, je m'en paierais aussi, moi, du bon temps. Et ceux qui le critiquent on les verrait se transformer à vue d'œil et leurs belles idées fondre au soleil des Bahamas, crois-moi.

Puis Giorgio se taisait. Il se renfermait, son regard ne lâchait plus l'écran du téléviseur et, dans ses yeux, se reflétait la lumière mouvante des jeux où des filles de rêve et des jeunes hommes musclés rient en maillot de bain sur des îles désertes. Face à lui, Ernesto avait parfois l'impression de surprendre des larmes dans les yeux de son ami, ou quelque chose d'approchant, une illusion d'optique, une buée, une vapeur, une brillance épaisse et douce que Giorgio chassait en clignant plusieurs fois des paupières et en se mouchant bruyamment.

Mais il ne disait rien de ce qui l'avait assombri ces dernières journées. Décidément, il avait eu le temps de penser que le courrier venant de sa femme n'avait jamais été agréable. Vingt-deux ans après l'avoir quitté, elle lui écrivait pour lui demander de l'aide. Enfin, plus précisément, elle ne voulait pas qu'il l'aide, elle, mais qu'il aide *leurs enfants*, écrivait-elle, pour l'aider à mourir dignement. Elle racontait que pendant toutes ces années on ne lui avait rien demandé. Il avait pu vivre comme il l'entendait, on avait respecté à la lettre son silence, son rejet, puisqu'il avait renié femme et enfants. Les enfants avaient pris leur mère en charge complètement, sans critiquer ce mari ombrageux et rancunier, ce père sans complaisance. Mais, aujourd'hui, c'était différent. Elle espérait qu'après sa mort ses enfants et lui pourraient faire un pas, eux vers lui et lui vers eux, n'évoquant pas les sujets délicats, les conflits, les rancœurs, mais s'asseyant autour de sa mémoire pour se réchauffer à de bons souvenirs. Il avait haussé les épaules en lisant cette idée très bonne femme, ridicule, *se réchauffer à des souvenirs,* poésie d'ins-

261

tituteur, avait-il grommelé. On ne se réchauffe qu'au feu de bois, au fioul, à l'électricité ou au gaz et ce n'est pas elle, qui ne m'a jamais payé le mien, qui va me dire de quel bois je me chauffe. Il avait replié la lettre en concluant : j'avais bien dit qu'elle en crèverait. Et il se le répétait, furieux, dépité, oubliant qu'il avait raison vingt-deux ans trop tard. L'idée que celle qui était encore sa femme, puisque, jusqu'à sa mort et sans son accord, elle n'avait pas pu défaire ce que Dieu avait fait, leur mariage, l'idée qu'elle allait mourir avait réactivé son souvenir, sa présence. Depuis qu'il avait reçu cette lettre, chaque meuble, chaque objet avait semblé porter déjà son deuil – c'est-à-dire un souvenir éclatant, régénéré, vivant, comme surgissant devant lui sans qu'il puisse y échapper. Giorgio avait écrit une lettre en quelques mots simples que lui-même devait juger, à la relecture, un peu trop expéditive. Car cette femme et ses enfants avaient partagé une bonne partie de sa vie et, malgré leurs trahisons, bien que tous se soient ligués contre lui, ils n'en restaient pas moins sa seule famille. Alors, claquer en trois mots une fin de non-recevoir, c'était la précipiter à la mort, elle et ses illusions de réconciliation. Il froissa sa lettre et la jeta au panier. Il allait en écrire une seconde lorsqu'une idée lui explosa au cerveau avec l'évidence d'une révélation. Il finirait par répondre, oui, plus tard, pas dans très longtemps, mais suffisamment pour que le doute s'immisce dans l'esprit de sa femme. Est-ce qu'il va oser ne pas répondre et l'abandonner franchement ? Et, au moment précis où elle commencerait le deuil de leur réconciliation, il la tiendrait à sa merci, il l'achèverait plus cruellement en lui faisant parvenir un chèque écrasant, surclassant toutes ses espérances à elle et dépassant ce qu'elle savait de ses moyens à lui.

Car Giorgio avait décidé, *primo*, gagner le maximum au casino et, *secundo,* répudier sa femme plus sûrement qu'il n'avait jamais su le faire, avec panache et superbe.

L'idée lui avait paru belle et limpide – le meurtre parfait –, claire comme le cristal et cassante, coupante comme ce dernier. Cette idée l'avait mis en joie. Il avait jeté la deuxième boulette de papier, puis avait attendu le jour du départ pour la Slovénie. Mais la joie n'avait pas tenu, quelque chose s'était affaissé en Giorgio, sans doute à cause de l'excitation trop puissante qu'Ernesto et lui avaient de plus en plus de mal à contenir, à force, les soirs, les journées, de se raconter ce qu'on pourrait faire si la fortune se montrait souriante.

Une certaine fébrilité s'était emparée d'eux. Alors qu'il y vivait depuis quinze ans, le salon d'Ernesto lui était apparu dans toute sa laideur et sa pauvreté, ses vêtements lui avaient semblé pouilleux et infects ; Giorgio avait enfin vu qu'il croupissait dans un placard immonde, à peine vivable, un salon étriqué et froid. Il faudrait tenir quelques jours encore dans ce taudis, supporter la peinture de ce couloir et des plinthes, tenir encore avant d'envisager de tout refaire ou même – l'idée les avait tenus un soir où ils avaient fini leur bouteille et où ils s'étaient couchés bien plus tard que d'habitude –, qu'ils pourraient tout laisser en plan, vêtements, meubles, et foutre le camp sans même se retourner sur ce passé aux encoignures si grises et sales que, pendant un instant, Ernesto et Giorgio avaient refusé de le voir comme étant le leur.

Alors, ce matin du voyage, ils se lèvent plus tôt qu'à l'accoutumée. Chacun veille à ne pas faire de bruit, non par peur de réveiller son voisin, mais par appréhension de ce que ce dernier pourrait se dire s'il comprend que l'autre a peu dormi et s'est réveillé impatient, troublé, anxieux. Car, il est vrai, cette journée sera différente. Ils se le sont dit souvent et se sont réconfortés et épaulés à chaque moment de doute, lors de ces petites déprimes qui leur tombaient dessus les soirs de pluie. La vie allait changer et, en attendant, l'idée même qu'une journée puisse apporter autre chose que le recommencement de la veille serait déjà une révolution suffisante pour faire battre des cœurs vieux et frémissants comme les leurs.

Une légère appréhension, c'est vrai, et, lorsqu'il se regarde dans la glace de la salle de bains, Ernesto comprend qu'il a peur de gagner – on ne sait jamais –, peut-être beaucoup d'argent. Il a peur de n'avoir plus aucune raison de rester dans ce vieil appartement si sombre et austère, mais dans lequel il avait vécu avec Marietta ses plus belles années. Soudain l'image lui apparaît aussi nettement que sa peur dans le miroir : le silence autour de la tombe de Marietta, la sépulture négligée, seule, à l'abandon, le marbre fendu, le nom terni de sa Marietta qui l'attend par-delà les ombres depuis un bon quart de siècle et pourrait attendre encore un peu, même si elle lui en voudra certainement s'il va faire le joli cœur et mener la grande vie, lui qui a toujours vécu si *gentiment*. On appelle ça des scrupules, tu as des scrupules. Après tout, est-ce que je lui en veux, moi, à Marietta, de m'avoir laissé en plan dans cette vie si plate ? Non, alors chassons cette image déplaisante d'une plaque de marbre ternie par le calcaire et la saleté. Pensons à la vie, se dit soudain Ernesto en faisant son café. Oui, la vie, il y a la vie, la vie, la vie et les images morbides doivent rester tapies dans un coin obscur de la chambre.

En attendant, Ernesto s'assied à sa table. Il boit son café et, comme tous les matins, il pense à la première cigarette, celle qu'il ne fume plus depuis trente-trois ans parce que Marietta avait voulu qu'il arrête alors que c'est elle qui, pour ainsi dire, était partie en fumée, le laissant tous les matins avec le même regret à la fois de sa femme et de sa première dose de nicotine. Et puis, les chaussures. Qu'est-ce qu'il va prendre comme chaussures ? Ernesto hésite. Celles du dimanche sont très bien, c'est sûr, mais les garder aux pieds pendant plus de vingt heures... Elles sont trop étroites, trop raides. Chaque dimanche, lorsqu'il rentre de l'église, après les avoir retirées, il est obligé de plonger ses pieds dans une cuvette d'eau très chaude ou très froide, selon la saison, et de nettoyer au coton les petites taches de sang au bout des ongles, en ruminant contre son imbécillité. La vérité, c'est qu'il n'ose jamais demander au vendeur une paire de chaussures d'une demi-pointure supérieure à la sienne, sachant que les pieds gonflent toujours un peu. Bon, il faudra faire avec, il ne pourra pas partir avec ses mocassins de tous les jours, Giorgio n'apprécierait pas. Alors il portera ses chaussures et mettra du coton au bout des pieds, dans ses chaussettes, pour amortir la violence des coups et adoucir les coupures.

Ernesto retourne dans la salle de bains pour chercher le coton sous le lavabo et, un instant très court, il croise le miroir au-dessus du robinet. Un coup d'œil rapide, mais aussitôt ça s'imprime dans le cerveau et tout de suite le cerveau réagit et s'élance, il parle, il ne peut pas s'en empêcher, non, c'est plus fort que lui, il le faut, il s'emballe, s'emporte, les gens là-bas vont être élégants, bien habillés, soignés et toi, toi, Ernesto, tu aurais au moins pu te faire couper les cheveux et te laisser pousser la moustache. Si tu avais réfléchi plus tôt – enfin, tu as réfléchi plus tôt, tu y as même réfléchi beaucoup trop tôt, tu y as pensé tous les matins depuis au moins quinze jours –, tu pouvais laisser repousser cette moustache, comme elle fleurissait lorsque tu étais jeune et que Marietta aimait souffler dedans pour chasser les brins de tabac qui s'y promenaient. Tu te souviens, Ernesto ? Oui, Ernesto se souvient. Il s'imagine retrouvant sa moustache, comme on retrouverait le goût de vivre et des sensations perdues quelque part dans le dédale d'années trop lointaines. Mais sa moustache ne sera plus jamais celle d'avant. Pas celle, épaisse, touffue, qu'il avait portée avec orgueil pendant si longtemps. Mais une moustache, ça aurait pu être juste un trait pour dessiner le contour de la lèvre supérieure, quelque chose de simple pour montrer qu'on ne se néglige pas et qu'on est encore soucieux de son élégance. Mais, chaque jour, Ernesto avait rejeté l'idée en se disant non, demain, on verra demain.

Mais cette fois c'est trop tard, et, en lieu et place de ce mince fil de poils, c'est un fil de regret et de déception qui le tient – toujours ton manque d'audace et ta timidité de vieux gosse. Mais il n'a pas le temps de ruminer, il faut encore repasser ce costume que ses enfants avaient acheté au Rinascente de Rome pour l'un de ses anniversaires, il y a déjà quelques années. Et d'y repenser, tout à coup, il se sent submergé par l'émotion. Des années avaient passé, pas tant que ça, mais quand même, trois, quatre, aujourd'hui il doit avoir soixante-seize ans, bientôt soixante-dix-huit. Le costume a tendance à se friper sous le fer, je sais, je sais, je devrais le porter au pressing mais, tout de même, c'est un peu cher, le pressing.

Giorgio, lui, ira au bout de la rue chercher la veste qu'il y a déposée deux jours plus tôt. Il y sera à la première heure. Il aura eu le temps de récapituler ce qu'il a à faire pour être prêt le moment voulu. Il vérifiera la veste avant de la récupérer, il connaît le coup, trop expérimenté pour se laisser berner et avoir de mauvaises surprises de retour à la maison. Non, à lui, on ne la fait pas. Les plis, les teintes, les accrocs, il verra ça avant qu'on jette sur la veste un plastique pour la protéger – mais aussi bien pour dissimuler les imperfections du nettoyage. Il jettera un œil et reviendra à la maison. Il a des chaussures à cirer et l'impression d'avoir beaucoup de choses à faire. Mais, en réalité, il est prêt depuis déjà trois ou quatre jours, ses vêtements l'attendent sur le valet de nuit. Son argent a été retiré et les billets glissés dans son portefeuille. Il a mis un élastique autour des billets de cinquante, un autre pour ceux de dix. Il a noté, sur son cahier à spirale, la date, en haut et bien centrée, soulignée deux fois et, dans la colonne de gauche, argent retiré, sept cents euros en billets de dix et de cinquante.

Il a bien réfléchi. C'est décidé, il emportera quelques affaires, mais trois fois rien. Son vieux sac de cuir est prêt lui aussi. Journal, mots fléchés, bouteille d'eau, mouchoirs, sudoku – sans oublier le crayon à papier avec la gomme au bout. Même s'il déteste le sudoku, il sait qu'il faudra bien s'occuper pendant le trajet et signifier à Ernesto qu'on ne peut pas toujours parler de tout et de rien, que se taire est reposant. Mais ça n'empêche pas d'emporter le jeu de Uno pour ne pas manquer non plus la partie qu'on fait tous les jours après la sieste, vers seize heures. Ça n'empêche pas de partager des moments. Même si avec les bouchons d'oreille on signifie clairement que parfois ça suffit. Il faudrait aussi dormir et grignoter quelques clémentines et des pommes, du fromage, un peu de charcuterie, penser à partir avec des chaussettes de contention, pour les longs voyages c'est pratique, le sang circule bien, les jambes ne gonflent pas. Il faut y penser comme au masque à carreaux gris et bleu, en laine, pour couvrir ses yeux et dormir un peu.

Il part chercher sa veste en réfléchissant à sa femme et à ses enfants, à l'idée de la lettre qu'il a voulu écrire et à laquelle il a renoncé. Et puis, est-ce par confusion, par inadvertance, il s'aperçoit au milieu de la rue qu'il a oublié de refermer la grille – une seconde il s'arrête, figé, interdit, en plein milieu du trottoir. Il repense à l'écriteau d'Ernesto, dont il connaît le message par cœur, et peu importe alors s'il est aujourd'hui complètement illisible et que l'on devine quelques traits jaunes sur un papier lui-même jauni sous un plastique sale et tavelé d'éclats de boue séchée. Peu importe, en effet, si ce message est illisible, puisque tout le monde le connaît : *merci de fermer la grille.* Giorgio s'arrête, il hésite à retourner sur ses pas – Dieu seul sait ce qu'Ernesto va faire si son chien a encore pris la poudre d'escampette. Et puis, ce n'est pas possible, non, il nous emmerde, ce chien ridicule, cette chose tremblotante avec ses petites pattes raides et fragiles comme des baguettes.

Alors Giorgio reprend sa route vers le pressing en haussant les épaules. Aujourd'hui, il le sait, c'est son heure. Il va enfin pouvoir prendre sa revanche et, lorsque les billets de banque gonfleront son portefeuille de cuir et qu'ils lui donneront ce renflement que les femmes aiment y voir et caresser, ça, oui, elle regrettera. Elle pourra voir venir sa mort avec sérénité et amertume, se dire que c'est grâce à lui et malgré son ingratitude à elle qu'elle reposera dans un cercueil en double plateau, chêne, hêtre, if, ce qu'elle voudra – elle pourra même choisir la couleur des poignées et préférer l'or à l'argent et se dire que finalement, il y a vingt-deux ans, ce qu'elle a fait en partant, ce n'est ni plus ni moins que gâcher sa propre existence. Giorgio en est là de ses réflexions quand, sur le même trottoir, il croise Gianni – Gianni, son sourire, sa voix, sa truculence toujours un peu excessive et démonstrative.

L'ami, où vas-tu, c'est aujourd'hui que tu fais fortune, non ? Le visage de Giorgio soudain comme réveillé, en alerte. Oui, Gianni, c'est le grand jour. Ah, répond Gianni, l'air non pas heureux comme Giorgio s'attendait à le trouver, mais embarrassé par une sorte d'arrière-pensée qui se serait dissimulée derrière son regard louvoyant, cherchant un point à fixer, un appui sur une vitrine, Gianni parlant trop vite, ses mains trop mobiles devant son visage, ses éclats de rire, sa voix trop forte, la chance d'aller là-bas, Giorgio, quelle chance tu as ! Tu ne te rends pas compte. Et puis un silence un peu trop lourd. Un regard qui s'attarde sur des chaussures dont la semelle s'obstine, comme un petit animal impatient et fureteur, à rouler sur le gravier, à frotter contre le bitume pour y décrire un arc de cercle.

– Qu'est-ce qu'il y a, Gianni ?
– Rien. Je vous envie.
– Pourquoi tu ne viens pas ?
– La prochaine fois.
– Tu as des problèmes d'argent ?
– Non, non, tu parles...
– Ta femme ?
– Avec tout ce que j'ai gagné là-bas, il faudrait être fou pour ne pas y retourner.
– Alors, tu es fou ?

269

Gianni s'enfonce dans des explications qui obscurcissent tout et Giorgio, dubitatif, regarde sans rien dire ce camarade, bon compagnon de jeu, commentateur de la vie d'ici et des matches, un homme de terrain, c'est sûr, et l'un des premiers à s'être rendu à Nova Gorica, déjà presque un an plus tôt, date à laquelle il avait fait le récit d'un monde de chrome, de néons, de vitrines, de femmes sublimes et de sourires aguicheurs. Il avait raconté souvent comment il avait gagné beaucoup d'argent, comment il avait pu changer de téléviseur et refait toutes les peintures de la maison, sa femme reprise par une fièvre amoureuse passionnée lorsqu'il lui avait acheté de nouvelles robes et offert quelques breloques. Et tout ça pour quinze euros et un peu de culot. Il s'était vanté de ce qu'il avait gagné, puis le mois d'après il était retourné à Nova Gorica par le bus de quatorze heures. On l'avait vu, Giorgio l'avait vu, en costume, les cheveux coiffés en arrière, la cravate aux teintes irisées, le pantalon couleur pêche, la chemise bleue à col blanc, souriant mais déjà concentré, parfumé, offensif. Giorgio avait été impressionné, un peu envieux, et l'idée de risquer quinze euros avait germé dès ce moment-là. Il avait fallu attendre que Gianni, un jour, montre à Giorgio, et seulement à lui, très discrètement, cette boîte de pilules bleues qu'il emportait là-bas, puisque, par chance, sa femme refusait toujours de l'accompagner. Il se sentait libre, il était libre et les femmes, de l'autre côté de la frontière, avait-il susurré, n'ont pas froid aux yeux. Elles savent reconnaître les hommes, crois-moi, Giorgio. Il avait agité la boîte de pilules, qui avaient dansé dans sa paume en laissant à l'oreille une impression de maracas et d'une salsa improvisée – Giorgio avait laissé son imaginaire dessiner les jambes et les seins des femmes dont Gianni lui avait parlé. Il avait raconté comment un groupe de femmes si belles, si jeunes, étaient assises sur un canapé et se tenaient les unes contre les autres, tu aurais vu ça, des talons aiguilles et des jambes longues comme je ne sais pas, je ne sais pas, je ne pourrais pas dire, elles m'ont demandé de les photographier et moi je voyais les jambes qu'elles croisaient et décroisaient en ricanant et se soufflant des mots que je n'entendais pas, elles se touchaient les cheveux, se caressaient presque et moi je les regardais boire du champagne, oui, oui, pas du *prosecco*, du champagne.

Et quand Giorgio essayait d'imaginer la bacchanale, il se voyait assis entre les jeunes femmes, vautré dans le cuir d'un canapé profond, noyé dans des essences de parfums et étourdi par l'odeur des peaux jeunes et sucrées. Il voyait des rouges à lèvres roses laissant des traces pulpeuses sur le rebord des coupes de champagne. Il se voyait caressant les cheveux soyeux et odorants de belles étrangères, en leur allumant des cigarettes *slim* avec son briquet plaqué or. Giorgio avait voulu savoir ce qui s'était passé de plus, en désignant la boîte de pilules. Gianni avait répondu par un mouvement d'épaules qui aurait pu vouloir dire tout et son contraire, et avait bredouillé pour l'instant, bon, pour l'instant, mais il vaut mieux être prudent.

Mais, ce matin, non, c'est différent. Décidément, quelque chose ne va pas. Est-ce que Gianni ne lui inspire pas confiance ? Est-ce que Gianni a l'air malhonnête ? Il voudrait lui demander pourquoi il reste là, parmi eux, Gianni, pourquoi il revient chez lui si l'herbe est vraiment plus verte en Slovénie ? Et pourquoi ils ne sont pas tous milliardaires, là-bas ? Et pourquoi, tous, ici, on ne se précipite pas de l'autre côté de la frontière si les femmes nous ouvrent les bras et les banquiers leurs coffres ? Giorgio sent bien que Gianni lui cache quelque chose, qu'il a l'air de douter, de flancher, de ne pas tenir cet air un peu supérieur qui lui conférait une sorte d'aura, de prestige. Non, tout ça semble avoir disparu, à peine le souvenir ou la nostalgie dans la voix qui tente quelque chose, un sursaut, quand je pourrais y retourner, c'est sûr, je vais me refaire, je vais refaire surface, je crois que la dernière fois je n'ai pas assez misé d'argent, j'ai été trop timide. C'est ça, on n'ose pas. Parce que la première fois on gagne avec presque rien, on se dit qu'il en sera toujours ainsi. Ah bon, s'inquiète Giorgio. Tu as perdu beaucoup ? Moins que les autres. Ah ? Les autres, d'ici ? Oui, d'ici et d'ailleurs. Certains sont complètement fous, ils dépensent tout, leur pension, leurs économies, tout ce qu'ils ont accumulé pendant des années. Ils dépensent à crédit et espèrent retrouver la chance, ou la connaître. Parfois il y en a un qui réussit, alors les autres lui vouent une haine à faire peur et ils dépensent trois fois plus, ils mettent les bouchées doubles en espérant que leur tour arrive. Mais toi ? Toi ? demande Giorgio soudain au bord de la panique, tu avais gagné, tu as gagné, tu gagnes. Tu nous as dit que tu gagnais. Moi ? Oui, oui... Oui, je gagne. J'ai gagné la première fois. La première, comment ça la première ? Oui. Et les autres fois ? J'ai eu moins de chance, mais ça va. Je ne me plains pas. J'ai une bonne pension et je ne suis pas comme les autres. Quels autres ? Les autres. Enfin, tu vois. Les petits vieux qui claquent tout et reviennent fauchés comme les blés et se font remonter les bretelles par des enfants ou des femmes qui doivent payer pour eux tous les excès qu'ils font. Des excès ? On gagne, alors on rejoue. Quels excès ?

On rejoue et on perd et on gagne, à la fin on reperd indifféremment tout et même plus encore. De quels excès tu parles ? De quels excès ? Disons que le cliquetis de la machine à sous c'est seulement dans nos rêves qu'on l'entend et alors, tu comprends, c'est de pire en pire.

Giorgio va reprendre sa veste au pressing avec moins d'enthousiasme et d'allant qu'il aurait cru. Quelque chose s'est infiltré entre son désir et lui et a rompu le charme et l'excitation. Son pas, soudain, il le voit, le constate, impuissant, oui, le pas ralentit, les chaussures traînent sur le trottoir, elles freinent presque et les yeux errent d'une vitrine à l'autre pour trouver quelque chose qu'ils ne peuvent pas trouver puisqu'ils ne savent pas ce que c'est, échappatoire, issue de secours, alternative. Giorgio le sait, le miracle s'est évanoui, le charme est rompu. Alors il ne prend pas le temps de vérifier le nettoyage de sa veste. Il tend les bras sans sourciller, reçoit le paquet, reconnaît le tissu sous le plastique, tend sa carte de fidélité, il aura bientôt droit à dix pour cent de réduction, un coup de tampon dans la case correspondante et la femme lui rend sa carte.

Il part sans même se forcer à sourire ni à souhaiter une bonne journée. Car soudain, en plein magasin, alors qu'il attendait qu'on trouve son vêtement, il a pensé à Ernesto, et cette pensée a eu la violence d'une révélation. Il l'a imaginé, il a vu comme Ernesto lui avait raconté qu'il était entré la veille dans la banque, dirigeant ses pas vers les guichets. Il a imaginé Ernesto cherchant la caisse derrière laquelle il pourrait trouver le visage qui lui paraîtrait le plus compréhensif, le plus à même de lui répondre favorablement, plutôt que de se rendre dans la file d'attente la moins longue. Tous les deux étaient convenus qu'il valait mieux avoir de l'argent sonnant et trébuchant, du vrai argent plutôt qu'utiliser une carte de crédit. Giorgio en est sûr, le connaissant, Ernesto a dû demander son propre argent comme s'il ne lui appartenait pas.

Et maintenant les images montent au cerveau de Giorgio en lui soulevant le cœur, sans qu'il puisse savoir pourquoi cette vision d'Ernesto derrière le guichet de marbre vert, faisant la queue, s'excusant peut-être de déranger, plaquant ses cheveux trop longs sur les oreilles et dans le cou, une mèche rebelle et chétive sur son crâne tout tavelé de plaques jaunes et de petites taches brunâtres, pourquoi cette image le remplit de honte, lui qui a tant lutté pour convaincre Ernesto de tenter le voyage vers la frontière slovène ? Il se souvient des dépliants, des photographies, des publicités, des bons de réduction qu'il avait agités sous les yeux de son ami, et de sa réticence à lui, Ernesto, résistance timide et polie, avec ses éternels Je comprends mais, ce serait formidable mais, ses arguments de bon sens, oui, de *bonne femme*, pour ne pas céder à cette tentation trop tentante, ne pas se laisser étourdir par le chant des sirènes.

Alors Giorgio s'arrête boire un café au comptoir de Ciampini. Il va réfléchir. Il faut qu'il réfléchisse. Il sent sa voix qui chevrote en demandant son café, sa main qui tremble en saisissant le sucre et la cuillère qui glisse entre ses doigts mous, tremblants. Son souffle est court, les lèvres sèches. Bon Dieu, Giorgio, ressaisis-toi, se dit-il. Ne laisse pas ce Gianni, qui est un incapable, te plomber les idées. Tu y as trop pensé pour reculer maintenant et – non, non. Bien. Calmons-nous. Réfléchissons. Et si Ernesto avait eu raison ? Et si j'étais en train de l'emmener au casse-pipe et qu'il dépense tout l'argent qu'il n'a pas ? Comment je ferais, après, moi, pour expliquer à ses enfants qu'il ne voulait pas tant que ça y aller ? Que c'est moi qui lui ai forcé la main ? Et puis, moi aussi, si jamais je perds mon argent ? Si jamais tous ils débarquent pour que je les aide à payer des funérailles dont je n'ai pas les moyens ? Et si je ne peux pas mettre un sou pour leur mère ? Pour ma femme ? De quoi j'aurais l'air et comment ils me mépriseraient encore et penseraient que je suis un lâche ? Un égoïste ? Un radin ? Un minable ? Un type qui n'a que sa grande gueule pour faire le malin, puisque c'est ce que tout le monde a toujours pensé de moi – et ça, ah oui, ce que je l'ai entendu. Ils exagèrent, c'est sûr. Ils exagèrent parce que j'ai fait tout ce que j'ai pu. Et s'ils avaient travaillé autant que moi, peut-être qu'ils pourraient commencer à parler. Je ne comprends pas pourquoi ils ont toujours préféré leur mère, alors que c'est moi qui leur ai donné de quoi vivre, qui ai travaillé pour eux, qui ai fait tout, tout, pour eux. Giorgio sent monter en lui comme un vertige, une sorte de tempête qui brasse sous son crâne des idées et des sentiments qu'il croyait impossibles. Il insiste. Il veut lutter. La frontière slovène, le casino, la fortune, noir et pair, pair, impair, peu importe, le dix-sept, qu'est-ce qu'il attend, il voudrait pouvoir arriver chez son fils à Milan avec beaucoup d'argent et dire je m'occupe de tout, je ne suis pas si mauvais, non, qu'est-ce que vous croyez ? Que je vous oublie ? Que je vous laisse tomber ? Que j'ai raté ma vie ? Que je suis un pauvre type ? Moi ? Moi, ce que je suis ? Un père, un mari, c'est tout, et pas du genre à laisser tomber les miens. Voilà ce que je suis. Qui je suis. Accrochez-vous à moi, je suis fort, un père comme celui qui vous portait sur les épaules quand vous étiez enfants – Quoi ? Je ne vous ai jamais portés sur mes épaules quand vous étiez enfants ? Ça m'étonnerait, vous avez oublié. Les enfants n'ont pas de mémoire. Ils oublient. Je crois qu'ils oublient parce que je suis un père, je veux dire, j'étais un bon père, un bon mari et je n'ai pas compris ce qu'elle m'a reproché. Bon, c'est vrai, je travaillais beaucoup. Je rentrais tard et parfois des détours, j'en faisais. C'est vrai aussi, oui, chez l'une ou l'autre. Mais je ne comprends toujours pas pourquoi ce mépris et je ne démissionne pas, même si j'en aurais le droit, oui, après tout, ce n'est pas moi qui suis parti, ce n'est pas moi, moi je tiens la barre et je voudrais leur dire pour leur clouer le bec une bonne fois pour toutes, non, ne cherchez pas d'argent, ne vous fatiguez pas pour l'argent, pour moi l'argent il n'y a rien de plus facile et – stop, stop. Stop.

Si elle insiste pour que je paye, est-ce que je pourrai dire j'ai tout perdu au jeu ? Est-ce qu'il faudra subir l'humiliation de dire que je vais jouer mon argent à la roulette dans des casinos où des vieux fous viennent se faire plumer en essayant d'approcher des cocottes ? Leur dire, j'ai tout perdu parce que je voulais voir de l'autre côté de la frontière et que là-bas il y a des femmes qui m'attendent ? Bon Dieu, non. Je ne pourrai pas. Bien sûr, on ne peut pas, personne ne pourrait. On n'ajoute pas la honte à la honte, l'échec à l'humiliation et l'humiliation au déshonneur. Enfin, le déshonneur, au point où on en est. Et maintenant, comment faire pour reculer et dire à Ernesto que peut-être, cet après-midi, il ferait mieux d'aller faire sa promenade avec son chien, jusqu'au cimetière, pour raconter à sa femme comment il en a marre de m'entendre geindre sur le monde comme il ne va pas. Comment dire à Ernesto que peut-être ce n'est pas une bonne idée. Lui dire, j'ai croisé l'autre pigeon de Gianni, ah, lui, c'est vraiment un pauvre type, un vantard et nous, mon ami, faisons une partie de rami, de Uno, jouons aux dames, aux échecs – non, évidemment, tu ne sais pas jouer aux échecs, les postiers ne savent pas jouer aux échecs.

L'idée lui traverse l'esprit bien naturellement – la grille ! Il avait oublié de fermer la grille ! Avec un peu de chance, Geronimo aura foutu le camp. Ernesto ne l'aura pas vu partir parce qu'il s'est affairé à préparer ses vêtements, son sac, et le chien sera peut-être suffisamment loin pour ne pas revenir de sitôt. Si ça pouvait suffire à dissuader Ernesto de partir ?

De son côté, en effet, Ernesto ne s'est pas aperçu tout de suite de la disparition de son chien. Il a fait ce qu'il avait à faire, cirer ses chaussures, couper et récurer ses ongles, préparer son sac avec un tricot de laine bien épais, parce qu'il a peur d'avoir froid. Il a vérifié sur sa liste et rayé l'une après l'autre les recommandations, oui, repasser son pantalon – c'est fait –, la chemise blanche la plus nette qui lui restait – oui, ça aussi –, prendre un paquet de coton en plus. Qu'est-ce qu'il pourrait oublier, ou négliger, il se demande. Il y a tout un tas de choses à faire, on ne se rend pas compte. Lorsqu'il avait voulu donner ses croquettes à Geronimo, il avait fait ce qu'il fallait – prendre la gamelle en plastique vert émeraude, aller dans la cuisine et passer la gamelle sous le robinet d'eau froide pour la rincer, la reposer sur la table et se pencher sous l'évier, saisir la boîte, là, voilà, à gauche de la poubelle et à droite des produits d'entretien, ouvrir le paquet, verser une pluie de croquettes en entendant le bruit de cailloux contre le plastique, tout en appelant déjà Geronimo, en sifflant, ou par de petits bruits de bouche, puis des noms très doux, affectueux, la joie au cœur, des mots gentils et aussi frétillants que l'animal arrivant en laissant traîner un son aigu et prolongé qui n'est pas un aboiement, plutôt un couinement de bonheur, la queue frappant tout sur son passage, meubles, frigo, chaises, et puis les griffes rayant, crissant sur le parquet ou le lino. Sauf que ce matin la voix d'Ernesto résonne dans le vide et que, dans le vide, il doit entendre vibrer l'absence de Geronimo. Une absence qui s'amplifie au fur et à mesure que manquent à l'appel le couinement de bonheur, la queue frétillante frappant tout sur son passage et puis les griffes ne rayant rien, ne crissant sur aucun sol, ni lino ni parquet, mais peut-être seulement dans le cœur d'Ernesto, réactivant l'inquiétude, la même crainte depuis toujours – pourvu que personne n'ait oublié de fermer la grille.

Il a quitté ses chaussons et pris ses mocassins. Sans réfléchir plus longtemps, sans même se rendre compte de sa rapidité, il a saisi au portemanteau ce vieux paletot qui déprime tellement Giorgio que celui-ci affecte à chaque fois de détourner le regard – des simagrées –, alors que la réalité, maintenant, c'est Ernesto pressant le pas dès qu'il a constaté que, oui, c'est bien ça, la grille est ouverte. Giorgio a oublié. Il a encore oublié de fermer la grille. Pourtant il le sait. Bon Dieu, ça oui, il le sait. Si lui ne le sait pas, je ne vois pas qui pourrait le savoir. Ernesto a traversé le couloir et il est arrivé dans la petite cour dallée devant l'entrée de la maison. Il est resté un instant sans bouger, à côté de la grille, a jeté un regard de chaque côté de la rue. Geronimo, Geronimo ?

Il est déjà bientôt onze heures. Onze heures, bon Dieu, déjà, il ne faut pas que ce soit possible, que Geronimo

278

s'enfuie maintenant. Ernesto ne pourra pas supporter de partir et de savoir son chien seul, errant, abandonné à la rue, risquant sa vie, qui sait, oui, une mauvaise rencontre, des chiens pourraient le mordre et le tuer comme ils ont perforé d'un coup de dents la chienne d'une voisine qui en a pleuré pendant des semaines, des enfants pourraient lui jeter des pierres pour s'amuser ou vouloir l'emmener avec eux pour le garder et le priver, lui, Ernesto, de son vieux compagnon. Non, ça, ce ne serait pas possible. Mais Ernesto connaît les habitudes de Geronimo, il est fidèle en fugue comme en amitié – autant qu'un chien soit fidèle en amitié. Fidèle, oui, mais en amitié, on ne sait pas si c'est le mot juste, si c'est de l'amitié, s'il y a un autre mot pour un chien, se demande Ernesto. Alors, il pense que oui, d'une certaine manière, Geronimo et lui sont amis, pas exactement comme il est l'ami de Giorgio, certes, mais amis tout de même.

Par chance, connaissant Geronimo, il se dit que celui-ci devrait filer tout droit et rejoindre la place de l'église, sans doute prendre à droite et passer d'une maison à l'autre en prenant son temps, en flairant les trottoirs, reniflant à la recherche de l'amour – pourquoi pas ? Geronimo n'est pas si vieux. Ernesto file vers la place et son regard est très rapide, vif, sa voix résonne à travers la rue principale et va se perdre dans les ruelles adjacentes. Il appelle son chien, mais cette fois c'est par son nom. Il ne crie pas, il articule précisément les syllabes pour que Geronimo reconnaisse son nom et la voix de son maître, qui pour l'instant n'a pas peur, non, pas encore, c'est autre chose, de l'inquiétude et de l'agacement, de la colère, si l'on veut. Mais il ne sait pas vraiment s'il est agacé d'abord contre Geronimo ou contre Giorgio. Et s'il est agacé, c'est que ça tombe très mal aujourd'hui, alors qu'il n'est pas encore prêt et voit l'heure défiler, comme les nuages blancs et ronds, moutonneux, épais, joufflus, paradant sur ce ciel du même bleu que le manteau de la Vierge dans l'entrée de l'église. Il n'a pas fini de se préparer pour le départ du début d'après-midi et cette idée le met hors de lui, depuis le temps qu'il avait tout prévu, anticipé, comment ça peut être en train de lui arriver ?

Il espère que l'incident ne durera pas trop longtemps, que tout va rentrer dans l'ordre, que Geronimo va rentrer à la maison. Ernesto espère que la petite tache blanchâtre, les pattes maigres et rapides comme des pattes d'araignée vont apparaître entre les roues d'une voiture, derrière une grille ou un arbre, derrière les pas de quelques passants qui n'auront même pas pris le temps de le remarquer parce qu'il aura longé le trottoir à toute vitesse, comme s'il savait où il allait – et peut-être, après tout, qu'il le sait, se demande Ernesto ? Vers l'école ? Le presbytère ? L'ancienne usine de caoutchouc ? Geronimo, lorsqu'il part, ne se laisse pas rattraper facilement. Mais Ernesto n'envisage pas que ça puisse durer. Non, il va retrouver très vite son chien, il va l'attraper, le glisser sous son bras, lui caresser le dessus du crâne et Geronimo fermera les yeux en baissant la queue et en la repliant entre les jambes, pendant qu'Ernesto lui fera la morale, tu m'as tellement fait peur, j'ai eu tellement peur, il t'arrivera des malheurs et alors qu'est-ce que je deviendrai ? Tu y penses, hein, petit voyou ?

Ernesto n'envisage pas un instant qu'il pourrait ne pas retrouver Geronimo avant de partir. Puis, soudain, cette idée se lève en lui. Il la repousse tout de suite, parce qu'il sent que si jamais il la laisse monter et grandir la terreur va l'envahir, une terreur idiote, folle ; il ne sait pas s'il pourrait résister longtemps à la panique, ni même aux larmes. Il ne veut pas qu'on le voie dévasté par la peur de ne pas retrouver son chien. C'est tellement idiot. Est-ce qu'il est sénile et débile à ce point-là ? Oui ? à ce point-là ? Comme si sa vie dépendait d'un chien ? Il voudrait réfléchir et, un instant, il sait qu'il ne peut pas. Sa gorge est nouée, ses jambes vont flancher, et quand la voisine lui demande s'il va bien, quand un homme s'arrête devant lui et se penche vers lui, l'air inquiet, prêt à aider, si je peux vous aider, semble-t-il déjà dire alors que non, il n'a pas encore parlé, c'est juste qu'il devine qu'Ernesto a un problème ; tout le monde doit voir qu'il ne va pas bien. On doit deviner qu'il défaille – eh oui, il tremble, l'air hagard ou perdu et pourtant il veut se ressaisir. Il entend sa voix dire ça va, merci, je vais bien. Enfin, non, sa voix, peut-être que c'est sa voix qui a ce drôle de son métallique et faible, je vais bien mais mon chien est parti de chez moi, je dois partir tout à l'heure alors, alors – alors la voix d'Ernesto s'éteint comme une flammèche ridicule soufflée par un coup de vent glacial, parce qu'il comprend que le jeune homme s'est mis à sourire et qu'il va reprendre sa route, que la voisine aussi prend ça à la légère lorsqu'elle dit, ne vous inquiétez pas, votre chien, on le ramènera chez vous si on le trouve.

Oui, ils vont le trouver. Ou alors je vais le trouver, moi. J'ai encore du temps. Je vais le trouver parce que je sais où il va d'habitude. Alors Ernesto remercie et sourit aussi largement qu'il peut, laissant apparaître sa bouche édentée et grise, mais si confiante, tout à coup. Tout va bien se passer. Je vais retrouver Geronimo et nous allons rentrer bien sagement, et alors je pourrai partir avec Giorgio. On aura le temps de déjeuner, de boire un café, de nous rendre tranquillement sur la place et d'attendre même un bon quart

281

d'heure avant que le bus arrive. Tout va bien. Ernesto remonte la rue principale vers la place de l'église. Il appelle, il accélère et parfois revient en arrière, regarde à droite et à gauche, sous les voitures qui sont garées, observe derrière les grilles, dans les cours, on ne sait jamais. Il écoute avec attention. Il appelle, sa voix de plus en plus forte, haute, tremblante, c'est vrai, maintenant ça fait plus d'une demi-heure, il a longé toute la rue, n'a rien vu, rien entendu, il a demandé aux gens et seul un gamin lui a dit, oui, je l'ai vu, il est parti là-bas, derrière le presbytère. Alors Ernesto s'est rendu là-bas, mais là-bas on lui dit non, nous n'avons rien vu. Il crie le nom de son chien en se disant que ce n'est pas un cri. Ernesto n'ose pas regarder l'heure à sa montre. Il n'ose pas se dire qu'il risque d'être en retard. Ce qui était improbable tout à l'heure devient possible et se profile, alors il s'arrête sous les grands marronniers de la place et regarde les troncs auxquels le froid et le temps ont infligé des coups si laids et violents que lui-même se croit lacéré et blessé.

Il s'assied sur un banc pour réfléchir, mais il ne réfléchit pas. Il sent une vague de tristesse monter en lui et qui charrie dans son eau noire des débris de sa vie, l'image de sa femme et de ses enfants – que font-ils, à cette heure-ci, ses enfants ? Est-ce qu'ils pensent à lui ? Et ses petits-enfants, ils sont sans doute à l'école ? Et lui, qu'aucun d'eux ne pourrait imaginer ici, sur un banc, pour qui compte-t-il vraiment ? Il a si souvent l'impression que ses enfants ne l'appellent que parce qu'il le faut, pour un anniversaire ou une fête, mais pas vraiment pour lui, pour sa présence à lui, alors pour qui, pourquoi continuer ? Comme ça ? Continuer quoi ? Est-ce qu'il continue, que ça continue ? Ça continue, mais qu'est-ce qui continue ? Oui, ça continue, ça continue à ne pas avancer. Cette vague qui le dévaste soudain et qu'il voudrait réprimer en se disant que ça passera, ça passe toujours, il faut bien que ça passe, il le faut, il faudra, il faudrait, il fallait, il aurait fallu et il eût fallu et il conjugue pour penser à autre chose ou même ne plus penser du tout, il a oublié certains temps du futur et du passé. Le passé, oui, comme le reste, c'est sûr, le passé ne passe pas et s'ankylose dans sa vie de tous les jours. Comme si c'était à cause de lui, le passé, que les vieux étaient si lourds et si lents à se déplacer, à force de se déposer comme un limon, dans toutes les strates du corps. Bon Dieu, se ressaisir ! Seul le présent compte. Si Giorgio le voit dans cet état, ici, maintenant, que va-t-il penser, Giorgio ? Ah, Giorgio ! Il sait bien qu'il faut fermer la grille. Il le sait mais n'en fait qu'à sa tête, il est comme ça, c'est vrai. Il a bien des défauts, Giorgio. Sa femme n'a pas eu complètement tort, et ses enfants, pas complètement tort non plus de la soutenir. Ernesto le pense bien souvent, parfois il est même à deux doigts de lâcher, quand Giorgio s'obstine à défendre des vues ridicules, qu'il ne faut pas s'étonner si aujourd'hui il en est là. Où ? Tu vois très bien ce que je veux dire. Mais ensuite Ernesto regrette d'avoir eu des mauvaises pensées. Giorgio est son ami, il a tellement de courage, il est tellement plein d'énergie, d'enthousiasme, de force, d'entrain, oui, c'est une chance pour Ernesto d'avoir un voisin pareil.

Ernesto reprend sa respiration, un grand souffle d'air, un grand bol qui lui rafraîchit la gorge et les idées. Non, il ne faut pas céder à l'abattement. Il ne faut pas, ne serait-ce que pour ne pas décevoir Giorgio. Il ne doit pas pleurer. Il frotte ses mains sur ses cuisses, paumes ouvertes, doigts écartés. Il faut se réchauffer les mains et le cœur, aujourd'hui nous partons avec Giorgio et nous en avons tellement parlé, il ne faut pas se laisser aller, Geronimo reviendra de lui-même, oui, il le faut, se dit Ernesto, parce que si jamais je cède à ma peur, alors Giorgio me méprisera. Ernesto conclut que si Giorgio ne peut plus le regarder sans le mépriser, lui-même se regardera avec mépris. Et puis les billets sont achetés, on ne va pas demander à être remboursés, c'est impossible, on a décidé, on a choisi, il faut y aller et alors Ernesto se relève et se décide à rentrer chez lui.

Et lorsque, plus tard, peut-être une heure après, Giorgio vient frapper à sa porte, Ernesto n'ose pas lui dire combien il est désemparé. Il faudrait aussi avouer sa colère contre Giorgio, lui dire, tu n'as pas fermé la grille derrière toi, tu n'as pas pensé à fermer la grille parce que tu ne penses jamais à ceux que tu laisses derrière toi. Voilà, Geronimo est sorti. Il s'est enfui et il n'est pas revenu. Il n'est pas rentré et Dieu sait ce qui peut lui arriver, pourvu qu'il rentre avant que nous partions. Et l'idée de partir plus de vingt heures alors que son chien sera quelque part dans la rue, en pleine nuit, il en est malade. Mais, le plus surprenant, c'est qu'avant même qu'il ose parler de Geronimo, c'est Giorgio lui-même qui semble le plus abattu. Il s'assied et laisse tomber son corps comme une chose molle, embarrassante, incongrue. Il passe sa main sur son front et demande un verre d'eau. Il a une soif épouvantable. Il pourrait presque défaillir. Et l'incroyable se produit : Giorgio se met à pleurer. Des larmes généreuses, épaisses et brillantes roulent sur ses joues. Il ne les sèche pas, pas même lorsqu'en buvant d'un trait son verre d'eau, se séchant la bouche du revers de la main, il aurait pu le faire. Ernesto ne comprend pas. Giorgio lui avoue soudain qu'il a honte, oui, il a oublié de fermer la grille, il ne pense décidément qu'à lui, il n'a toujours pensé qu'à lui, sa femme et ses enfants ont bien eu raison de le quitter. Pour la première fois il comprend qu'il n'est pas l'homme qu'il a toujours cru être, qu'il a toujours voulu être. Il est bien celui que ses collègues n'invitaient pas lorsqu'ils organisaient des pots de départ, des fêtes, car, c'est vrai, il savait bien qu'ils en organisaient sans lui, et lui était trop fier de ne pas se mêler à leur médiocrité. Ernesto n'en revient pas. Il est prêt à oublier même la fuite de Geronimo, tant le désarroi de Giorgio est pire encore, plus surprenant, plus déroutant. Il sent qu'il n'a pas le choix, il faut soutenir son ami, lui remonter le moral, je vais faire un café, tu veux un café, oui, tu veux un café. Mais Giorgio n'entend rien, il est loin, perdu quelque part dans son désespoir. Giorgio dit : nous allons attendre tous les deux ici. Ou bien, mieux encore, nous allons le chercher tous les deux. Ce n'est pas grave pour le voyage. Nous irons le mois prochain, je paierai les billets, c'est de ma faute, pardonne-moi, mon ami, pardonne-moi.

Ernesto s'agite, court dans tous les sens ; il prend les tasses en tremblant, il cherche le sucre, les cuillères, bien sûr que c'est pardonné, Giorgio, il ne faut pas te mettre dans des états pareils. Geronimo va revenir, il connaît la route, ne t'en fais pas. Nous allons partir, nous avons des fortunes à gagner et puis il paraît qu'il y a des filles superbes pour nous aussi, non ? Allez, Giorgio, on a décidé. Tu m'as décidé. C'est toi qui m'as décidé. Mon ami, on va gagner de l'argent et on va pouvoir refaire notre vieille bicoque, ou même, tiens, on va pouvoir ne pas revenir du tout. Tu imagines ça ? Qu'on ait assez d'argent pour tout laisser en plan et déménager ! Ah ah, tu imagines ? Allez, ça va aller, tes affaires sont prêtes ? Nous en avons tellement parlé ! Tu t'en faisais une telle joie ! Giorgio est surpris, il a presque peur de voir cet enthousiasme forcené qu'il n'a jamais vu chez son ami. Tu ne veux pas attendre ton chien ? Tu laisserais Geronimo ?

– Ce n'est pas un chien qui va décider pour moi, quand même, pour qui me prends-tu, Giorgio ?

– Je disais ça, c'est que je croyais...

– Tu croyais, tu croyais ! Tu crois trop, voilà !

– Je ne sais plus...

– Moi je sais. Nous allons manger des pâtes chez Paolo, on va boire un verre de blanc et on attendra sur la place.

– Tu ne vas pas chercher encore Geronimo ?

– Ne me parle pas de ça, ça m'angoisse.

– Alors, restons.

– Non.

– Restons, c'est peut-être mieux. Allons le chercher.

– Giorgio, tu me surprends. C'est gentil, mais tu me surprends.

– Mais je suis gentil.

– Oui, c'est ce que je dis, tu me surprends.

Et, c'est vrai, Giorgio est ému. Il est remué par le sacrifice de son ami. Embarrassé aussi. Il insiste pour qu'on reste. Ernesto se fâche, c'est lui qui cette fois est le plus courageux des deux, et son courage l'enivre, il est fier de soulever Giorgio et de lui donner une leçon de vie. L'autre ne le reconnaît pas, tu es sûr que tu vas bien ? Oui, tout à fait bien. Et de fait, tout à coup, Ernesto n'en revient pas de se libérer, de sentir que cette fois c'est lui qui décide et prend les choses en main comme il ne l'a pas fait depuis des siècles. Et se dire qu'aujourd'hui il ira plus loin, oui, il est enivré par cette idée, exalté parce qu'il semble enfin pouvoir quelque chose sur le monde et la vie comme elle va autour de lui. Et son étonnement le précipite encore plus loin dans le courage, dans l'audace, dans l'envie de porter Giorgio. Allez, Giorgio, c'est ouvert chez toi ? Les clés sont sur le buffet ? Ton sac est prêt ?

– Oui, murmure Giorgio.

– Alors je vais aller le chercher et je vais fermer chez toi.

Il attend à peine la réponse et regarde un Giorgio médusé qui reste les bras ballants, et puis Ernesto disparaît. Bientôt Giorgio entend les pas au-dessus de sa tête – il imagine une fraction de seconde qu'il est Ernesto et qu'Ernesto est devenu Giorgio ; il imagine ce que c'est que vivre avec des pieds qui vous marchent sur la tête à longueur de journée. Là-haut, Ernesto connaît très bien l'endroit. Alors, sans vraiment regarder dans le couloir ni la cuisine, il file dans la chambre et trouve le sac de cuir sur le lit. Il va pour le prendre, mais, sans savoir pourquoi il fait ça, son œil balaie la chambre comme si c'était la dernière fois qu'il devait la voir et s'arrête sur l'une des tables de chevet. Il approche, il ne sait pas pourquoi. Il se dit bien que ce n'est pas très poli. Mais il sait aussi qu'au fond il a espéré ce moment, parce que depuis quelques jours Giorgio est tellement différent, quelque chose ne va pas. Et si c'était ça, oui, ça, là, sur la table de chevet. Cette enveloppe, cette lettre ouverte et lue combien de fois ? Combien de fois Giorgio a-t-il pu la lire, cette lettre, et de qui est-elle, lui qui ne reçoit jamais de courrier ? Qui ? Pourquoi il n'a rien dit, se demande Ernesto, alors que lui-même se découvre en train de lire la lettre de la femme de Giorgio. Et il comprend tout. Le désarroi de son ami, son désespoir. Giorgio a dû vouloir parier aux jeux et gagner pour offrir à sa femme un bel enterrement, pour que ses enfants ne disent pas qu'il est pingre, radin, égoïste, comme ils l'ont toujours dit. Il a voulu les faire mentir, se racheter, et pour Ernesto c'est la preuve que Giorgio n'est pas l'être prétentieux et seulement préoccupé de lui-même qu'il affiche en permanence. Non, Giorgio regrette ses erreurs, il voudrait se racheter aux yeux de ses enfants, à ceux de sa femme aussi, peut-être, et c'est seulement par délicatesse qu'il n'a rien dit à Ernesto. Il est bouleversé, Ernesto. Il redescend l'escalier en se disant qu'il faut vraiment aller là-bas, gagner de l'argent, oui, beaucoup d'argent, et qu'il aidera dans la mesure de ses moyens à lui. On ne sait jamais, s'il gagne beaucoup, il aidera Giorgio. Et s'il ne gagne pas, il aidera quand même Giorgio. Même sans lui dire, il enverra de l'argent et, en voyant l'adresse, on pensera que ça vient du locataire du dessus.

Ses résolutions sont prises. Dépêchons-nous, mon ami, dit Ernesto. Tous les deux sortent de la maison en veillant à laisser la grille entrouverte pour que Geronimo puisse rentrer.

On n'a presque rien dit sur le chemin qui va jusqu'à la place. On a déjeuné en silence, des pâtes au thon, la spécialité de Serena, le chef. Ils ont bu un verre de blanc et Ernesto est resté le nez collé à la vitrine pour regarder dehors et voir si, on ne sait jamais.

Il est bouleversé. Il a du mal à regarder Giorgio, et lui aussi évite son regard. Giorgio voudrait dire qu'il a rencontré Gianni ce matin, raconter comment soudain tout s'est effondré pour lui, cette histoire de départ, de jeux, d'argent, de filles faciles, tout, comme si tout à coup il s'était retrouvé en face de lui-même et que cette vue lui avait été insupportable. Il a repensé à ses enfants qui travaillent et n'arrivent pas à payer les séjours de leur mère à l'hôpital, et lui qui se tait, se renfrogne, qui ne voulait pas céder et n'était qu'un bloc de haine et de ressentiment, oui, il a vu tout ça, il a compris tout ça, il voudrait lui dire, Ernesto, j'ai déconné toute ma vie et je voudrais faire au moins un truc bien, aller voir ma femme, mes enfants, leur donner de l'argent plutôt que de tout perdre comme un pigeon, donner le peu que j'ai plutôt que de vouloir les écraser par un luxe que je n'aurai jamais. Mais il se contente de murmurer, de bredouiller, la fourchette dans les tagliatelles s'entortillant et dansant et fuyant comme lui le regard d'Ernesto, est-ce que tu comprends ça ? Peut-être il vaut mieux ne pas y aller ? Peut-être que ce n'est pas une bonne idée ?

Ernesto n'entend pas. Il regarde au-dehors, il mange très peu, son assiette refroidit pendant que lui s'échauffe encore, mais où peut-il bien être, Geronimo ? Où ça ? Et la question, il ne l'entend presque plus à force de la répéter, en silence, dans sa tête. Et pendant que le bus approche, qu'il met son clignotant pour s'arrêter sur la place de l'église, Ernesto presse Giorgio. Il se lève, voilà, il faut y aller. On traverse la rue, on arrive sur la place. Ernesto porte les deux sacs, Giorgio soudain réagit et reprend le sien. Il avance, hagard, incrédule, il pense à ce qu'il a fait tout à l'heure et qui n'a servi à rien, ses jambes tremblent, il hésite, on monte dans le bus presque rempli. Des hommes, quelques femmes, une musique douce qui inonde le bus d'une mélopée sirupeuse, onctueuse et molle comme l'air chaud du bus, l'odeur douceâtre dans laquelle l'atmosphère semble baigner. Des vieux, oui. Ils sont tous vieux. Et sans doute ils sont tous pauvres, ou presque. Giorgio comprend. Ils ont payé une misère ce qui va leur coûter une fortune, il les regarde en se disant que lui aussi doit leur ressembler.

Allez, Giorgio, arrête de rêvasser, il faut s'installer. On s'installe, les sièges sont très confortables. Des repose-pieds, des repose-mollets. Le grand luxe.

Ernesto regarde par la fenêtre, il cherche du regard mais ne veut pas trop montrer l'effort qu'il fait, comment il prend sur lui pour ne pas s'effondrer, ne pas sortir du bus en courant. Et il résiste, Giorgio le voit, il le sait, cet air faussement décontracté qu'il veut se donner, il le connaît, et il sait que personne ne peut rien contre. Le bus attend quelques minutes, puis la porte se referme. On part. L'ambiance est bonne, très détendue, on rit, on se promet de faire fortune en racontant des blagues qui font rires les vieilles dames. Et Giorgio repense au corps tremblant et chaud de Geronimo lorsque, tout à l'heure, il l'avait trouvé dans la rue. Il avait pensé à le ramener à la maison, puis, finalement, il s'était dit que non. Si Geronimo revenait, il n'y aurait plus moyen d'éviter de partir. Alors il avait décidé très vite. Il avait pris un bus, celui qui va jusqu'au bout de la ville, de l'autre côté, près de la zone périurbaine, avec l'entrée sur l'autoroute. Il avait dû courir un peu entre les voitures pour attraper le chien, mais il avait réussi. Et puis il avait pris le bus et était resté assis avec le chien sur les genoux. Il avait regardé Geronimo dans les yeux tout le long du voyage. Il lui avait caressé les oreilles, le chien avait bâillé, mais il avait peut-être entendu Giorgio lui expliquer que c'était pour le bien de tout le monde, pour Ernesto, pour lui-même et pour sa femme qui allait mourir, et pour ses enfants aussi, il fallait trouver un moyen de ne pas risquer la ruine, la déroute, et Geronimo ferait ça. Ils étaient sortis du bus au dernier arrêt, puis, seul, Giorgio était remonté de l'autre côté, laissant l'animal sur le bord de la route, hagard, étonné, ne s'enfuyant pas tout de suite mais attendant gentiment, en suivant Giorgio du regard. Bientôt du côté des champs, des herbes hautes, courant de toute sa liberté folle vers l'entrée de l'autoroute, sans savoir pourquoi, ou peut-être que si, le chien était parti, trottinant, flairant un chemin totalement nouveau pour lui.

Giorgio était remonté dans le bus qui revenait en ville, en se disant qu'avec le temps qu'il mettrait à le retrouver, il n'y aurait plus une chance pour qu'on parte ce jour-là. Il n'avait pas prévu qu'Ernesto réagirait comme il l'avait fait.

Et maintenant le bus roule et va bientôt rejoindre l'autoroute. On discute, on rit. L'ambiance est très conviviale, ils avaient raison sur ce point, à l'agence. Giorgio regarde par la fenêtre, par-dessus l'épaule d'Ernesto. Il a peur de voir débouler une petite tache blanchâtre sur le bitume. Il a peur de voir se profiler l'ombre de Geronimo qui courrait entre les roues des voitures et des camions sur l'autoroute, peur que l'animal apparaisse comme un fantôme pour le punir, lui, puisque même cette idée a échoué, qu'on est parti quand même, qu'on n'évitera pas la catastrophe qu'il voit venir. Il a peur, Giorgio, il a peur comme rarement dans sa vie, mais Ernesto lui dit, faisons une partie de Uno, qu'est-ce que tu en penses ? Ça ne sert à rien de remuer nos idées noires. Non, en effet, ça ne sert à rien. Et il pose le paquet de cartes sur l'une des tablettes devant eux. Giorgio les regarde, il se dit qu'il ne faut penser à rien. Ernesto espère gagner beaucoup pour aider Giorgio à donner de l'argent à ses enfants et à sa femme. Et, pendant ce temps, une tache blanchâtre court sur l'asphalte d'un noir brillant d'une portion de l'autoroute E45 en direction du Nord. Elle court, cette petite tache blanche de poils, avec ses pattes maigres et raides et pourtant agiles comme des pattes d'araignée, vers un point qu'elle ignore mais qu'elle suit comme si elle ne connaissait que lui, mais aussi parce qu'elle a peur du bruit des voitures et parce qu'elle n'en revient pas d'avoir un espace aussi vaste autour d'elle – le ciel immense avec ces nuages d'un blanc aveuglant et mousseux et qui courent eux aussi pour aller Dieu sait où, dans un monde qui doit être bien meilleur que le nôtre puisque tout le monde y court, les nuages, les chiens, les autobus, tout le monde court et galope et semble vouloir marcher des heures et des heures et quitter le bitume pour s'enfoncer très loin dans les plaines silencieuses, là où personne n'est jamais allé salir le monde de sa présence prétentieuse et vaine, où personne n'est jamais allé trouver le désarroi, l'effondrement de digues invisibles, et Alec peut repenser à tout ça, y revenir en se disant qu'ils avaient eu tort de suivre leurs amis, comme Jaycee et lui avaient accepté de partir en Thaïlande avec Samran et sa femme Lizbeth. Et même s'ils avaient hésité, Jaycee et Alec avaient fini par accepter parce qu'une partie de la famille de Samran vit en Thaïlande. Ils avaient pensé que jamais ils ne verraient la Thaïlande comme de simples Américains peuvent la voir, Samran la connaissait si bien qu'il pourrait leur montrer ce que le tourisme n'offre pas d'ordinaire aux Occidentaux.

Sauf qu'aujourd'hui, Alec pense qu'ils n'auraient pas dû faire ce voyage. Il le regretterait longtemps même si, bien sûr, ce n'est pas à cause de Samran ni de sa famille. Pas à cause de la Thaïlande non plus. À cause de quoi, alors ? Il ne sait pas. *Qu'est-ce que tu te racontes, la Thaïlande n'a rien à voir là-dedans*. Mais plus il y réfléchit, plus il se dit que c'était une erreur parce que, quand on part si loin de chez soi, ce qu'on trouve parfois, derrière le masque du dépaysement, c'est l'arrière-pays mental de nos terreurs.

Et aujourd'hui, dans la minuscule voiture japonaise de Jaycee, qui oblige sa carrure d'ancien footballeur à des contorsions dont son dos et sa nuque se seraient bien passés, sous une pluie battante qui écrase le pare-brise et le bitume de pointes noires percutantes comme des billes d'acier, Alec peut se dire qu'on aurait dû attendre que Jaycee soit certaine que ce soit une bonne idée. Jaycee avait hésité, parce qu'elle ne voulait pas laisser le bébé, pas déjà. Comment ça, *déjà*, avait demandé Alec, la petite a plus de vingt mois ! Il faut qu'on lui apprenne aussi que nous ne serons pas toujours là. Elle avait dû admettre qu'il avait raison, qu'il faudrait qu'eux aussi apprennent à se détacher de la petite Maya. Et puis, Alec et Jaycee aiment tellement les voyages et l'idée de partir. C'est peut-être pour ça que, lorsque leur fille était née, Alec et Jaycee l'avaient appelée Maya. Parce que les civilisations disparues ont une touche d'éternité et d'absolu qu'aucun

293

voyage dans le monde ne pourra jamais approcher. D'autant que Maya avait bien failli ne pas naître. Jaycee et Alec avaient mis longtemps à se décider, et, enfin, l'âge les y pressant, ils avaient voulu qu'elle arrive, mais elle n'arrivait pas. On était allé d'un spécialiste à l'autre, Alec s'était masturbé deux fois dans des éprouvettes en regardant des films pornographiques dont on avait coupé le son dans une pièce aseptisée et froide comme une chambre mortuaire, et Jaycee avait tout tenté jusqu'à ce qu'on comprenne que ses trompes étaient seulement *bouchées*. La vie d'un enfant au bout d'une question de tuyauterie – *putain, à quoi ça tient ! Juste une mécanique*, s'étonnait encore Alec. On avait perdu quatre ans et quelques mois pour ce résultat, mais c'était arrivé. Et quelques semaines à peine après l'intervention, Jaycee était tombée enceinte.

Alors pourquoi penser encore à ça ? Pourquoi aujourd'hui ? Pourquoi refaire le chemin dans ce sens puisqu'il a déjà tant de mal à conduire comme ça, plié en quatre dans cette voiture trop petite pour lui ? Sa Ford est en panne, il savait bien qu'il aurait dû la faire réviser depuis des mois. *Mais, bon Dieu, quand ça ne veut pas.*

Depuis deux jours, il est obligé de rouler dans la petite voiture bleu nuit de Jaycee, il se dit que ce n'est pas le moment de repenser à tout ça. Il va se mettre en colère, il va encore se casser les genoux contre le tableau de bord. Alors, pourquoi chercher ? Pourquoi essayer, en remontant très loin dans le temps, à partir de la naissance de Maya, ou toujours un peu avant, au moment de leur rencontre, Jaycee et lui ? Il pouvait remonter le film de la vie de Jaycee, sûrement il y avait *quelque chose* qui ne tournait pas rond. Oui.

Sûrement. *Mais comme nous tous, bon Dieu ! Pas la peine de se raconter tant d'histoires !* La jeunesse de Jaycee ? Son enfance ? Sa mère complètement cinglée ? Ni lui ni personne n'y pouvaient rien. C'est ridicule, la vérité, c'est que Jaycee est comme elle est. Ce n'est pas parce que parfois ses phrases semblent sortir d'un recueil de mantras ou de haïkus qu'on peut en tirer des conclusions. Ces associations un peu sauvages, des images qu'elle seule comprend et qui la font rire en laissant tout le monde muet autour d'elle, ça n'a pas empêché qu'ils se rencontrent ni qu'ils se marient. Au contraire, il la trouve encore plus désirable grâce à cette façon qu'elle a de mettre les pieds dans le plat, en lançant des bizarreries qui déboulent comme des animaux sauvages dans un salon – et il pense encore aujourd'hui que Jaycee est ce qui est arrivé de mieux dans sa vie. Alors, peu importe les sautes d'humeur de Jaycee. Il n'y a jamais vu de signes avant-coureurs, parce que ce n'étaient pas des signes avant-coureurs. C'est arrivé comme ça, il n'a pas besoin de trouver une cause, pourquoi, pourquoi est-ce qu'il le faudrait ?

La radio débite des infos horribles sur la catastrophe au Japon – un train roulant à toute allure a été englouti par le tsunami, ses centaines de passagers ont vu la vague déferler sur eux (comment croire seulement à une réalité pareille ? Non, impossible, pas plus qu'il n'avait pu croire aux ongles rongés jusqu'au sang de Jaycee, avant-hier, et ses doigts tremblants, ses mains rougies à force de griffures, ses poignets lacérés).

Il n'est pas capable d'écouter la radio plus longtemps. Il cherche d'autres stations, des bribes de voix viennent parler du printemps arabe et d'un attentat à l'aéroport de Tel Aviv, avant de disparaître sous les grésillements d'ondes et puis des stations de musique, de la country et du rock, des rires, des applaudissements. Il éteint la radio. Sur la route 235, avec ce putain de mauvais temps, les gens roulent à deux à l'heure. Alec ne pourra pas passer à la clinique comme il le fait tous les jours depuis des semaines. Il n'aura pas le temps, et sans doute que Jaycee l'attendra jusqu'à tard. Il espère qu'elle ne lui en voudra pas de ne pas passer aujourd'hui. Il voudrait l'appeler, mais elle n'a pas son portable, on n'a pas pu le lui laisser. Ce matin les nouvelles étaient bonnes. C'est vrai, parfois les nouvelles sont bonnes, il ne faut pas désespérer. *Ne désespère pas, Alec.* Il faut être patient et attendre, les choses vont rentrer dans l'ordre. Jaycee va revenir à la maison parce que, oui, les infirmières lui ont redit encore tout à l'heure, au téléphone, votre femme dort bien, elle a repris du poids. Jaycee a repris du poids, tant mieux. Tant mieux. Tout va aller. *Maintenant ça va aller.* Et tant pis si Alec est dans un embouteillage monstre et qu'il ne sera pas à la maison avant six heures. Tant pis si le ciel est noir et plombé, tant pis si un rideau de nuages se déchire sur l'horizon et déverse cette pluie couvrant d'un bruit métallique et puissant le moindre son.

Il rallume la radio pour trouver une station de jazz. Et puis non, même pas. Il écoutera un peu de musique, d'accord, mais plutôt un de ses CD. Ornette Coleman ou Steve Lacy. Miles Davis, qu'il n'a pas écouté depuis des années mais dont la trompette de *Sketches of Spain* lui trotte dans la tête depuis quelques jours. Alors il tourne une nouvelle fois le bouton de la radio et cherche dans les quelques CD qu'il a pris avec lui et qui traînent sur le siège passager.

La nounou doit déjà avoir remarqué son retard et va finir par appeler pour dire que ce soir elle ne pourra évidemment pas rester, *ça tombe mal*. Il pourrait téléphoner à Samran et à sa femme pour qu'ils gardent Maya le temps qu'il arrive ? S'il les appelait pour leur demander d'aller garder Maya, c'est sûr, Lizbeth se ferait un plaisir de dire oui. Samran et Lizbeth voudraient lui dire, *tu sais, Alec, nous sommes désolés, on voudrait tellement vous aider.* Mais, en tapotant du bout des doigts sur le rebord de son volant, mimant la ligne mélodique d'un morceau de Jimmy Giuffre ou seulement le fracas du ramdam de la pluie sur la voiture, Alec se dit qu'il aimerait mieux ne pas avoir à leur demander un service.

Depuis ce voyage catastrophique, il ne voit pas ce qu'il pourrait trouver comme prétexte pour ne plus leur parler. Il peut se dire et le répéter, *Samran et Lizbeth n'y sont pour rien. Ils ont été tellement accueillants et serviables. Dès qu'ils ont compris que quelque chose d'étrange était en train d'arriver et que tout semblait nous échapper et nous glisser entre les doigts comme de l'eau, du sable – ce sable blanc et si fin des plages de Phuket.*

Il se répète que c'est dans la jungle que ça a commencé. Pas avant. Parce que, ce qui restera de la première journée à Bangkok, dès leur l'arrivée, c'était l'excitation de voir que, comme toujours dans ce genre de voyage, des rabatteurs plus sournois et obséquieux les uns que les autres vous sautent dessus dès le hall de l'aéroport et vous promettent des taxis pour une bouchée de pain, qui vous coûteront cinq fois le prix de départ. L'arrivée, ça avait été aussi les deux instits rencontrées dans l'avion, qui avaient voulu partager la course jusqu'à l'hôtel. Jaycee, souriante et heureuse – non pas d'être accompagnée par deux blondes joufflues de Kokomo, Indiana, tee-shirts Budweiser délavés, Pentax flottant entre des seins énormes –, mais de se retrouver dans une situation assez décalée, parce qu'il faudrait entendre les deux filles vouloir *faire* la Thaïlande en moins d'une semaine et les imaginer passant leurs vacances à manger des *pad thaïs* et des crevettes grillées entre deux hamburgers et des pizzas, parce qu'elles auront le mal du pays et des coups de soleil sur les cuisses.

Alors, ce qui restera de cette première journée à Bangkok, c'est un petit restaurant où le riz était servi sous des cloches en feuilles de bananiers et les plats dans des gamelles de chantier en tôle émaillée, un curry de tofu à la noix de coco, un hôtel, tout le charme de l'Asie, des fleurs de lotus caressant l'eau des bassins dans les jardins ; et puis cet éclat de rire qui avait couronné la soirée et les avait précipités dans le sommeil lorsque, trop fatigués, harassés par la chaleur et le jet-lag, ils avaient renoncé à faire l'amour.

Mais non, ils n'ont pas rêvé. Ni l'un ni l'autre. Un beau voyage d'amour et de repos comme ils en avaient envie et besoin. Se retrouver, se ressourcer. Faire l'amour et penser seulement à eux deux. Penser à refuser les piments rouges et verts qu'on voyait dans les assiettes des voisins au restaurant. Se méfier de la glace pilée qui n'est jamais que de l'eau du robinet, gelée et broyée. La routine des voyageurs aguerris comme eux. Jaycee pouvait regarder avec amusement le trouble d'Alec devant la beauté des Thaïs, avec leur bouille ronde et leurs cheveux lisses et noirs comme des plumes de corbeaux. Et Alec pouvait s'amuser des yeux brillants de gourmandise de Jaycee lorsqu'on leur apportait des plats qui fondaient dans la bouche avec une saveur à la fois sucrée et poivrée, des ragoûts de porc, des pâtés de piments séchés, des crevettes pilées et des feuilles de citron, tous ces goûts s'épousant dans une saveur onctueuse de bouillie épicée. Oui, ce bonheur simple, les meilleurs fruits du monde, le litchi translucide et sucré sous sa peau d'oursin rouge (rien à voir avec les litchis des restaurants américains), comme si tout était nouveau ou renouvelé, comme si tous les plaisirs des goûts pouvaient se révéler enfin, après avoir disparu depuis tellement longtemps.

Dans la voiture, Alec se dit qu'il ne faut pas s'inquiéter encore, ni s'impatienter. La pluie n'est plus aussi violente, elle tape moins fort que tout à l'heure. Il lui semble que les voitures avancent plus vite, au loin, à quelques centaines de mètres. Il voit les feux arrière des voitures qui redémarrent. Il se dit : la première journée, à l'hôtel, il y avait deux Anglais – deux hommes. Ils avaient pensé qu'ils étaient gays avant de comprendre que c'étaient deux beaux-frères. Mais celui qui était très grand et maigre avait quelque chose d'efféminé, ils l'avaient pensé en même temps et avaient dû échanger un regard pour se comprendre ; c'est plutôt qu'ils se demandaient pourquoi les beaux-frères étaient en vacances sans leurs femmes et si loin de chez eux. Jaycee avait failli le demander aux deux hommes, mais elle avait vu le regard soudain inquiet d'Alec, la suppliant de se taire. On avait accepté de partager les frais pour un *speedboat* afin de visiter la Venise thaïlandaise et, heureusement, les *khlong* auraient cloué le bec des pires bavards, personne n'avait parlé. Jaycee s'était approchée d'Alec, malgré la moiteur et la chaleur tropicale elle lui avait pris la main et l'avait gardée longtemps dans la sienne.

On entendait le bruit du moteur, les canaux loin des gratte-ciel et de la circulation offraient un labyrinthe aquatique fantastique avec, au milieu des massifs de bambous et des bouquets de bananiers, des centaines de maisons sur pilotis et des baraques au toit de tôle, vieilles, brinquebalantes, hasardant leur présence parmi les temples et des villas protégées par de hautes grilles, des tourbillons de fleurs flottantes et de petits commerces sur l'eau. Ils s'en souviendraient, de tout ça. Oui, ils en reparleraient encore plusieurs jours. Comme de la végétation exubérante et folle de flamboyants et de cocotiers. Des enfants barbotant dans l'eau limoneuse, sous le regard d'iguanes imperturbables. Des chiens couchés bâillant sur les pontons. Des poulets picorant et du linge qui sèche et les habitants qui jouaient aux cartes et n'avaient pas un œil pour les touristes et les bateaux. Alec avait pris des photos et Jaycee s'était contentée de regarder le long travelling devant eux, du bateau où ils se tenaient enlacés. Le contraste, c'était d'abord la beauté marinant dans les odeurs d'œuf pourri et d'épluchures, la puanteur du poisson décomposé et le bourdonnement des mouches, les marchés aux fleurs et les couleurs insensées des roses et des freesias – des jaunes violents, des rouges, des violets et des roses improbables.

Le premier jour, ils avaient visité quelques temples. L'incontournable Wat Pho, le temple le plus beau, là où se concentrent les touristes. Une vraie ville dans la ville, avec ses diseurs de bonne aventure et son *ashram* de méditation, l'école de massage et le temple de Bouddha couché, avec, à l'entrée, les deux grands personnages de pierre coiffés de hauts-de-forme et tenant de longs bâtons – des caricatures de *farangs*, des étrangers. Ils étaient restés longtemps à l'intérieur, parce que Jaycee avait voulu dessiner le gigantesque bouddha couché. Le tintement des pièces de monnaie que les touristes déposaient dans des chaudrons en métal alignés le long d'un mur produisait comme un léger tocsin berçant le Bouddha d'une musique apaisée et douce. C'était la première journée et l'on s'était émerveillé des petits temples recouverts de céramiques décorées avec des formes si riches, si différentes les unes des autres, les statuettes aux positions incongrues et rigolotes. Jaycee avait imité leur grimace ou leur air inspiré pendant qu'Alec la prenait en photo en riant. *Et si ça avait commencé ce jour où l'on avait appris que Jaycee était enceinte ? Quand elle a décidé, parce que c'est elle qui avait voulu qu'on ne sache pas le sexe de l'enfant, c'est elle, seulement elle.*

Le soir, on s'était arrêté dans un petit restaurant conseillé par le type de l'office de tourisme. Jaycee était heureuse ; oui, à ce moment-là, Alec est certain que sa femme est heureuse. Il connaît son sourire et la plénitude de son visage, lorsque Jaycee est comblée et sereine. Les papilles enflammées, la soirée s'était terminée dans le quartier de Khao San Road, où ils avaient bu quelques cocktails au goût de litchi, assis à un bar improvisé dans un vieux Combi Volkswagen, dont Jaycee avait trouvé l'adresse sur leur guide.

Puis ils étaient partis pour Kanshanaburi, à 130 kilomètres au nord de Bangkok. Le voyage leur avait laissé cette horrible impression de manipulation, d'infantilisation, de marchandisation de leurs désirs et d'eux-mêmes, propres, selon eux, aux voyages organisés. Alec et Jaycee se vivent comme des voyageurs et des baroudeurs, des gens libres, pas de la chair à agences de voyage. Sauf que cette fois il avait fallu porter des tee-shirts avec des macarons pour ne pas se perdre, visiter sans explication un cimetière de la seconde guerre mondiale et puis ce musée étrange installé dans une cabane en bambou. Ils avaient appris que c'était une réplique des dortoirs de prisonniers – dans la foulée ils avaient visité le pont de la rivière Kwaï en se racontant des souvenirs du film. *Et pourquoi elle avait décidé d'un prénom pour une fille et d'un prénom pour un garçon ? Pourquoi Maya s'était imposée et pourquoi Lazare si ce n'est une idée de sa cinglée de mère qui avait parlé d'un oncle s'appelant Lazare et que Jaycee n'avait jamais connu ni même vu en photo ?*

Repenser à tout, revoir tout, relire tout. Cette excentricité qu'il aimait tant chez elle, quand elle pouvait se promener complètement nue en plein salon, avec un fer à repasser à la main et le téléphone dans l'autre, en disant, j'étais en train de repasser et maman m'a appelée ! Elle disait ça sans même se rendre compte que ce qu'il avait devant lui c'était sa blancheur un peu rosée et fragile, un corps innocent et impudique, ses seins fermes et ses cuisses un peu maigres – *mais bon Dieu, Jaycee, qu'est-ce qui se passe ? Jaycee, qu'est-ce qui se passe ?*

Les gestes, les mots, le voyage de A à Z. Tout décortiquer. Comme un chirurgien ou un maniaque dans ces films que Jaycee n'a jamais supportés. Prendre les souvenirs un à un. Au couteau, les dépecer. La lame fine et sans remords pour les étudier et les comprendre. Ce moment qu'il voulait trouver et fixer une bonne fois pour toutes. Mais c'était un fantasme – un fantasme dont il a besoin encore maintenant pour se rassurer et s'inventer un point d'origine, quand l'origine se dilue dans mille faits et gestes. Est-ce que ça veut dire que ça n'aurait pas pu être autrement ? Est-ce que ça veut dire qu'elle était *condamnée* depuis le début ? Depuis toujours ? Non. Rien de tout ça. Il aurait suffi d'être plus attentif. Il n'est rien arrivé pendant tout ce temps où ils ont été si bien, comme dans le parc à tigres, par exemple, oui, là, ils s'étaient dit que c'était une usine à touristes et qu'il ne faudrait pas cautionner ça, mais c'était bien de photographier Jaycee en train de caresser les tigres, comme si c'était de grosses peluches, en se disant que c'était dégueulasse de le faire.

En revanche, dès les premiers jours dans la montagne il aurait dû se méfier et constater que quelque chose avait changé.

Lorsque Jaycee avait commencé à prendre le prétexte de la fatigue pour rester à l'arrière du groupe et de plus en plus souvent isolée, pour s'attarder sur des dessins alors qu'on la voyait assise sur une pierre et ne dessinant rien, son regard fasciné, émerveillé. Elle se relevait parfois pour marcher puis revenait à son point de départ et, de loin, elle disait quelque chose que personne n'entendait. Elle se montrait soudain d'une humeur si joyeuse et euphorique que tout le monde se sentait surpris et un peu mal à l'aise – mais on connaissait Jaycee et personne ne s'inquiétait vraiment, pas même Alec, qui aurait dû, parce que pour la première fois elle avait refusé de lui montrer ses dessins. Et quelques jours auparavant, la nuit sur la rivière Kwaï, où l'on avait dormi sur un bungalow flottant, c'était tellement dépaysant et magnifique de faire l'amour malgré les courbatures et la fatigue et d'être bercés par le concert de grenouilles et entourés, comme protégés, si proches de la nature, il ne s'était pas méfié.

Elle prétextait la fatigue et il la croyait. Elle prétextait le besoin de dessiner une plante ou une pierre et Alec la croyait. Il n'avait pas vu qu'elle était arrêtée, que *quelque chose* l'avait arrêtée.

Il a commencé à comprendre un soir, lors d'un repas. Jaycee paraissait lointaine, elle n'écoutait pas les histoires que racontait la famille de Samran. Le grand-père parlait des jeunes qui désertent les rizières et préfèrent aller vendre des babioles aux touristes, et tout le monde écoutait. On buvait et on dînait dehors, sous une sorte de pergola en bois. Autour, la nuit et la jungle grignotaient l'espace et laissaient vivre la maison et le village, un peu en retrait, avec les petites bulles de lumières flottantes, des halos vibrants au-dessus des pilotis sur lesquels les maisons tenaient, comme des carapaces de tortues au-dessus d'un sol instable. Les bruits de la nuit, des animaux de la jungle et les rires de la grand-mère qui traitait l'un de ses fils avec une douceur et une attention particulières, à la fois excédée et résignée, infiniment patiente. Ce fils dont Alec et Jaycee avaient compris qu'il était un peu l'idiot du village, que tout le monde appelait Joe parce qu'il avait récupéré une veste de treillis américaine qu'il ne quittait jamais. Joe aimait apprendre des mots d'anglais. En échange, il apprenait des mots thaïs aux étrangers, éclatant de rire lorsqu'il entendait dans la bouche d'Alec ou de Jaycee des *gros cul, bite, chatte poilue*. Sa mère lui donnait des petites tapes avec une cuillère en bois. Elle faisait les gros yeux et demandait pardon aux étrangers. Les *farangs* comprenaient, ils n'étaient pas choqués et s'amusaient à lui apprendre aussi quelques gros mots américains. Noon, une voisine, venait tous les soirs pour raconter comment, lorsqu'elle aurait trois mille dollars, elle ferait un voyage en Corée pour se faire débrider les yeux. Elle aimait tellement la peau si blanche et diaphane de Jaycee qu'elle aurait bien voulu échanger. Anek, l'un des cousins de Samran, voulait acheter une BMW pour montrer qu'il avait réussi sa vie à ceux qui le prenaient pour un minable parce qu'ils le voyaient avec Joe et qu'il ne travaillait pas. Chacun racontait ses histoires et les histoires de fantômes, bien sûr, avec la présence des petits temples devant les maisons, réservés aux esprits. On avait parlé de ça et Jaycee avait raconté que les esprits venaient aussi peupler ses rêves, de temps en temps. Elle se désolait qu'on ne puisse pas parler de ces choses en Occident sans passer pour un cinglé. La grand-mère de Samran avait dit, nous, c'est le contraire. Ici, on peut en parler sans problème, puisqu'on est vraiment tous cinglés. Tout le monde avait ri et ils avaient parlé plusieurs fois, le soir, des esprits qui habitent la jungle, des morts qui viennent vous voir à la tombée de la nuit et vont nager dans les sources turquoises, sous le regard des animaux – quand les esprits eux-mêmes ne sont pas devenus des tigres et des singes. Ces histoires de créatures mi-hommes, mi-singes, ce monde semblait amuser Alec, mais Jaycee avait l'air de s'y intéresser lorsqu'elle avait fini par poser une question, avec une sorte d'embarras et d'inquiétude dans la voix, soudain timide et basse, presque un murmure, comme si elle avait eu peur d'être entendue. *Est-ce qu'il n'y a pas d'autres formes d'esprits ? Je veux dire, est-ce qu'un esprit peut nous en vouloir de ne pas être né ?*

Jaycee avait marché avec eux, elle avait suivi les sentiers et s'était étonnée des phasmes qui prenaient les couleurs et les formes des herbes. Elle s'était amusée aussi des trucs que

Samran leur montrait pour survivre dans la jungle. Et puis elle avait semblé prendre de la distance, devenir plus secrète, plus songeuse. Elle ne s'isolait pas vraiment mais se taisait et semblait réfléchir, elle s'était mise à dessiner énormément, faisant parfois prendre du retard à tout le groupe. Mais ce n'était pas grave. Le groupe, c'était Samran et sa femme, qui ne venait pas toujours. C'était Alec et Joe. Parfois Anek. Et avant tout ça, il y avait eu des images de bonheur, les cascades et les arbres gigantesques et les carpes énormes qui s'attaquaient aux squames et offraient une fishe-pedicure à l'œil ; ce moment inoubliable avec les éléphants, quand ils s'étaient baignés pendant une bonne heure, oui, la gentillesse des Thaïs et le courant très impressionnant de la rivière ; le soir où ils avaient siroté une Singha, les pieds dans la rivière. Le monde allait tranquillement, la vie était douce et facile, la douche, le repas thaï et puis les heures où l'on restait sur des radeaux en regardant les étoiles d'un jaune citron vibrant dans la nuit.

Mais : cette autre nuit où il s'était réveillé dans la chaleur et la moiteur tropicale et que Jaycee n'était pas dans le lit.

Il se souviendra longtemps de la présence de ce vide à côté de lui. Comment il avait ouvert les yeux avec la certitude que Jaycee n'était pas là. Il devait être deux ou trois heures du matin et il s'était levé. Il avait voulu, espéré, imaginé qu'elle serait peut-être simplement dehors, devant la maison. Mais non, elle n'y était pas. Il avait dû chercher et attendre, faire le tour de la maison et laisser les bruits de la nuit exciter sa peur et son inquiétude – la masse noire et profonde de la jungle formant comme une ceinture interdisant l'entrée d'un monde où la fraîcheur et le grouillement nocturne semblaient ouvrir à une autre réalité. Il avait regardé cette masse dense comme un mur végétal qu'il n'aurait pas pu regarder très longtemps sans risquer de se dire tout à coup que c'était là-dedans forcément que Jaycee était entrée. Et il avait bien fallu rester là sans rien faire et attendre. Puis ça avait été insupportable. Il avait été obligé de réveiller Samran et sa femme – *voilà presque une heure que Jaycee a disparu.*

Ce qui l'avait résolu à réveiller Samran, c'était le moment où, se résignant à patienter, à ne pas céder complètement à la peur, il avait fini par se décider à regarder les dessins de Jaycee. Il avait vu les traits, les méandres, les figures et les images qui naissaient sous les doigts de Jaycee et, dans ce qui devait être la masse de la jungle et la prolifération des plantes, il avait vu des zones blanches, vierges, immaculées, des zones laissées vides dont il n'avait pas compris tout de suite ce qu'elles représentaient : une forme dessinée en creux, par le vide, laissant éclater la blancheur du papier, une forme flottante et comme mal définie mais qui irradiait tout, à chaque fois, sur chaque dessin. Et Alec avait dû comprendre, à ce moment-là il avait dû voir, il avait dû se résoudre à laisser l'évidence éclater et laisser cette vérité s'infiltrer en lui, prendre place dans tout son être, oui, Jaycee était au bord d'un gouffre ou d'un monde dont il n'avait pas idée, un monde sans fond où l'on pouvait tomber sans cesse, sans avoir jamais la moindre chance de pouvoir revenir, il avait pensé à la mère de Jaycee. *Est-ce que Jaycee est comme sa mère ?* Sa mère qui se gavait de gélules amincissantes avec sa voix comme les cris presque inaudibles et stridents d'un écureuil qu'on terrorise à coups de jets de pierre. Ses yeux morts et gros comme des bulbes d'oignons. Oui, maintenant, Alec comprend ce qu'avait été l'enfance de Jaycee quand sa mère la poussait sur l'estrade d'une salle communale, pomponnée, récurée, dressée, déguisée en petite princesse avec des paillettes sur les joues et un diadème dans les cheveux pour un concours de beauté d'une *little Oregon* qui ne sait chanter que le *God Bless America*. Il comprend pourquoi elle est si fragile. Il sait qu'elle est cassable comme la poupée de porcelaine que sa mère avait voulu voir en elle. Mais est-ce que ça va suffire pour expliquer toute son existence fracassée – Jaycee, est-ce que ça va suffire pour qu'Alec comprenne comment les policiers t'avaient trouvée deux jours après votre retour dans les rues de Des Moines, à moitié nue et enroulée dans une couverture avec ton bébé pelotonné dans tes bras ? Est-ce que ça va suffire pour qu'ils entendent le prénom que tu tiens serré entre tes dents pour ne pas le lâcher, l'enfant que tu as vu dans la jungle et que tu as reconnu comme ton fils qui ne naîtra jamais ? Il ne t'en veut pas, tu le sais, il te l'a dit. Il s'est baigné nu avec toi dans les eaux douces et aimantes des cascades et des ruisseaux. Est-ce qu'Alec va pouvoir comprendre, alors, pourquoi tu avais su tout à coup que tu ne pouvais pas rester habillée ici et qu'il fallait seulement te protéger du froid par une couverture et prendre Maya et la couvrir aussi et la réchauffer contre ta peau pour partir ? Il fallait partir, tu l'as su avant même votre retour de Thaïlande et tu disais dans le secret de ton âme qu'Alec ne pourrait pas saisir ce qui s'était ouvert à toi lorsque la voix de Lazare t'avait obligée, une nuit, à te lever et à marcher autour de la maison de Samran et puis à t'enfoncer dans la forêt, malgré la peur et la nuit, ton cœur qui essayait de battre plus fort que la voix de Lazare murmurant les chansons douces que tu chantes à sa sœur. Il veut les entendre aussi de ta bouche et c'est pour ça qu'il faut le rejoindre dans la nuit. Tu avais perdu tes chaussures et tu t'étais blessée, ton corps avait accepté d'être griffé par les branches, les ronces, les pierres. La nuit aussi te cueillant comme une grande main généreuse et géante. Tu avais couru et retrouvé ce point d'eau où tu l'avais vu la première fois, jouant avec un bâton et dessinant sur la terre humide comme des traces d'animaux. Tu avais renoncé à le dire à Alec. Il est tellement rationnel, Alec. Il est enfermé dans un amour chaud et doux comme une porte close sur l'aventure qui t'attend. Lazare qui t'attend. Lazare flottant au-dessus du malheur et beau comme la vérité qui t'attendra toujours parce que lui, en ne naissant pas, il a vaincu la mort. Il t'attendait et malgré ta peur dans la nuit de la jungle, tu avais fini par t'endormir et il fallait qu'il soit un esprit très fort, ton fils non-né, pour qu'aucune bête, ni tigre, ni serpent, ni singe ni créature fabuleuse, non, personne ne t'a touchée ni blessée et c'est parce que tu étais protégée. Et ton silence le disait, ton regard le disait, ton indifférence le disait aussi lorsque tu n'avais pas répondu à Alec et aux autres qui t'ont retrouvée, couverte de boue et affamée. Alec est un homme, il y a tant de choses qui séparent les hommes et les femmes. Cet homme que tu aimes est comme ceux dont ta mère t'a parlé et il ne sait pas ce que tu as vécu, toi, lorsque tu étais arrivée à la clinique avec ton petit tas de vêtements roses et ton petit tas de vêtements bleus. Il ne sait pas comment tu parlais dans le silence de ton ventre, tour à tour à Maya et à Lazare. Non, il ne le sait pas et ne le soupçonnera jamais. C'est sûr, ni lui ni personne. Il ne sait pas la joie si forte et si belle à la naissance de Maya. La beauté de sa naissance, ce bonheur que tu avais cru si fort et entier, mais qui s'était soudain effondré lorsqu'il avait fallu ouvrir l'armoire dans laquelle tu avais rangé tous les vêtements. Il ne sait pas. Alec ne mesure pas ton effondrement lorsque le tas de vêtements bleus était apparu à tes yeux, si seul, abandonné, désespéré de son inutilité, comme si tu avais entendu crier – ton enfant non-né qui crie dans ton ventre.

Et maintenant, de ta chambre d'hôpital, tu regardes la pluie qui lave la terre en attendant qu'on t'apporte un plateau-repas auquel tu ne toucheras pas. Parce qu'il t'apparaît maintenant qu'il ne faut pas manger. Il faut laisser d'autres substances t'envahir le corps pour que tu puisses tomber dans cet état de fatigue et te laisser porter par de doux fléchissements. Tes fonctions qui s'amenuisent et semblent paradoxalement s'aiguiser, des faiblesses qui te portent à la lisière du sommeil et des songes. Des rêves bizarres pour ceux qui ne les connaissent pas. Mais tu t'habitues. C'est comme vivre dans les dessins sans avoir à faire l'effort de prendre le crayon. C'est se laisser porter et laisser le monde s'ouvrir à Lazare et à Maya, à d'autres encore – peut-être même ce père inconnu et dont tu as si souvent guetté le retour viendra-t-il se promener dans ton flottement heureux, à l'interstice des heures, entre chien et loup ?

Tu ne diras rien. Tu iras loin comme ça. Et, du dehors, les gouttes de pluie viendront caresser la vitre de la chambre d'hôpital pour te demander de laisser entrer les particules d'êtres innombrables que tu ne connais pas encore. Mais la pluie diminue et Alec attend dans ta petite voiture. De l'autre côté, les voitures vont plus vite. Elles avancent même sans problème, les pneus éclaboussent l'eau dans des bruits de bouteille plastique froissée, les gerbes grises éclaboussent les gouttières et projettent des reflets blancs et cassants sur la route. Alec a le temps de regarder un jeune homme qui fait du stop, le bras tendu hésitant à sortir du champ de protection d'un parapluie jaune qu'il tient au-dessus de sa tête. Il a un sac à dos noir et une parka de cuir en mauvais état. Ses cheveux sont assez longs et tombent sur ses épaules et dessinent des balafres sur son front, comme des serpents rampant dans un champ de pierres en plein soleil. Il a l'air très jeune. Alec pourrait se dire qu'il est à peine sorti de l'adolescence, mais ses pensées sont ailleurs et déjà le jeune homme court vers le monospace gris métallisé qui vient de se rabattre sur le bas-côté et de s'arrêter quelques mètres plus haut.

Le jeune homme s'engouffre dans la voiture avant même d'avoir regardé le conducteur penché pour ouvrir la portière passager – une main d'homme lui prend son parapluie et le jette à l'arrière de la voiture, une voix lui demande de se dépêcher, ce qu'il fait sans répondre et, d'un mouvement très rapide, s'assied et claque la portière.

L'odeur de chien mouillé et de poussière empoisonne l'air de la voiture. La pluie tambourine sur le pare-brise mais le frottement des essuie-glaces la balaie et l'éjecte vers le dehors. Le clic-clac du clignotant résonne et, bientôt, le jeune homme entend sa propre voix dans l'habitacle :

— Il fait vraiment un temps de merde.

— Ouais, sûr. Il faut être cinglé pour faire du stop par un temps pareil !

Le jeune homme ne répond pas. Il se cale sur le siège, s'essuie sur son pantalon de toile rouge. Il souffle entre ses mains pour les réchauffer alors qu'il fait très chaud dans la voiture, une chaleur sèche qui lui brûlera la gorge et les yeux dès qu'il y sera habitué. La voiture redémarre, très bientôt on aura quitté Des Moines.

— Je vais à Quincy.

— Vous avez du bol, je vais à Fairfield.

— C'est loin ?

— Ça rapproche. Après, c'est sûr, il faudra changer de monture. Et qu'est-ce que tu vas faire à Quincy ?

— En fait, je vais en Floride.

Le conducteur réagit par un signe de tête pour dire qu'il approuve, en regardant face à lui le rouleau d'asphalte qui s'étale, puis il accélère. Sa voiture est confortable, on n'entend pas le moteur, ou si peu, le conducteur se désintéresse très vite de son passager. L'auto-stoppeur le regarde conduire, son profil, ses rides, ses cheveux bruns et gris, quelques cheveux blancs sur les tempes, la barbe pas rasée depuis quelques jours et, sur les épaules, un pull vaguement bleu, tricoté avec une grosse laine. Il se dit : une cinquantaine d'années. Il regarde les mains épaisses et les doigts forts sur le volant, il cherche une alliance qu'il ne trouve pas. Avec une voix aussi rauque, l'homme doit être un grand fumeur – sauf que pas une seule fois il ne prend le temps de fumer. Un ancien fumeur ? Un repenti ? S'il a une voiture pareille, il doit avoir une famille nombreuse. Non. La bagnole ne puerait pas autant le clébard et la poussière. C'est un chasseur, il vit à la campagne, il fume la pipe en regardant s'éteindre le feu dans sa cheminée de merde, se raconte le jeune homme.

Il continue à imaginer la vie de l'homme, il l'imagine faisant de grandes virées dans les bois avec son chien, allant à la chasse pour oublier que sa femme s'est barrée avec on ne sait qui ou bien qu'elle est morte et enterrée. Il aimerait savoir si ses conclusions sont les bonnes. Il regarde une nouvelle fois les mains du conducteur, celles d'un homme qui travaille dehors. Puis le jeune homme tourne la tête vers le rétroviseur extérieur et, s'il y faisait attention, l'homme qui conduit ne pourrait pas deviner si l'auto-stoppeur regarde le bord de la route ou les maisons qui la longent, apparaissant et disparaissant dans le même mouvement, presque simultanément, ou s'il se contente de regarder dans le rétroviseur pour voir comment tout disparaît dans un point minuscule. Ils n'ont presque pas parlé et le conducteur a mis de la musique, un truc classique, mais le jeune homme n'y connaît rien. Il aimerait en savoir plus sur le conducteur, il a presque espéré que le type lui propose de venir dormir chez lui avant de reprendre la route le lendemain, parce que la nuit allait tomber. L'homme lui offrirait une soupe bien épaisse avec des morceaux de lard fumé et du pain large comme la Bible, le chien jouerait la carpette devant le feu de cheminée, on boirait une gnole infâme pour se réchauffer, mais non, rien de tout ça n'est arrivé.

Il ne saura pas si l'homme est divorcé – peut-être veuf, rescapé d'un fait divers ou d'un simple et banal accident de la route ? Il aime imaginer une histoire très triste dont l'homme aurait su tirer une leçon de vie et une profonde sagesse. Mais il n'ose rien demander et, quand il se retrouve assis dans un McDonald's à regarder par la baie vitrée la nuit et les yeux ronds et lumineux des voitures et des camions qui roulent vers le sud, il se dit qu'il ne sera jamais comme son frère, qu'il sera toujours incapable d'inventer des histoires et d'en écrire et, bien sûr, encore moins capable de comprendre de quoi la vie des gens est faite.

Mojito prend la peine de jeter les restes de son plateau dans la poubelle, mécaniquement, sans y prêter la moindre attention. Le jeune homme guette le bon moment et, se relevant, se dépêche d'avaler les trois dernières bouchées de son double cheese au bacon, de fourrer le cornet avec les trois frites qui lui restent dans la poche de sa parka, sans prendre le temps de balancer ses déchets, mais vite il saisit son sac à dos et son parapluie, court derrière Mojito en lui demandant, la voix forte, presque autoritaire, alors que le type avance d'un pas sûr et qu'il y a encore plusieurs mètres entre eux, pardon, vous allez vers le sud ? Mojito se retourne lentement, comme un type habitué à ce genre de contre-temps. Tu finis tes frites d'abord, j'ai horreur qu'on bouffe dans mon camion.

Sur le parking, avec sa large bouche et son visage blême que personne ne regarde, le clown aux cheveux rouges et vêtu de jaune semble sourire et faire son show à cette nuit d'un gris violet délavé. Le jeune homme engloutit les trois frites farineuses et froides et laisse le cornet vide tomber sur l'asphalte lustré par la pluie, ils avancent d'une trentaine de mètres et l'auto-stoppeur comprend qu'on va monter dans ce gros camion à la bâche blanche et bleue qui transporte des produits laitiers. À l'intérieur, des femmes nues, offertes comme il convient pour faire croire à celui qui les regarde qu'elles n'attendent que lui pour apaiser cette chaleur torride qui les tord dans des poses langoureuses. Le jeune homme leur jette un œil furtif, il ne veut pas qu'on le surprenne à les regarder, il n'est pas un *mateur*. Mojito les connaît toutes, il doit les appeler par des surnoms et leur susurrer des trucs salaces dès qu'il est seul. Mais, pour l'instant, le chauffeur ne s'intéresse pas plus à elles qu'à son premier pétard. Il porte une casquette de base-ball des *Cardinals* de Saint-Louis qui lui cache les yeux et le front, et, tout au long de la soirée, il va parler des Redbirds et surtout de Juan González à la grande époque des Rangers du Texas, du mythique Juan González, tu n'as pas connu ça ? T'es trop jeune, quel âge t'as ?

L'auto-stoppeur ne répond pas. Il dit qu'il s'appelle Bill.

– Enchanté, Bill.

Le jeune homme se contente de dire qu'il n'aime pas le base-ball, il a beau faire, ça ne l'a jamais intéressé. En revanche, les gens qui font quelque chose de leur vie, une chose plus grande qu'eux, ça l'intéresse. Il se redresse sur son siège pour dire que c'est ce qu'il aime chez certains sportifs. Pas tous, mais dans tous les domaines il y a des types qui voient plus grand qu'eux. Mojito répond oui, c'est vrai, et son accent latino donne un air amusé à ses mots. Le jeune homme est fatigué, ses yeux se ferment malgré lui ; il résiste au sommeil mais le rythme du camion le berce, ses muscles se relâchent, il va s'endormir, mais Mojito s'en fout, pas question de pioncer mon pote, faut pas me lâcher déjà, et il met la radio. Des tubes horribles des années quatre-vingt envahissent l'habitacle, les enceintes crachent des basses profondes, vibrantes, qui résonnent et frappent jusqu'au fond des ventres. Dire Straits ou Springsteen ou Genesis ou Michael Jackson. Tout ce que je déteste. S'il ferme les yeux, l'auto-stoppeur aura l'impression de se retrouver chez ses vieux – manque juste l'odeur de cambouis et de porc bouilli et d'eau savonneuse.

Assis, de profil, les bras sur le volant et le regard fixe sur la route, le ventre débordant, Mojito est juste un gros lard de Portoricain, se dit le jeune homme. Il n'y a bien que son frère pour imaginer en faire un personnage qui serait touchant et un peu pathétique à la fois, mais qui donnerait une image de l'humanité fragile et émouvante dans sa faiblesse, sauvée de sa mesquinerie par elle, sa faiblesse rédemptrice et pacificatrice. C'est ce à quoi le jeune homme pense en se disant qu'il ne saura pas si la femme de Mojito est devenue aussi grosse que lui, ni combien ils ont d'enfants – d'ailleurs, il ignorera si Mojito a des enfants et une femme. Il sait seulement ce qu'il imagine, toujours plus ou moins des clichés. Mais peu importe, ça sonne vrai et juste, comme un riff de guitare.

Le jeune homme se réveille, il vient de comprendre que le camion est arrêté. On est sur une aire d'autoroute, Mojito est peut-être dehors, peut-être en train de dormir au-dessus, dans la couchette ? Dans le pare-brise, il voit ce bout de lumière diffuse et timide d'un rose pâle encore incertain qui dessine l'horizon, et, de l'autre côté de la route, à peu près en face, l'enseigne lumineuse d'une station-service, avec sa cafétéria qui vous promet un petit déjeuner copieux servi avec un sourire pour trois fois rien. Il veut bien les trois fois rien, le sourire il s'en passera. Il se penche pour prendre son sac à dos et son parapluie et le voilà dans la fraîcheur du petit matin, sans un regard pour le camion, pas du genre à regarder derrière lui, seulement à gauche et à droite.

Lorsqu'il entre dans la cafétéria, deux hommes au comptoir se retournent pour le saluer. Ils le saluent plutôt pour voir la tête de ce morveux qui a traversé la route d'une voie à l'autre alors que c'est dangereux et sans doute interdit. Il attend une réflexion, mais non, les types se retournent vers leur bacon et leur café au lait. Il a encore de l'argent dans son sac à dos, une petite liasse de dollars avec plusieurs têtes de Washington, quelques-unes de Jefferson et de Lincoln, deux de Jackson et une seule de Grant. Toute sa fortune résumée par la tête de quelques présidents des États-Unis, pendant que des Lincoln, Kennedy et Roosevelt de nickel s'entrechoquent dans une petite bourse en cuir qui ne ferme pas très bien. Voilà des hommes qui ont vu plus grand qu'eux. Des hommes qui sont grands, parce qu'ils ont vu grand.

– Et pour le jeune homme ?

– Un café et des œufs, et puis des toasts et du bacon.

– Tout de suite. Et le sourire, c'est la prime de la maison !

– Ouais, merci.

La femme a l'air de prendre les choses à cœur, son métier, le sourire gratuit, tout. En moins de quelques minutes l'auto-stoppeur est devenu un client qu'on dorlote en lui demandant s'il veut du sucre ou du ketchup, s'il n'a besoin de rien. La femme porte un pendentif minuscule en forme de cœur dans lequel il doit y avoir le photomaton d'un homme ou d'un enfant. Elle passe son temps à enfourner ses mains très fines et ridées dans la poche de son tablier blanc, à hauteur de son ventre. Elle les ressort aussitôt et regarde au-dehors pour voir si d'autres clients pointent leur nez, mais non. Les deux hommes au comptoir repartent et l'on sent l'air froid qui envahit l'espace lorsqu'ils ouvrent la porte. Le jeune homme relève la tête et voit à la télévision, au-dessus du percolateur et des verres, sur les étagères, un plan du Japon et des marques rouges qui clignotent. En haut à droite, tout le nord-est du pays est rayé en rouge. Les voix de CNN résonnent dans cette cafétéria faite pour accueillir des tonnes de touristes en été, si vide et déserte à cette heure-ci que le moindre son habite l'espace comme une alarme dont l'écho se répercuterait dans tous les coins de la salle. Le jeune homme détourne le regard et demande à la femme si elle veut bien baisser le son. Elle dit oui, prend aussitôt la télé-commande et dit c'est terrible cette histoire, pas super pour commencer sa journée. Il acquiesce et replonge dans son café. Il boit lentement, le café brûle, mais la sensation lui fait du bien. Il remarque à peine comment la femme s'est arrêtée et comment elle le regarde boire. Elle insiste douce-ment, c'est horrible, ce qui se passe. Il fait un signe de tête et ses dents déchirent un toast avec lequel il attaque le jaune d'œuf dans l'assiette. Vous allez loin comme ça ?

– En Floride.

– Un peu grand pour Disney, non ?

Il esquisse un sourire, c'est la première fois qu'il sourit depuis un bout de temps. Un peu plus de café ? Il accepte volontiers et lui tend son mug. Elle lui demande comment il s'appelle, il répond sans sourciller et avec une monotonie dans le ton qui ressemble à de la sincérité : John.

– Enchantée, John.

– M'dame.

– Jocelyn. Enfin, Joce.

Et c'est peut-être parce qu'il est rassasié et que son café est bon, il accepte d'entrer dans le jeu de la conversation. Il ne sait pas pourquoi, il s'entend prononcer le prénom de Mitch, son frère, et dire qu'il ne l'a pas vu depuis plus de huit ans – presque neuf. Il raconte comment Mitch en a eu sa claque de leur famille de dégénérés, qu'il s'est enfui de Seattle sans prévenir personne ni jamais donner de nouvelles, sauf à lui. Et maintenant, il va retrouver son frère et peut-être qu'il va même s'installer chez lui, le temps de trouver du travail ou de s'installer quelque part dans le sud, il ne sait pas. Et puis, sans transition, il raconte comment son frère, lorsqu'ils étaient jeunes, écrivait des histoires, des nouvelles, et qu'il avait même écrit un roman. Un soir d'été où ils avaient partagé une bière – l'une de ses premières –, il avait fait remarquer à Mitch qu'il devait aimer beaucoup les gens pour savoir si bien les décrire et les comprendre. Son frère avait répondu sur le mode de la confidence amusée et un peu prétentieuse, je n'écris pas sur les gens parce que je les aime, je les aime parce que grâce à eux je peux écrire.

Joce demande quel genre d'histoires, et le jeune homme est déçu par cette question ; il ne veut pas avouer que c'est toujours la même chose, si ce n'est pas des polars, les gens vous regardent d'un air bizarre et soupçonneux. Mais pas Jocelyn. Elle regarde le jeune homme avec intérêt et se sert un mug de café en regardant si quelqu'un arrive sur le parking. Tout à l'heure, elle n'aura plus le temps de discuter avec les clients, mais seulement d'entendre gueuler son patron et de décourager les téméraires qui auront les yeux trop insistants ou les mains baladeuses, parce que les femmes et les autoroutes, ça fait deux, dit-elle. Le jeune homme n'écoute pas vraiment, il est pris d'une grande envie de parler, de raconter, et il continue sur sa lancée, Mitch écrit des nouvelles qui parlent des hommes et des femmes, des histoires de gens simples qui essaient de s'en sortir dans un monde fait pour personne. Il pense, en regardant la serveuse et ses épaules maigres et ses seins avachis, tiens, exactement des personnages comme toi. Jocelyn lui sourit et derrière son sourire on reconnaît la jolie jeune fille qu'elle a dû être et qui revient à ce moment-là, le temps d'illuminer son visage d'une lueur morte et translucide de passé.

C'est bien, ce qu'il écrit ? Le jeune homme semble sortir de sa rêverie et regarde la bouche de la femme, ses lèvres desséchées et les dents un peu jaunies par la nicotine et par l'âge. Il a trop parlé, c'est sûr. Il se sent rougir et hausse les épaules, de l'autre côté de la route le camion de Mojito s'ébroue et s'élance, la silhouette du Portoricain, la casquette sur la tête, le camion disparaît. Je ne sais pas ce qu'il fait maintenant, reprend le jeune homme, mais je crois qu'il écrit un grand livre qui va tous les scotcher et c'est pour ça qu'il ne donne pas signe de vie. Jocelyn opine en desservant le mug et son assiette. Elle demande s'il a déjà publié des livres et, devant son hésitation, elle n'insiste pas. Alors il ne peut pas dire non, son frère n'a rien publié, il doit préciser, entrer dans les détails et même si cette idée lui répugne, il faut avancer et dire oui, Mitch a publié une nouvelle, une fois. C'était dans une obscure revue, mais ça l'avait beaucoup impressionné parce que son frère lui avait envoyé un exemplaire qu'il avait gardé comme une lettre qu'il lui aurait adressée, bien plus longue que les trois mots

écrits sur la première page de la revue, en forme de dédi-
cace, *tout va bien, frérot*.

Son frère écrit des conneries et tout le monde s'en fout.
Jocelyn doit penser une chose comme ça. L'auto-stoppeur
le sait et voudrait lui claquer sa grande gueule, lui montrer
cette lettre qu'il a reçue de Mitch, même s'il se contente de
baisser les yeux et de se lever en reprenant son sac à dos et
son parapluie jaune. La lettre de son frère, oui, c'était il y a
plus de huit mois, mais même si elle lui disait en trois mots
tu peux venir, il avait très bien entendu que ça voulait dire,
tu dois venir. Et c'est ça qui compte. Que Mitch m'attende.
Même si c'était il y a huit mois, il n'y a pas de raison pour
qu'il ait changé d'avis. Et tu vois, ma jolie, tu ne peux rien
faire contre ça, pense le jeune homme en lançant sur le
comptoir quelques présidents des États-Unis qui roulent
avant de s'arrêter sur pile ou face.

Il n'a pas très longtemps à attendre. Une Chrysler, un
modèle rouge qu'il connaît bien parce que des voisins avaient
la même, une Stratus. Il s'approche de la voiture mais lorsqu'il aperçoit le type qui ouvre la vitre, c'est lui qui fait un
mouvement de recul et fait signe que non au Noir qui conduit. Le type lui fait un doigt et démarre en trombe. Le jeune
homme ne réagit pas et marmonne, va te faire foutre négro,
avant d'aller s'asseoir sur un banc.

Il va attendre, le flot des voitures reste si peu dense qu'il
se décide à se relever et se poste au bord de la route. Un
camion klaxonne en le voyant – un long coup qui perfore
les tympans et le début du jour en envoyant valser la poussière de l'asphalte et l'odeur brûlante d'air et de gazoil, un
courant chaud qui fait vibrer et danser les branches encore

nues des arbres derrière lui. Puis, enfin, une voiture met son clignotant. Une Ford comme on n'en fait plus, une Galaxy verte des années soixante ou soixante-dix. Vous allez où ?

– Floride.

– Un irrépressible besoin de palmiers et d'eau chaude ?

– Ouais, on peut dire ça.

– Je m'appelle Clift, dit le conducteur en tendant sa main.

– Cool, répond le jeune homme sans même regarder la main.

– Et vous ?

– Brian.

– Brian comment ?

– Comme Brian.

– Alors, enchanté, Brian. Bienvenue à bord.

L'homme qui conduit ressemble à Michael Caine, il voudrait qu'on lui trouve un charme anglais indéniable, et c'est d'ailleurs sans doute pour cette raison qu'il met dans sa façon de parler une application un peu affectée. Il est un peu ridicule dans sa veste droite et son foulard en soie orange et grise, avec ses dessins d'oiseaux et ses figures tarabiscotées de cordelettes. L'auto-stoppeur se sent tout de suite un peu mal à l'aise et, pour chasser cette sensation, il se met à parler. Il parle très vite, ses mots cherchent à occuper l'espace de la voiture et l'espace de la voiture laisse vibrer les mots et les laisse se confondre avec les vibrations du moteur de ce bon vieux bolide. Cette voiture est plus vieille que moi, dit le jeune auto-stoppeur.

– Oui, répond Clift. C'était une époque où l'Amérique était encore l'Amérique.

– Je n'ai pas connu, mais j'aurais préféré vivre en ce temps-là, c'est sûr.

– Moi, j'avais votre âge, et je confirme. Les gens n'étaient pas d'accord, il y avait les Américains et les Rouges, mais au moins, c'était simple. Les bons et les méchants, comme dans un film de John Wayne.

– Remarquez, c'est pas les méchants qui manquent, de nos jours.

– Ça, c'est sûr. C'est plutôt les gentils qui font défaut, sourit le conducteur.

– Vous trouvez pas qu'il est gentil, notre président ? demande l'auto-stoppeur.

– C'est pas tellement mon genre.

– Ah bon ? Et c'est quoi, votre genre ?

– Le genre qui aime l'Amérique et n'a pas honte de la défendre.

– Vous savez ce que je crois, moi. C'est que les gens ont peur de voir en grand. C'est comme si tout le monde jouait les modestes et les timides. Alors que l'Amérique, c'est les grands hommes, non ?

– Il y a toujours eu des espèces de babas cool, pendant le Vietnam, pour les revendications et toutes ces conneries d'égalité des droits.

– Vous manifestiez pas, vous ?

– Oh si, j'étais jeune. Enfin, pardon. Je voulais pas dire du mal des jeunes.

– Y a pas de mal.

– C'est juste qu'avec les années, on comprend des choses.

– Comme quoi ?

– Comme l'Amérique, bon Dieu ! Si on ne comprend pas que l'Amérique est en danger et que, pardon de le dire, ce n'est pas le bon petit nègre de Washington qui va nous défendre, on est mal barré !

– Tout simplement parce qu'on se laisse impressionner par... si ça vous choque pas, je vous le dis, c'est ça mon avis.

– Oui ?

– Des tordus de musulmans et de juifs.

– Moi qui croyais que la jeunesse américaine était foutue ! Je suis d'accord à cent pour cent, Brian ! Vous êtes sacrément mûr, pour votre âge.

– Je regarde ce qui se passe. Et le deuxième prénom d'Obama, vous le connaissez ? C'est Hussein. Ouais, comme je vous dis. Vous le saviez, ça ? Comme Saddam.

– Moi je dis qu'on ne s'en sortira pas tant qu'on ne réaffirmera pas ce que c'est que l'Amérique.

– C'est sûr, même.

– Si on se laisse dicter la loi par n'importe qui, on ne va pas s'en sortir. Voilà ce que je crois. On est dans un pays où ça devient dur de parler librement. Avec le politiquement correct, on ne peut pas dire des trucs aussi simples que la plus simple des vérités.

– Les gens sont froussards, ils ont renoncé à tout, conclut le jeune homme.

– Vous partez en vacances ?

– Je vais voir mon frère. Lui, en voilà un qui sait ce que c'est, l'Amérique ! Il a planté nos vieux et ce petit monde de merde parce qu'il en avait sa claque de voir toutes les faces d'omelettes dans notre quartier, et les Noirs aussi. Ils ont pris tous les boulots. On leur laisse tout parce qu'on culpabilise avec les Viets et avec les Noirs, c'est ça, le fond du problème. On va se faire bouffer et mon frère, il en avait sa claque de voir tout foutre le camp, et voir dans ma famille comment on était juste bon à fumer et à boire de la bière. Mes vieux, ils ont renoncé à tout. Mitch, il écrit depuis qu'il est petit et ce

324

sera un grand écrivain, comme Hemingway ! Vous savez, la photo célèbre, Hemingway qui pêche, c'est en Floride.

– Ah ?

– Et l'Amérique, je vous le dis, Clift, c'est des types comme ça, Hemingway, c'est ça l'Amérique, des hommes comme ça qu'il nous faut, qui regardent droit devant eux et n'ont pas froid aux yeux.

– Et plutôt que de parler de votre frère, si vous me disiez ce que vous faites, vous ?

– Moi ?

– Oui, vous. Brian.

– Oh, moi, je fais rien. J'ai pas le talent de Mitch. J'aurais bien aimé et j'essaie de deviner ce que font les gens quand je les vois.

– Vous avez le sens de l'observation, c'est ça ?

– Oui, mais pas celui de la déduction. Observer, c'est bien, mais il faut savoir lire ce qu'on voit et déduire des choses, du genre, par exemple, hier soir, j'étais dans le camion d'un Portoricain.

– Vous aimez les Latinos ?

– C'est pas ceux qui me gênent le plus. En le regardant, j'essayais d'imaginer sa femme et ses gosses et l'intérieur de leur petit salon.

– Et vous faites ça pour quoi, au juste ?

– Pour rien. Avec ça, Mitch construit des personnages et des histoires. Moi je fais ça pour rien. Je ne sais pas écrire, je n'ai pas le talent.

– Alors c'est comme un exercice intellectuel, c'est ça ?

– Oui, si vous voulez.

– Et vous imaginez quoi de ma vie ?

– J'en sais rien, je sais pas...

325

– Allez, Brian, il ne faut pas se dégonfler. Pas après les beaux discours sur le manque de courage des Américains. Alors, essayez de dire quelle est ma vie. Allez, jeune homme ! C'est amusant, comme petit jeu.

– À voir vos mains et votre façon de vous habiller, je sais déjà que vous n'avez travaillé ni dans un ranch, ni dans des champs, ni rien de manuel, je suis sûr.

– C'est tout ?

– Vous êtes plutôt du genre citadin. Vous préférez le champagne à la bière... et puis... Vous savez où l'on est ?

– Dans une heure on sera à Nashville.

– Vous allez jusqu'où ?

– Eh ! Je croyais que vous étiez capable d'observer ?

– C'est pas marqué sur la tête des gens.

– Oui. Surtout que je vais à Atlanta. La ville où les Noirs sont majoritaires à 55 % et où le moindre Noir a plus de chance de voir un jour sa statue dans les rues qu'un blanc-bec comme moi.

– Vous manquez pas d'humour, en tout cas.

– Il faut bien. Mais alors, on a fini notre jeu ? Ça ne vous dit plus de me mettre à nu ? Ça ne me déplaisait pas, lâche-t-il avec un sourire vaguement insidieux et connivent.

– Il faut que ça se fasse à l'insu de la personne.

– Brian, vous êtes un petit coquin, vous préférez regarder par les trous de serrure...

Clift-Michael Caine a laissé échapper un sourire un peu trop franc et aigu, une sorte de rire un peu trop extraverti et prolongé par un coup d'œil trop appuyé, le temps d'une seconde, suffisamment pour que l'auto-stoppeur se raidisse et perde d'un seul coup la confiance et la détente qu'il avait acquises. Il n'a pas ri et s'est soudain de nouveau senti mal à l'aise. Il a détourné le visage pour regarder du côté de la fenêtre passager. Après un silence un peu trop long, Clift veut reprendre la main et détendre l'atmosphère.

– Et tu ne veux pas essayer d'imaginer ma gentille petite femme et ma progéniture ? demande-t-il en parlant avec une voix un peu trop haut perchée.

– Non, je sais pas...

– Et mon petit pavillon dans ma jolie zone pavillonnaire, non ?

– Vous vivez dans un appartement, je suis sûr.

– Gagné.

– Mais je suis pas sûr que vous ayez une femme.

– Oh, oh, voyez-vous ça !

– On va arrêter là, Clift. Ça me met franchement pas à l'aise.

– Arrêter... quoi ? Le jeu ?

– Non, la voiture. Je vais descendre.

– Pourquoi ? C'est dommage, on commençait à s'amuser.

– Je crois qu'il vaut mieux en rester là, Clift.

– Bon, ok, je n'ai pas de femme. Ça ne fait pas de moi un monstre. Si ?

– Je juge pas.

– Je croyais qu'on s'entendait bien, Brian. Il ne faut pas avoir peur.

– J'ai pas peur. Je comprends pas ce que vous voulez.

– Pourquoi je voudrais quelque chose ?

– Je sais pas, je le sens.

– Qu'est-ce que je voudrais, selon toi ?

– Pourquoi vous accélérez ?

– Tu n'aimes pas la vitesse ?

– Je vous ai demandé de me laisser descendre.

327

— Et te laisser comme un petit chien abandonné sur le bord de la route ?

— Qu'est-ce que ça peut vous foutre ?

— C'est que je t'aime bien. Entre Américains, on peut se dépanner, non ? Je suis sûr que tu m'aimes bien aussi.

— Eh, c'est pas cool du tout, ça, ok ? Maintenant je veux descendre.

— Je suis sûr qu'on pourrait s'aimer bien tous les deux.

— Je crois pas, non. Je veux descendre.

— Faut se laisser aller, Brian.

— Je veux descendre. Vous ralentissez et vous vous arrêtez là, ok ? À quoi vous jouez, merde ?

— Tu sais, c'est pas parce que tu crois observer les gens que ça les empêche de te voir, eux.

— Pourquoi vous dites ça ?

— Observer les autres n'a jamais protégé personne de leur regard.

— Je comprends pas.

— C'est pour dire que je vois clair dans ton jeu.

— J'ai pas de jeu.

— Moi, je crois plutôt que tu as toutes les cartes en main et que tu le sais très bien.

— Quelles cartes ? Qu'est-ce que vous me racontez comme conneries, c'est quoi ces conneries ?

— Pourquoi tu fais du stop ?

— Pour aller en Floride.

— Il y a le train.

— J'ai pas de ronds.

— Tu aurais pu louer une voiture.

— J'sais pas conduire. Bordel, qu'est-ce que vous voulez ? Où vous voulez en venir ?

328

– Peut-être à la raison qui t'amène à faire du stop.

– Et ce serait quoi, je peux savoir ?

– Peut-être la même que celle qui m'amène à prendre des auto-stoppeurs ?

– Je veux que vous vous arrêtiez.

– Je peux pas ici.

– Si.

– Tu as besoin d'argent ?

– Non, j'ai juste besoin de descendre de cette bagnole.

– C'est facile d'avoir un peu d'argent, tu sais. Là, tout de suite, si tu veux. On sort à la prochaine où l'on s'arrête quelque part et l'on fait l'amour tous les deux. Tu vois, c'est simple, tu reçois quelques billets et l'on reste bons amis. Allez, je suis sûr que c'est ce que tu veux –

Il n'a pas le temps de terminer sa phrase. Il a voulu sourire, Clift croyait qu'il pouvait se permettre de renchérir encore et imaginer que l'auto-stoppeur ne réagirait pas et attendrait et il a à peine le temps de penser quelques idées rapides, comme les bulles d'un désir obscène où il a été sûr que le jeune homme resterait sur la défensive et comme immobilisé par elle – mais Clift n'a pas vu que la seconde d'après ce serait à lui d'être sur la défensive, parce que le jeune homme jette en avant le bras et sa main tendue, toute son énergie et sa puissance dans un mouvement rapide, les doigts qui serrent la gorge si fort que Clift a à peine le temps de comprendre, de lâcher l'accélérateur, de laisser la voiture partir en vrille ou dansant sur la route et derrière un camion klaxonne et quatre ou cinq bagnoles déboulent comme des masses de couleur bleue, grise, rouge, sur les côtés – comme au cinéma le son Dolby 5.1 et l'image 3D est-ce que tu aimes la mort et le danger qui frôlent la tôle de la Galaxy et les

329

moteurs qui accélèrent et les voitures faisant comme des embardées en freinant, elles freinent, s'écartent et reprennent et relancent le moteur pour s'éloigner, des mains à plat sur les klaxons et des visages ahuris, furieux, des insultes, des contorsions pour voir qui est ce fou, là, dans sa Ford verte, des corps agrippés aux ceintures et dans le petit matin la Ford Galaxy tangue et essaie de tenir sa route et de ralentir, la voix de Clift crissant d'un frottement de vieille mécanique, un son métallique comme une lame chauffée à blanc sans que personne n'entende rien que le froissement aigrelet d'une petite radio de poche – *tu vas nous tuer !* tu vas nous tuer et lâche-moi putain lâche-moi et Clift tend toute sa force pour retenir la voiture, les bras tendus sur le volant il veut le contrôler et ne pas freiner mais seulement détendre la vitesse, calmer l'élan, mais l'autre ne lâche pas, son regard est fixe sur la glotte que ses doigts écrasent et seraient prêts à arracher comme on le ferait d'une prise de terre qui résiste trop longtemps. Il ne bouge pas. Il regarde l'autre qui panique. Qui étouffe. Les mains agrippées au volant. Les bras tendus. L'odeur de pisse – il s'est pissé dessus et le jeune homme lui dit avec une voix presque calme et froide et déterminée maintenant tu vas me laisser sortir de ta bagnole espèce de vieille salope, sinon on y passera tous les deux. T'as compris ? Vieille pute, t'as compris ? Et l'autre alors, suffocant, blême, qui se tait. Cette suffocation qui s'écrase dans la gorge. Et son âge. Ses idées. La buée sur le pare-brise. Son souffle éteint à la place de son reflet. Son haleine grise et pâle. La mort au bout de la route avec un parapluie jaune et des cheveux dansant comme des serpents sur le front et un visage beau et doux comme la solitude. La voiture se gare sur le bas côté et le jeune homme desserre son étreinte et ouvre la portière alors que la voiture n'est pas encore complètement arrêtée. Il retire sa ceinture de sécurité qui repart en arrière dans un grand bruit, comme une poterie qu'on fracasse. De l'autre main l'auto-stoppeur reprend son sac à dos, mais il oublie le parapluie. Il sort de la voiture en claquant la portière. L'autre est penché sur son volant, le corps tremblant, les mains autour de la gorge. Il essaie de reprendre souffle, de retrouver sa voix. Des mots qui éructent sans que personne ne puisse rien entendre. Une rage de ventriloque mou et muet insultant une silhouette déjà loin devant, en la traitant de petite merde, *une sale petite merde.*

La voiture reste longtemps sur le côté, comme échouée, en diagonale, les feux de détresse pas allumés. Une voiture de travers et un homme pathétique au volant qui se tient la gorge parce qu'un fou surgi de l'enfer a bien failli lui arracher la trachée à la seule force de ses doigts.

Mitch n'a pas reconnu son frère tout de suite. D'abord, il ne s'attendait pas à le voir débarquant chez lui à cette heure, ou même simplement avec un vieux sac à dos et une parka fatiguée, usée, un pantalon rouge sale et puis cet air épuisé et crasseux d'un vagabond. Dans la pénombre mal éclairée de la terrasse, Mitch avait hésité et froncé les sourcils. Sa voix avait d'abord été celle d'un homme méfiant ou vaguement en colère, un homme qu'on dérange chez lui le soir alors qu'il s'apprête à aller se coucher pour se reposer d'une journée éreintante et se préparer à affronter la suivante.

Mitch s'était approché, avait hésité, et puis enfin avait reconnu son frère ; c'était bien lui, là, attendant comme il l'aurait fait dans le box des accusés, droit, le dos et la nuque raides, sans bouger. Il avait su que c'était gagné quand Mitch avait enfin souri, d'un sourire franc et ému, ouvert, heureux. Ils s'étaient embrassés longuement, chaleureusement, puis ils étaient entrés et lorsqu'ils étaient arrivés devant elle, Deanna avait vu combien son mari avait l'air abasourdi et bouleversé et combien le jeune homme, juste à côté de lui, ressemblait à Mitch.

Bien sûr, des deux, c'était Vince qui avait le plus changé. Entre dix et dix-neuf ans il s'était métamorphosé, avait laissé tomber son visage et ce corps d'enfant que Mitch lui avait connus, sans pour autant habiter vraiment un corps d'adulte, mais tenant, instable et incertain, dans une forme intermédiaire. Les retrouvailles avaient été celles dont il avait rêvé – avec ce qu'il faut d'étonnements et de surprises pour relancer l'intérêt et les questions de part et d'autre. Deanna s'était approchée et avait dit je suis Deanna, tendant la joue et les bras vers lui et, tout de suite après l'avoir embrassé, elle avait eu l'esprit d'aider Vince à retirer sa parka, de lui proposer une chaise et un verre, une bière, de l'eau, quelque chose ? Mais peut-être que surtout il avait faim ? Est-ce qu'il voulait quelque chose à manger ? Mitch et elle venaient de dîner, mais on devrait trouver une pizza surgelée au congélateur, et elle avait haussé la voix, presque en riant, eh, Mitch, réveille-toi ! Car Mitch semblait comme anesthésié et s'était soudain remis à bouger, oui, pardon, je m'y attendais tellement pas ! C'est tellement dingue de te voir ! C'est dingue ! Il ne pouvait s'empêcher de toucher son frère, de tâter ses bras, ses épaules, de lui prendre le visage entre les mains. Il ne pouvait pas le croire et pourtant c'était vrai, son frère était là, devant lui, en chair et en os, Vince lui souriait avec son beau sourire fatigué et comblé. Dans un éclat de rire Mitch avait continué, fermant le poing et faisant semblant de lui frapper le ventre, s'arrêtant juste avant, on va te faire à manger et pendant ce temps tu vas aller prendre une douche parce que, entre nous, tu pues le vieil Indien crevé, petit Sioux !

Dans la cuisine, Deanna et Mitch étaient restés un moment sonnés, incapables de dire un mot. Elle, regardant la pizza aux fruits de mer dans le four et Mitch tournoyant autour d'elle, s'éloignant de la cuisine et revenant du salon parce qu'il avait oublié un verre, puis de prendre des couverts et puis revenant encore en murmurant ça alors, ça alors, comme il a changé, c'est incroyable, il est presque aussi grand que moi, incroyable, c'est plus un gamin, sa vieille petite bouille ronde, comme elle a changé, c'est dingue, ça alors.

On était passé à table et tous les deux avaient regardé Vince baissant les yeux en se jetant sur la pizza, commençant à manger sans prendre le temps de goûter mais en dévorant, affamé et riant presque pour dire combien il est bon de savourer une pizza surgelée et combien il est bon de prendre une douche bien chaude ! Oui, ça faisait plusieurs jours et plusieurs nuits qu'il se traînait. Il avait quitté la maison et Seattle depuis plusieurs jours, mais tout ça était déjà très loin. Et la journée d'aujourd'hui, pour arriver jusqu'à eux, n'en parlons pas – enfin, si, au contraire, parlons-en de cette journée, une vraie odyssée de merde ! Et pendant que l'un et l'autre finissaient, sans vraiment y faire attention, le regard fixé sur Vince, de boire le reste refroidi de leur tisane, Mitch et Deanna se demandaient comment le jeune frère avait pu arriver jusqu'à eux et traverser tout le pays, comment il avait pu décider de venir jusqu'ici et surtout, bien sûr, pourquoi.

Pourquoi est-ce qu'il vient nous trouver en pleine semaine, le soir tombé, sans prévenir ? Qu'est-ce qu'il veut ? Est-ce qu'il veut quelque chose de particulier, ou est-ce qu'il a fait tout ce chemin seulement pour nous voir et renouer avec son frère ? L'un et l'autre étaient complètement effarés et leurs regards, lorsque leurs yeux arrivaient à se détacher de ce jeune homme dont la présence était à la fois impossible et incroyablement réelle, là, dans leur salon, à la table où jamais ils n'auraient pu imaginer le voir un soir assis, habillé de fringues que Mitch n'utilisait presque plus – ce vieux pull orange avec une bande bleue en plein milieu et ce jean trop rapiécé pour qu'on le porte ailleurs que chez soi –, quand leurs regards pouvaient se croiser, c'était uniquement pour demander à l'autre si ce qu'il voyait était vraiment là sous leurs yeux. On l'avait laissé engloutir sa pizza et une part de tarte aux pommes. On l'avait laissé boire une bière, puis Mitch en avait bu une avec lui pour le plaisir de trinquer à leurs retrouvailles.

Deanna avait pensé que les deux frères auraient des choses à se dire, dont elle entendrait les mots de la cuisine, mais qui ne la regardaient pas vraiment. Elle avait de la vaisselle à faire, des plats à ranger et puis, demain, toute la famille se levait tôt. Elle devait organiser la logistique, penser à ce changement de programme. Maintenant elle devrait aller chercher la petite Connie et la faire dormir dans le lit installé dans leur chambre, trouver des draps pour Vince. Et lorsqu'elle avait fait part de son idée à Mitch, c'est Vince lui-même qui avait prétendu ne pas vouloir déranger, une couverture lui suffirait et un bon canapé, celui-là par exemple, mousseux comme une crème glacée. Deanna avait fini par accepter, on s'organiserait mieux demain et puis, pour l'instant, ce n'était pas encore le moment de se demander combien de temps Vince comptait rester à Lakeland, quels étaient ses projets et même, simplement, est-ce qu'il en avait ? Elle entendait déjà, de la cuisine, les phrases que Mitch se préparait à dire, les questions qu'il se préparait à poser, du genre, *comment vont papa et maman ?* Oui, déjà elle savait qu'il prononcerait ces mots si étranges lorsqu'elle les entendait dans la bouche d'un adulte, *papa, maman*. Elle savait sa rage contre eux, ses parents, aujourd'hui encore, c'est-à-dire, à travers la rage et la haine, toute la violence d'un amour blessé et non réconcilié. Et elle avait entendu les premiers mots, des mots encore timides, la voix encore indécise de Mitch, sa fragilité qu'elle connaissait si bien, *est-ce qu'ils parlent de moi de temps en temps ?*

– Mouais.

– Je vois.

– Non, je crois pas. Ça a été encore pire dès que t'as foutu le camp.

– Et tu m'en as voulu ?

– De pas m'emmener ? Ouais, c'est sûr. Je mentirais si je le disais pas. Je t'aurais tué.

– J'avais pas le choix, tu sais. Sinon, je crois que c'est moi qui aurais tué papa... ou lui qui m'aurait fait la peau.

– Je crois bien qu'il en aurait eu envie, ça oui.

– T'inquiète pas, il aurait toujours pu essayer. Et maman ?

– Oh... Elle donne toujours dans le *flower power* et ça pue toujours autant le patchouli à l'intérieur et le cambouis dès qu'on sort de la baraque. Sinon, elle a pris un coup de vieux.

– J'aurais bien aimé que vous soyez là au mariage.

– C'est vrai, ça ?

— Oui, c'est vrai.

— Quand j'ai su que tu te mariais et que tu nous invitais, j'y croyais pas.

— Tu sais, une fois que tu as fait ta vie ailleurs, la rage diminue. T'as plus la même haine. Tu vois les choses différemment...

Vince était resté un moment sans rien dire. Il s'était contenté d'écouter son frère et de chercher dans l'expression de son visage comme un double-fond, plutôt que ce premier degré qui apparaissait trop comme un aveu, une sorte de confession un peu trop obscène pour être vraie ou sincère. Vince n'aurait pas pensé que Mitch pourrait dire qu'il avait des regrets ou quelque chose comme des remords, ou de la compréhension, une sorte de tolérance rétrospective. C'était impossible d'imaginer un truc pareil après tout ce qu'il avait dit d'eux. Ça, oui, Vince était petit encore, mais il s'en souvenait très bien. Mitch avait dit que la vie avec leurs parents c'était comme la guerre, surtout avec leur père, mais avec son indifférence à elle aussi. Bon, c'est vrai, il ne les avait pas vus depuis longtemps, il avait peut-être oublié. Mais Vince pourrait lui rafraîchir la mémoire. Vince aurait voulu lui dire, attends, Mitch, attends, tu ne te souviens pas de comment tu en crevais, de notre vie là-bas ? Tu ne te souviens pas de comment ils te faisaient chier, tous les deux ? Lui, le sac à bière, tu ne te souviens pas comment il aimait t'humilier ? Tu disais toujours que son but dans la vie c'était de te rendre aussi minable que lui, non ? Tu as oublié les claques et les coups de pied au cul ? Et elle ? Toujours à côté de la plaque à nous gonfler avec ses années Woodstock alors qu'elle n'y a jamais foutu les pieds. Tu savais qu'elle n'y avait jamais foutu les pieds ?

Mais ce n'était pas le moment de parler de ça. Pas le moment de s'énerver. Vince s'était contenté d'une moue dédaigneuse et qui voulait dire qu'il n'était pas dupe, et il avait exagérément cherché une dernière goutte de bière dans sa canette.

— Tu en veux une autre ?

— Non, ça ira. Tu sais c'est quoi sa fixette, à maman ?

— Qu'est-ce que t'appelles une *fixette* ?

— Les chauves-souris.

— Quoi ?

— T'as entendu parler des misères des chauves-souris ?

— Attends, je vais reprendre une bière.

— Depuis 2006, il y a plus de cinq millions de chauves-souris qui sont mortes en Amérique du Nord, États-Unis et Canada compris.

— Non, je ne savais pas.

— Bon, c'est un fait, ça s'appelle le syndrome du nez blanc.

— Déconne pas !

— Si, si, je te jure, la pire catastrophe du continent nord-américain depuis l'extinction du pigeon migrateur. Figure-toi, ça la rend folle. Elle parle de ça, matin, midi et soir. Elle connaît tout sur les champignons, la présence fongique comme elle dit, blanche, sur le museau des bestioles. Elle ne rigole pas du tout.

— Tu veux dire que Batman a chaud aux fesses ?

— Non, Mitch, c'est sérieux, la chauve-souris ! Figure-toi, c'est un pesticide vivant. Leur disparition coûterait des milliards à l'agriculture américaine.

— Eh ! T'es sûr que c'est elle que ça tracasse, ou c'est toi ?

— Moi, non, je m'en tape, mais c'est pour te dire que notre mère, au cas où tu aurais oublié, c'est jamais qu'une vieille baba écolo de merde.

– Oui, je sais. Enfin, elle n'a pas complètement tort.

– Si elle s'inquiétait de la disparition de ses deux fils autant que de celle des chauves-souris, je pourrais être d'accord, mais là... bref.

– Ils savent pas que t'es parti ?

– J'imagine qu'ils ont dû s'en rendre compte.

– Vince, il va falloir les prévenir.

– Tu les as prévenus, toi, quand tu t'es barré ?

– C'était il y a dix ans.

– Non, à peine neuf. Et ça change quoi ?

– Ok, mais toi, c'est pas pareil. C'est pas parce que j'ai fait une connerie que t'es obligé de faire la même.

– Mitch ? Qu'est-ce que tu me dis ? Tu regrettes de t'être barré de cette maison de cinglés ?

– Non. Pas d'être parti. Mais de l'avoir fait comme ça, oui. Il faut pas les laisser comme ça, ils vont s'inquiéter.

– Tu plaisantes ? Ils en ont rien à foutre de ma gueule et moi j'en ai autant pour eux.

Et puis il avait été temps de se séparer. Mitch avait pris son frère dans les bras, il avait serré Vince très fort et avait juste murmuré, *mon frère, mon petit frère, si tu savais comme tu m'as manqué.* Et sa voix, pour se libérer de son étranglement, avait réussi à se sauver par une pirouette grossière et faussement virile, une petite claque sur la joue du frérot, la voix de Mitch comme un instrument désaccordé et au bord de la rupture – *et te branle pas dans mes draps, hein, petit con !*

Lorsque Deanna rentre chez elle, en fin d'après-midi, avec les enfants, la porte de la maison est ouverte. Les enfants sont intrigués et excités par le Frère-de-Papa, même si celui-ci ne fait preuve à leur égard ni de la même curiosité ni du même intérêt qu'eux vis-à-vis de lui. Il les voit venir dans le salon, Stan, l'aîné, approchant lentement vers le canapé sur lequel Vince est allongé, un bras replié et relevé sur les yeux, pendant que l'autre bras pend jusqu'à terre et que sa main tombe sur le sol, les doigts frôlant la canette de bière sur le carrelage. Deanna s'étonne de voir son beau-frère dans les mêmes vêtements que ceux qu'il portait la veille. Elle les avait mis hier soir dans la panière à linge pour les laver aujourd'hui, il a dû aller les reprendre, oui, une manie de garçon, voilà comment se comportent les jeunes hommes, ses frères ne faisaient pas mieux lorsqu'ils avaient l'âge de Vince. Elle ne dit rien et retourne dans la cuisine en prenant la main de Connie, parce que celle-ci voudrait aller embrasser son oncle. La petite le dit en riant, elle s'agite, elle voudrait courir vers lui et Deanna est obligée de la prendre dans ses bras pour lui expliquer que son oncle dort parce qu'il a fait un très long voyage et qu'il est très très fatigué. Elles repartent toutes les deux dans la cuisine.

Seul Stan reste ici, silencieux. Il regarde le Frère-de-Papa et n'ose pas le réveiller. Mais soudain le bras se relève un peu et, en restant dans la même position, se déplace sur le front et laisse apparaître, comme des billes de chat brillant dans la nuit, des yeux qui le fixent. Stan n'a pas l'habitude que les adultes le fixent comme ça. Il a l'habitude qu'on le regarde en lui souriant. Il a l'habitude qu'on le regarde en lui caressant les cheveux. Il a l'habitude, aussi, qu'on le regarde en s'approchant de lui, en lui posant de ces questions naïves que les adultes adressent aux enfants sur un ton faussement amusé ou intéressé dont il n'est pas dupe, qui est celui que prennent les adultes avec les enfants. Sauf que là, non. Le Frère-de-Papa ne dit rien. Son regard est fixe et Stan lui demande s'il a bien dormi. Et, alors qu'il attend une réponse, le corps de son oncle se redresse d'un mouvement rapide et indifférent – Vince a peut-être murmuré quelque chose, il se relève et remonte son pantalon et Stan remarque qu'il ne porte pas de ceinture. Soudain Stan est méfiant, ce n'est pas vraiment de la peur, non, mais déjà il n'est plus tout à fait dans la curiosité qu'il éprouvait ce matin même envers le Frère-de-Papa et dont toute sa journée à l'école avait été modifiée, magnifiée, comme auréolée.

Dans la cuisine, lorsqu'elle le voit arriver, la petite Connie vient vers Vince et, s'il hésite un peu, il finit par baisser les yeux vers elle, puis se penche et essaie de sourire. Il voit combien ses grands yeux très clairs ressemblent à ceux de sa mère, des cils très grands, une blondeur un peu fade. Deanna les regarde faire – comment la petite veut qu'il l'embrasse, comment il la prend dans ses bras et comment elle semble y trouver sa place tout de suite. Connie a adopté le Frère-de-Papa à cet instant-là. Deanna le sait et Stan aussi, peut-être que Vince le comprend lui aussi. Stan observe tout ça avec étonnement et peut-être un peu de jalousie, il décide qu'il ferait mieux d'aller dans sa chambre et, sans rien dire, va retrouver ses dinosaures.

Le soir même, alors qu'elle est couchée depuis déjà une bonne heure, Deanna espère que Mitch ne restera pas à parler avec son frère jusque tard. Elle aussi voudrait parler à Mitch. Mais, pour l'instant, elle écoute les voix des deux frères et comment celles-ci remuent des souvenirs auxquels elle n'a pas accès. Elle ne sait pas pourquoi, elle se sent si irritée, si mal à l'aise. Il a fallu qu'elle vide la pharmacie dans la salle de bains pour trouver de quoi calmer ses migraines ophtalmiques, soudain si violentes qu'elle doit enfoncer complètement son visage dans le coussin et serrer fort, comme si elle voulait s'étouffer elle-même. Elle espère qu'elle ne s'endormira pas avant que Mitch entre dans la chambre. Elle voudrait lui dire, c'est étrange, pendant quelques minutes – tu vas me prendre pour une folle, et bien sûr tu vas m'expliquer qu'il faut que j'arrête de lire Stephen King ou de regarder la télé, mais, je te jure, c'était comme une évidence que ce type pouvait tout aussi bien ne pas être ton frère. Toi-même tu as dit qu'il avait tellement changé. Tu ne l'as pas vu depuis si longtemps. Et c'est quand il avait Connie dans les bras et qu'il lui a souri que j'ai eu ce sentiment ou que ce sentiment était au bord de l'angoisse.

Mais lorsque Mitch entre dans la chambre, Deanna ne lui raconte rien de ça. Une vague odeur de bière l'accompagne, qui traverse la chambre dans son sillage. Il fait attention à ne pas faire de bruit en se déshabillant, mais Deanna allume sa lampe de chevet et se redresse dans le lit.

– Ça va, chérie ? Je suis désolé, je t'ai réveillée.

– Non, non, ça va. Vous avez parlé de quoi ?

– Rien, des conneries.

– Tu sais ce qu'il m'a demandé cet après-midi ?

– Le débarras ? s'inquiète Mitch.

– Oui. Parfaitement. Comme ça, de but en blanc, c'était même pas une demande. Il a dit, « si je m'installe dans la pièce à côté, je ne sais pas où on pourrait mettre les affaires de pêche et tous les trucs », j'en suis restée soufflée. Il t'en a parlé ?

Mitch ne répond pas tout de suite. Il vient s'asseoir sur le bord du lit, à côté de sa femme. Il lui prend les mains et la regarde dans les yeux.

– Je m'aperçois que je le connais pas du tout. C'est mon frère, mais je le connais pas.

– Pourquoi, qu'est-ce qu'il t'a dit ?

– Des trucs de dingue. Des trucs... Même les républicains sont des affreux gauchistes, si on l'écoute.

– Tu veux dire quoi, il est raciste ?

– C'est rien de le dire. J'ai laissé tomber mais... et il s'est mis à rire lorsque je lui ai affirmé que j'écrivais plus.

– Pourquoi ?

– Il me croit pas.

– C'est pas très important, si ?

– Il est convaincu que... attends, il a dit sans rire, *ta mission*, Mitch, *ta mission*, comme si c'était un truc religieux ou je sais pas.

Le lendemain, alors qu'il est de nouveau seul dans la maison de Deanna et Mitch, Vince repense à la conversation d'hier soir, sur l'écriture. Vince qui n'entend pas quand Mitch lui dit que tout ça c'est fini depuis longtemps. Vince, qui fait comme s'il n'avait pas entendu, j'adorais la nouvelle du gang de filles, tu sais, la nouvelle avec le gang des petites allumeuses ?

– Non.

– Elles volent des bagnoles, un gang de lycéennes et il y en a une qui veut faire du basket mais se fait péter le genou par un flic.

– Ah, ça alors ! Tu te souviens de tout ça ?

– Je pourrais te raconter par cœur.

– Tu vois, moi, je l'avais presque oubliée.

– Je te crois pas.

– Si, Vince, j'ai oublié.

342

Et puis ce regard vers la porte. Et ce sourire désabusé. Et puis ce geste d'ouvrir la canette de bière devant soi, les yeux baissés, l'air entendu, un léger haussement d'épaules peut-être et puis un silence qui tient suffisamment longtemps pour que Vince comprenne que Mitch ne veut pas lui répondre. Ou bien quelque chose de creux comme, c'est du passé, tout ça.

– Quoi ?

– Ça doit faire cinq ans que j'ai pas écrit une ligne.

– Ça va revenir.

– Non... Je crois pas. Ça me manque pas tellement, tu sais. Les trois quarts des jeunes font de la guitare, de la musique, et puis ils arrêtent... Moi, c'était pas la musique.

Puis le silence. Est-ce que Mitch aura vu comment l'incrédulité d'abord, puis le doute et l'incompréhension avaient dévasté son frère ? Vince se dit que si Mitch a regardé vers la porte de sa chambre, c'est que Deanna et lui ont déjà sans doute eu de longues conversations à ce sujet. Il imagine que son frère écrivait beaucoup et qu'il devait la négliger et qu'elle a dû exiger, il en est sûr, elle a dû lui poser un ultimatum, quelque chose comme l'écriture ou elle, elle a dû le décourager dans son talent, lui dire qu'écrire des romans ça ne rapporte rien, lui dire qu'il fallait arrêter de rêver. Elle a dû le bassiner avec ce qu'elle croit être la vie alors que ce n'est que le reflet de sa médiocrité à elle et du monde des gens mesquins et aux vues si courtes qu'avec eux l'Amérique serait encore à attendre la conquête de l'Ouest, à moisir agglutinée sur la côte Est et à espérer que les Indiens daignent leur faire un peu de place sur tout le reste du continent. C'est sûr, elle ne croit pas en Mitch, en son talent, en la puissance de sa vision. C'est sûr aussi, elle ne connaît pas Mitch comme lui le connaît. Elle pense que pour écrire il faut venir de New York. Elle ne sait rien d'Hemingway, des photos où il pêche avec Dos Passos, oui, ici, en Floride. Elle ne le sait même pas. Elle a dû se sentir flouée ou jalouse. Qu'est-ce qu'elle a trouvé pour le décourager et l'écarter de sa vraie voie, se demande Vince, quand, tout le temps qu'il y pense, il sent monter en lui le dégoût de cette maison et de cette banalité. Toute la banalité de l'Amérique qui a renoncé est là, à se vautrer dans sa satisfaction d'ancienne grande nation, se dit-il. L'Américain ingrat et stupide qui chie sur ses héros, cette merde, cette médiocrité. Mais Vince est lucide. Vince est lucide jusqu'à l'isolement. La solitude ne lui fait pas peur. Il se dit, elle veut le ramener à nos parents et Mitch ne le voit pas. Lui qui avait réussi à fuir pour se sauver, pour nous sauver et sauver quelque chose de plus grand que lui et moi, se dit Vince en passant d'une pièce à l'autre de la maison, en longeant les couloirs, en prenant le temps de boire une bière puis une autre bière, le temps de rester dehors et de regarder cette rue, ce ciel chargé de nuages. Pendant des années il a cru que son frère c'était comme le capitaine Achab et qu'il ne renoncerait jamais à chasser la baleine blanche, le monstre marin – car l'Amérique foudroie les monstres fabuleux au fond des océans et au-delà des mers, et même la mort n'arrête pas les grands hommes d'Amérique.

Vince veut savoir si ce qu'il a entendu hier soir est possible. Est-ce que Mitch aurait vraiment pu *renoncer*? Lui? Non, Mitch ne renonce jamais. *Il faut bien que quelqu'un ne renonce pas.*

Alors Vince décide d'entrer dans la chambre de son frère et il voit que c'est là qu'un bureau avec un ordinateur et une imprimante sont installés. Il y a aussi une bibliothèque avec quelques livres, des DVD, et, sur le mur, près de l'ordinateur, la photocopie d'un portrait d'Edgar Poe. Il s'en souvient très bien, parce que c'est lui qui avait ajouté au stylo à bille ces trois grosses larmes en forme de cœur inversé sous les yeux du poète, la tête du corbeau entre les deux sourcils qui servent d'ailes et le mot *Blackbird* sur le front. Bien sûr, le tracé est presque effacé, mais il est heureux de revoir cette photo. Il se dit que Mitch l'a gardée autant en souvenir de Poe que de lui. C'était une image qui traînait sur le mur d'une chambre d'un vieux jaune pastel qui a accompagné leur enfance à tous les deux. Il n'y a plus de mur jaune, mais c'est la photo qui a jauni, comme si elle avait pris avec elle un peu de la mémoire de cette chambre que les deux frères partageaient lorsqu'ils étaient jeunes et que Mitch lisait *Le Corbeau* à son frère.

Mais maintenant, c'est l'incompréhension qui le mine de n'avoir rien trouvé dans l'ordinateur. Quelques fichiers de photos d'enfants et des photos de bande de copains en 4 × 4 avec des casquettes et des visières énormes et du matériel de pêche. Des paysages de lacs et des poissons longs comme le bras, exhibés fièrement, soutenus la gueule ouverte par des visages de types heureux, dont celui de Mitch, souriant, entouré de montagnes, au pied d'un lac dans une chaude lumière d'été et de crépuscule rosé. Des photos, et il pense à Hemingway, bien sûr, à Dos Passos, aux espadons ou aux thons énormes, mais il ne trouve pas un seul fichier de texte. Pas l'ombre d'un texte. Des photos de famille par centaines, par milliers, images de pique-niques saupoudrées de sourires, de bonheur, une vraie campagne publicitaire pour le fantôme de l'*American way of life*. La jolie famille américaine et sa solitude à lui, Vince, lorsqu'il laisse défiler ces photos lumineuses et trop brillantes sur l'écran de l'ordinateur. Bon Dieu, où on va, se demande-t-il, où on va ? Est-ce qu'il a fait tout ça pour rien ? Est-ce que son frère peut être devenu aussi décevant que le premier venu de ces types dont il a croisé la vie un jour en voiture ? Il ne veut pas y croire, mais, pourtant, il faudra bien tirer des conclusions, il faudra bien que quelqu'un ne renonce pas. *Il faut bien que quelqu'un ne renonce pas.*

Alors il sort prendre l'air, puis il se dirige vers la pièce qui sert de débarras. Soudain, il lui semble qu'il doit prévoir quelque chose, se prémunir, il va falloir faire attention, être vigilant, savoir être invisible et présent car quelque chose de confus, d'obscur, replié comme un poing, quelque chose lui brûle l'esprit – il faut pouvoir se défendre et le mot invisible lui fait penser à ce fil invisible, le fil de pêche.

Il entre dans la pièce, allume, va vers le matériel de son frère. Là, il cherche, fouille, il trouve plusieurs types de fils. Il en cherche un qui ne soit ni trop épais ni trop fin. Il retire les lacets de ses chaussures et coupe une longueur de fil de pêche égale à celle d'un lacet. Il attache l'une des extrémités du fil à un bout du lacet, enroule le fil autour du lacet et attache les deux autres bouts. Il fait pareil avec un autre fil et l'autre lacet, puis repasse ceux-ci à ses chaussures. Son geste est sûr de lui, ferme, le fil de pêche coupe presque autant qu'un fil d'acier et il peut être une arme mortelle qu'on ne trouvera pas aussi facilement, et cette assurance le galvanise. Alors, une fois les lacets renoués, il sort de la pièce sans se retourner ni éteindre la lumière ni même fermer la porte. Il revient dans la maison, s'attarde dans la cuisine où il ouvre des placards, sans savoir vraiment ce qu'il cherche.

Puis il ouvre un tiroir, il prend l'un des couteaux dont il a vu Deanna se servir pour couper la viande. Une lame à la fois fine et tranchante. Une lame en acier. Il cherche et prend une serviette, mais il trouve mieux dans un des tiroirs, une sorte d'étui en plastique épais dans lequel il glisse le couteau. Ça ira, se dit-il. Puis il pose son pied sur l'une des chaises et soulève le bas de pantalon de sa jambe droite, glisse l'étui et le couteau dans la chaussette, sur le côté, en veillant à ne pas se blesser.

Le soir même, lorsqu'on fête l'anniversaire de Stan, ce qui arrive se fait dans la continuité d'une mécanique n'ayant pas encore montré toutes ses capacités ni produit toute sa force d'entraînement. Ça arrive très simplement, parce qu'un mot en entraîne un autre. Parce que Deanna est dans la cuisine et que les deux frères sont en train de boire une bière au salon. Parce que les enfants autour d'eux parlent de la journée du lendemain chez Disney, et parce que Connie a pris la main de Vince pour lui demander de passer la journée avec eux à Magic Kingdom. Ça arrive parce que la télévision est allumée et que les mêmes images d'une explosion défilent en boucle – une fumée blanche et laiteuse qui envahit le ciel de Fukushima, avec les voix de commentateurs qu'on entend sans vraiment les écouter. Tout ça arrive parce qu'en attendant de dîner on parle des enfants, Mitch ironise sur le dur métier d'oncle, pas facile, la famille.

Pendant ce temps, Deanna s'agite en cuisine. Mitch lui propose son aide, mais pas Vince. Lui, il reste les yeux rivés sur l'écran du téléviseur jusqu'à ce que le couple revienne de la cuisine les mains chargées de plats, d'assiettes. Et puis, ça arrive à cause de ce silence qui s'éternise un peu, ponctué par la voix des enfants qui jouent près du canapé avec un camion de pompier et des Transformers. Ça vient comme ça, les mots glissent, bientôt on se retrouve à parler du Japon, des centrales nucléaires et, dès que les centrales pointent leur nez, on se doute – Vince et Mitch se doutent –, leur mère à eux aussi pointe son nez et avec lui ses menaces, ses discussions à n'en plus finir et leur père qui donne un coup de pied dans le réfrigérateur parce qu'il ne se ferme jamais correctement, et les reproches sur les putains de produits bio qui sont déjà pourris, on glisse, on sent bien que le Japon va nous mener ailleurs, dans les brumes de l'explosion de Fukushima se dessine une explosion minuscule, une explosion par fragmentation où l'on peut entendre – mais qui donc a parlé le premier d'écologie ? Qui le premier a dit, *putain, ils vont vraiment finir par nous faire péter la planète ?* Qui ? Est-ce que c'est Deanna, comme ça, posant sur la table le plat de crevettes grillées qu'elle prépare depuis tout à l'heure, qui parle sans y prendre garde, pour dire seulement quelque chose en s'asseyant alors que les frères ne disent rien ? Ou est-ce que c'est Mitch qui s'en prend à son frère parce qu'il n'a pas bougé et que, devant l'écran, il reste figé sur les images et semble écouter les commentaires et les voix inquiètes parlant du risque d'une pollution majeure, peut-être même de l'évacuation de Tokyo – et les images mentales de science-fiction, trente millions de personnes à évacuer, dont la simple évocation provoque dans les têtes un nouveau séisme –, et puis cette voix, ces mots, *on va tous en crever, non ?*

— Non, pas nous.

— Ah ? Tu crois que Dieu protège les États-Unis d'Amérique ? demande Mitch en esquissant un sourire.

– Les États-Unis, c'est pas pareil, répond Vince, sans la moindre ironie.

– Ah bon ? demande Deanna. Tu m'expliques ça ?

– Eh, belle-sœur ! il y a rien à expliquer.

– Je crois, si. Il me semble pas qu'ici on soit à l'abri des catastrophes. Et je crois même qu'on est le pays qui a le plus de centrales nucléaires au monde, non ?

– Deanna, reste calme, demande Mitch. On ne va pas s'engueuler, pourquoi tu t'énerves ?

– Je ne m'énerve pas.

Et puis pendant quelques minutes la conversation fait place à un étrange silence, ponctué par les rires et les jeux des enfants et les voix de la télévision. Alors que Deanna est partie dans la cuisine en prétextant n'importe quoi pour ne pas céder à sa rage, Vince regarde Mitch, et soudain il lui demande, comme ça, la voix glissant comme pour demander quelque chose de banal, dis-moi, pourquoi elle nous aime pas, ta femme ?

– Comment ça, *nous* ?

– Tu sais bien.

– Non, Vince, je ne vois pas de quoi tu parles.

– Si, je crois que tu sais.

– Franchement, là, non.

– Elle t'a demandé d'arrêter d'écrire.

– C'est ça, ce que tu te racontes ? Et il commence à expliquer, sans cacher un large sourire, un amusement presque incrédule, mais comment tu t'imagines un truc pareil, frangin ? Non, non, je t'assure, si j'avais voulu continuer, Deanna ne m'aurait certainement pas empêché de le faire. Certainement pas. Ce n'est pas son genre, crois-moi... Et puis voyant que Vince le regarde sans répondre, d'un regard fixe, implacable, Mitch se sent soudain mal à l'aise. Il comprend que pour son frère c'est une question importante alors que pour lui, non, depuis longtemps ce n'est plus une question. Il se sent obligé d'ajouter un mot, de dire quelque chose, mais il ne sait pas quoi, il est démuni, non, je te dis, ça n'a rien à voir. Deanna n'a rien à voir là-dedans. Pourquoi tu penses un truc pareil ?

– Ouais... Peut-être... Mais peut-être aussi, c'est normal, tu veux la protéger.

À peine Mitch esquisse le geste de se lever – et peut-être qu'il veut se lancer dans une explication –, mais Deanna revient de la cuisine et cette fois elle cherche ouvertement le conflit. Elle a continué à réfléchir et puis, se dit-elle, de toute façon, il y a quelque chose qui ne tourne pas rond avec Vince, quelque chose qui cloche avec lui, ce sentiment d'angoisse qu'elle éprouve en sa présence et qu'elle ne s'explique pas, dont elle veut se libérer par une explication ou par un passage en force. Alors elle déboule dans le salon. Elle regarde Vince, elle le cherche. Mitch le sait tout de suite, à la façon qu'elle a de transpercer Vince du regard. Soudain les enfants se tournent vers elle et arrêtent de jouer et ils savent que leur mère est en colère. Avant même d'entendre sa voix et les mots qu'elle jette sur Vince, ils le savent. Et Katrina ? demande-t-elle. Vince, qu'est-ce que tu en fais, de Katrina ? Tu me le dis ? Comment tu fais si jamais un ouragan pareil rencontre une centrale ? Tu me dis comment on fait, nous, les « Américains » ? demande-t-elle en accentuant l'ironie sur le mot *Américains*, comme si elle voulait souligner la prétention, l'absurdité qu'elle avait décelée dans la bouche de Vince.

– Eh ! c'est bon, Deanna...

– Non, Mitch, c'est pas bon. Vince, tu es le bienvenu chez ton frère, mais je sais que quelque chose ne va pas chez toi.

– Qu'est-ce que tu veux que ça me foute, moi, Katrina ?

– Comment ça, qu'est-ce que ça peut te foutre ?

– Vince, t'as vu les images, non ?

– Ouais, je les ai vues, bien sûr que je les ai vues.

– Et... c'est tout ?

– Je peux te dire que j'en ai rien à foutre, si tu veux.

– Vince, tu plaisantes ?

– Que des faces d'omelettes au Japon se bouffent des vagues de trente mètres ou que tes copains les Nègres se prennent un cyclone dans la gueule, si c'est ce que tu veux savoir, j'en ai vraiment rien à foutre.

– Attends, Vince. Ici, tu es chez moi. Je t'interdis de parler comme ça chez moi, tu entends ?

– Tu aimes les Noirs ? Eh Mitch, fais gaffe, ta femme aime les Noirs, méfie-toi !

– Chez moi, on ne dit pas de trucs comme ça, ok ?

– Deanna, laisse tomber, ça va, ça va, on arrête maintenant.

– Non, Mitch, j'arrête pas ! Certainement pas ! Vince, tu débarques comme ça sans prévenir et il faut qu'on entende les horreurs que tu dis ? Tu crois ça ? Tu crois que je vais accepter ça ? Je veux que tu comprennes une chose et que ce soit bien clair : personne ne parle comme ça chez moi et pas devant mes enfants, d'accord ? Tu ne dis pas de trucs comme ça devant mes enfants, ni devant moi, je ne supporte pas d'entendre des conneries pareilles. Point barre. Eh, Mitch ! C'est ton frère et tu ne dis rien ? Tu restes là et tu ne dis rien ?

– Ok, ok, on se calme. Deanna, ça va, s'il te plaît, n'en rajoute pas. Laisse tomber, je te dis. Vince, tu t'excuses et on n'en parle plus, c'est bon ?

– Non, Mitch, je ne laisse pas tomber. Ce putain d'ouragan a fait près de deux mille morts. On a des amis qui ont tout perdu, tout ! Il faut que je te rappelle que *tes* amis ont *tout* perdu là-bas, Mitch ? Ça nous concerne tous, d'accord ? Ce qui arrive aux autres, ça nous concerne. On est tous concernés. Mitch ? T'es d'accord ? Non ? On est d'accord ? Alors tu peux dire à ton petit frère que s'il n'est pas d'accord avec ça, il dégage, ok ? Ok, Vince ?

Le lendemain, Deanna est la première à se lever. Il est encore très tôt. Aujourd'hui, c'est l'anniversaire de Stan, on a prévu depuis longtemps de passer cette journée chez Disney. Elle aurait pu rester au lit presque deux heures de plus, mais ça avait été impossible. Elle s'est réveillée comme elle s'était couchée, d'un coup, brutalement, portée par un mouvement qui interdit tout retour à l'état précédent. Elle se lève et va dans la cuisine pour faire un café. Elle reste debout devant la cafetière, puis ouvre le réfrigérateur et prend une bouteille de lait. Elle se sert un verre, elle entend la cafetière, l'odeur du café lui est agréable et doux comme un souvenir un peu régressif, une odeur réconfortante qui la réchauffe, même si elle a froid. Elle voudrait prendre son vieux sweat *US Marshall* gris qu'elle avait piqué à Mitch il y a des années et dans lequel elle se sent à l'abri, protégée – sauf qu'elle se souvient de l'avoir laissé la veille dans le salon. Elle se décide à aller le chercher et entre doucement, avec précaution, en essayant de faire le moins de bruit possible pour ne pas réveiller Vince.

Il fait très sombre dans le salon, mais des rais de jour zèbrent les murs de grands traits d'une couleur d'eau sale, ocre et grise, qui disparaissent ou s'amenuisent, s'effilochent dans la noirceur du mur. Deanna prend son sweat sur le dossier d'une chaise et elle hésite, elle garde le sweat dans ses mains. Elle a jeté un regard vers le canapé – elle n'en est pas sûre, il fait trop sombre, alors elle laisse ses yeux s'habituer encore et regarde fixement, oui, la couverture est là mais, au-dessous, cette fois elle en est certaine, il n'y a personne. Alors elle passe le sweat comme pour se donner le temps de réfléchir, de comprendre qu'elle est seule dans cette pièce. Deanna reste un instant interdite, et puis une seconde elle espère que Vince a préféré partir et elle se sent soulagée, c'est mieux comme ça, mieux pour tout le monde. Puis au contraire, un départ si précipité, sans un mot, sans un au revoir, elle pense soudain à son mari et à la tristesse et à l'horrible sensation d'impuissance et de culpabilité qui va s'abattre sur lui quand il sera réveillé, parce qu'en partant sans rien dire son frère ne lui laisse aucune chance de réconciliation ni d'apaisement. Elle comprend aussi que Mitch pourra lui en vouloir et retourner sa colère contre elle. Après tout, il pourrait. Elle sait qu'il pourrait le faire, il n'aurait pas tort. Oui, il la rendra peut-être responsable du départ de son frère et pensera que c'est comme si elle l'avait foutu à la porte elle-même. Sauf qu'en même temps elle sait bien qu'elle avait eu raison la veille – stop, ça suffit, la raison était de son côté et même Mitch finira par le reconnaître. Et puis, pourtant, comme pour tenter de se rassurer encore, elle se dit que Vince n'est pas parti. Peut-être qu'il est tout bêtement aux toilettes ? Ou dehors, sorti faire un tour ? C'est un drôle de type, c'est vrai, mais de là à sortir à cette heure-ci... Est-ce que c'est possible ? Mais Deanna n'y croit pas. Elle sait que Vince est parti. Elle le sait depuis hier après-midi, à cette façon qu'il avait eue de rester planté devant elle dans la cuisine, avec cette présence hostile et silencieuse dont elle aurait eu du mal à dire en quoi elle la savait si guerrière, si étrangère à elle que la seule conclusion possible à ses yeux avait été de se dire, il ne restera pas, il partira comme il est venu.

Et maintenant elle veut s'en assurer. Très vite, elle cherche dans la maison les signes de son départ, les vêtements, le sac à dos, les chaussures. Elle allume toutes les lumières qu'elle peut. Dans le salon, dans l'entrée, dans la cuisine. Bientôt elle comprend que son sac à dos n'est plus là. Ni les chaussures. La parka n'est plus sur la patère de l'entrée. Elle va voir aux toilettes et dans la salle de bains, d'un pas déjà plus vif, plus inquiet – il n'y a personne. Elle va jusque sur la terrasse, sous la véranda. Elle regarde la porte de la pièce dans laquelle Vince voulait s'installer. Elle ne sait pas pourquoi elle veut regarder là, mais tout à coup elle est prise d'angoisse, presque de panique ; elle a envie de crier et il lui semble que son cœur va s'arrêter et l'idée folle lui traverse l'esprit que Vince est là mais que ses pieds dansent à un mètre du sol, la nuque brisée, les yeux révulsés, au milieu de cette pièce, pendu haut et court ou bien qu'il baigne dans une flaque d'un épais liquide, chaud encore, d'un rouge opaque et brillant, puant, poisseux, son corps gisant sur le sol. Et elle se dit déjà qu'elle a précipité sa mort. Pas encore *je l'ai tué*, mais précipité, jeté, lâché à la mort en ne lui laissant pas d'échappatoire – seul, face à ses contradictions et à sa violence, son ressentiment, sa haine.

Elle voit que la porte n'est pas fermée comme elle le devrait. Elle est à demi ouverte. Deanna approche. Elle pousse la porte. La lumière est allumée, il est venu ici, c'est sûr, et peut-être même qu'il est encore là. *Mon Dieu, mon Dieu, non, Vince, tu n'as pas fait ça ? Tu n'as pas fait ça ?* Elle sent sa gorge sèche, les migraines ophtalmiques la reprennent, des filaments lumineux traversent les yeux, les brûlent, les tailladent – elle cligne les yeux et masse nerveusement ses paupières, elle gagne du temps, quelques secondes, une poignée, peut-être une minute. Elle reprend son souffle et entre dans la pièce. Elle reste comme ça sans bouger, balayant seulement l'espace du regard ; elle voit que tout est immobile, impassible comme les objets le sont, comme l'espace l'est aussi entre les choses, dans le calme du petit matin. Seul son esprit à elle est agité. Le reste baigne dans l'indifférence de la tiédeur matinale. Rien n'a changé ; pas de corps gisant ou pendu. L'image redoutée et fantasmée s'efface et disparaît sans laisser d'autre trace qu'un léger tremblement et une fine pellicule de sueur sur les paumes de ses mains.

Elle éteint la lumière et referme la porte en reprenant son souffle. Deanna est soulagée et bientôt elle est presque honteuse, elle se dit qu'il doit bien rire s'il la voit, là, morte de trouille à cause de lui. Elle imagine qu'il a ce petit sourire sarcastique qu'elle lui trouve et que soudain il lui lâche à l'oreille, comme ça, moqueur, d'une agressivité amusée, tout en retenue, *parce que tu crois que je pourrais me tuer à cause de toi ?*

Maintenant, elle est seule dans la cuisine, elle boit un café et elle sait qu'elle va devoir réveiller Mitch et lui annoncer que son frère est parti. Cette idée relance son angoisse, sa peur, pendant quelques minutes elle imagine qu'elle ne le fera pas, puis si.

355

Mais cette image de mort et ce soulagement de ne pas l'avoir vue, face à elle, réelle mais évanouie quelque part dans l'immatériel de son cerveau, cette image s'est imprimée suffisamment dans son esprit pour qu'elle resurgisse toute la journée, alors que Deanna croira s'en défaire en riant avec ses enfants plus fort que d'habitude. Oui, elle croira qu'il suffira de rire plus fort qu'elle ne le ferait d'ordinaire, d'avoir plus peur qu'elle n'aurait eu peur d'ordinaire dans la maison hantée de chez Disney.

Elle verra s'ouvrir le monde magique avec plus d'émerveillement et de joie qu'il convient à une adulte, accompagnant l'émerveillement et l'attente de ses enfants comme si elle-même était une enfant, comme si elle était la sœur de Connie et de Stan et non pas leur mère. Il faut être heureuse aujourd'hui et rire, se sentir le cœur léger devant les quelques squelettes de dinosaures de la *Big Thunder Mountain Railroad* et la fausse pierre presque rose, et pousser des cris exagérés, trop vifs, pour accompagner les cris des enfants qui ont peur des descentes et de la vitesse dans le train filant à toute allure au-dessus de l'eau. Stan et Deanna riant tous les deux face à l'impression de tomber. Stan retirant sa casquette pour la mettre dans sa poche parce qu'il a peur qu'elle s'envole. Et Deanna veut à toute force chasser ce qui avait tellement terni cette matinée, quand Connie lui avait reproché, du haut de ses trois ans et demi, d'avoir fait fuir le Frère-de-Papa et d'avoir été méchante avec lui. Deanna avait dû dire que le Frère-de-Papa avait dû partir mais qu'il avait pensé très fort à Connie, qu'il était allé embrasser Connie dans son lit avant de partir (pensant pour elle-même, *mon Dieu, pourvu que non*), et qu'il reviendrait, c'est sûr. Et Deanna aurait beau se demander pourquoi une petite fille comme la sienne s'entiche d'un type comme son oncle simplement parce qu'il est son oncle alors que pas un seul instant il n'a été gentil ou affectueux avec elle – ou alors seulement avec elle ? Peut-être un peu, non ? Elle ne comprend pas. Elle ne veut pas comprendre. Elle veut chasser tout ce qui lui fait penser à Vince. Alors elle compte sur le château de Cendrillon avec ses toits bleus et ses flèches, ses tours un peu trop fines et élancées ; elle compte sur Cendrillon et sa robe bleu layette et son maquillage et sa coiffure, les chansons, les calicots devant l'entrée du château, ce monde merveilleux et merveilleusement guimauve. Et parfois, alors qu'on doit faire la queue à attendre de longues minutes d'une attraction à l'autre, pendant qu'un temps mort se glisse entre l'agitation et l'oubli, elle se demande ce qu'il peut bien faire à l'heure qu'il est, Vince ? Où il est, *maintenant*, se demande-t-elle, pendant que Mitch essaie de donner le change et de se faire croire, comme Deanna et lui ont essayé de le faire croire à Connie, que Vince va revenir.

Pendant toute la journée Mitch va s'accrocher à ce Canon qu'il aime emporter avec lui lorsqu'il part en week-end à la pêche. Aujourd'hui, son doigt reste presque tout le temps sur le déclencheur. Il ne remet presque jamais le cache sur l'objectif et s'accroche à l'appareil photo comme à un objet magique derrière lequel il disparaît et s'évanouit au regard des autres. Car il veut aussi fuir le regard de Deanna, il connaît déjà les flèches qu'elle lancera en réclamant une discussion. Mais Mitch reste derrière son appareil, il s'y accroche le plus longtemps qu'il peut, ses mains tremblent, ses doigts tiennent au boîtier pour ne pas croiser trop souvent le regard de sa femme. Il la prend en photo et, en retour, elle lui sourit avec amour, il en est sûr. Elle lui lance dans ses regards de grands appels qu'il reçoit cinq sur cinq, et il voudrait lui répondre, bien sûr, mais comment lui dire, comment lui expliquer ce détail qui le perturbe depuis ce matin et qu'il a gardé pour lui, effrayé : Vince est entré dans leur chambre.

Mitch a remarqué, voilà, près de l'ordinateur, cette vieille photocopie jaunie d'Edgar Poe a disparu. Il ne veut pas le dire à Deanna parce que ça aussi, peut-être encore davantage que le reste, c'est une idée qui le bouleverse – le dernier lien entre lui et son frère, entre frères, ce rectangle blanc sur le mur, comme une déchirure supplémentaire. Et maintenant Mitch ne veut pas penser à son frère, mais pourtant il voit cette silhouette qui doit errer quelque part en remontant vers Atlanta. Il imagine le bras tendu, la main, le pouce. Il imagine que des voitures le prendront, que des gens lui parleront et que Vince répondra bien ce qu'il veut, pour aller vivre un morceau de vie là où lui, Mitch, sera absent.

Il ne sait pas que c'est d'abord un van qui met son clignotant et s'arrête sur le bord de la route. Vince monte et laisse son sac à dos tomber à ses pieds. Dans le van, un jeune type, dreadlocks et look reggae, un piercing dans le nez, le tatouage d'un bousier sur le dos de la main, tiens, pourquoi un bousier ?

– Top secret, répond le type. Tu vas où ?

– Californie.

– T'es pas rendu. J'y suis allé une fois et je compte bien y retourner !

Et après un moment sans réponse, le type lance un œil sur l'auto-stoppeur, je m'appelle Kim, et toi ?

– Kim ?

– Ouais. Je fais du taï-chi, c'est mon nom de combattant.

– Ah ? Je me disais que t'avais pas la tête à t'appeler comme ça.

– Non, une belle gueule d'Irlandais infusé au reggae. Et toi ?

– Je m'appelle Tommy.

Et puis la conversation et les kilomètres se déroulent et le temps aussi, étirant entre les uns et les autres un fil qui se distend mais ne rompt pas, ce fil auquel Mitch pense encore toute la journée, passant d'une attraction à l'autre avec sa femme et ses enfants, et puis se laissant prendre au jeu, heureux de voir ses enfants heureux, Stan courant et criant – sa joie si complète, Mitch ému d'avoir ce fils qui lui prend la main et l'emmène et ne le quitte pas des yeux. On reste tous ensemble, unis pour déjeuner dans le château de Cendrillon, ensemble aussi pour faire des tours de manège dans des tasses géantes. Il semble que pour toutes les familles qui sont là, c'est le même monde souriant qui s'ouvre, avec sa précision et ses rites, un monde onctueux et sans accroc, sans violence ni mensonges, un monde lisse et sans aspérité, sans danger, où chacun peut trouver sa place dans un univers d'enfance et d'imaginaire. Et quand ils voient la Belle au Bois Dormant, devant ce monde de féerie, ces êtres et ces gens heureux qui viennent de partout autour de la Terre, Fumi se dit que c'est formidable de rester quelques jours de plus à Paris. Elle se dit aussi qu'il faut qu'elle raconte tout ça à sa grand-mère. Elle pense tellement à elle dans le RER A qui rentre de Disneyland à Paris, qu'elle dit à son père Je veux parler à Mamie, je veux lui raconter Cendrillon, le parc, la Belle et la Bête, je veux tout lui raconter, il le faut.

Lorsque Fumi lui demande pourquoi il ne veut pas qu'on téléphone à sa grand-mère, monsieur Sugita regarde sa femme avec un air presque terrorisé, comme si Fumi avait demandé l'impossible – ce qu'elle a fait, sauf qu'elle ne le sait pas. Elle comprend qu'il vaut mieux ne pas insister et laisse son père se lancer dans des explications embrouillées. Les adultes sont parfois étranges et, du haut de ses huit ans, elle est prête à faire remarquer à son père qu'on ne comprend rien à ce qu'il dit. Alors, pour sortir de son embarras, du silence qu'il a laissé s'installer, il propose d'envoyer une cassette enregistrée, ce sera bien mieux, tu pourras tout lui raconter, prendre le temps qu'il faut, ce sera mieux qu'une lettre parce qu'à son âge Mamie ne peut pas lire et qu'au téléphone elle n'entend pas très bien. Fumi semble trouver que c'est une bonne idée. Le jeune homme qui est à l'accueil de l'hôtel a promis d'aller à la poste et d'envoyer l'enregistreur au Japon, bien protégé dans une boîte sur laquelle le père de Fumi écrira l'adresse de la grand-mère.

Fumi a trouvé un endroit très bien pour enregistrer ses impressions de la journée, quelque part où elle n'est dérangée ni par ses parents ni par son frère ou sa sœur. C'est parfois inconfortable, dès que les gens de l'hôtel la voient ils l'accablent de sourires embarrassés et prennent des airs de sollicitude d'une étrange fixité ou, au contraire, des expressions faussement amusées qu'ils s'empressent d'abréger. Alors leurs visages s'étirent, se crispent, leur être entier semble se figer ; ils veulent être gentils et doux mais ne savent pas comment dire des mots gentils et doux en japonais. Fumi se sent obligée de leur sourire, de les remercier. Elle ne veut pas les mettre mal à l'aise ; elle interrompt ce qu'elle dit dans le micro de l'enregistreur, elle appuie sur le bouton *off* en attendant qu'ils la laissent à nouveau seule dans cette petite pièce où les touristes laissent leurs bagages pour quelques heures. Ainsi, Fumi reste dans la bagagerie et s'assied sur une chaise en plastique, à l'abri des jérémiades de son frère et de sa sœur.

Elle peut parler longtemps dans le microphone, je suis certaine que tout va bien pour vous deux, chère Mamie, je suis sûre aussi que tu m'écoutes dans ta maison, que le vieux chat Nakata est à tes pieds, que Papy est en train de parler avec les voisins, j'en suis sûre, et Papa aussi en est sûr, il me l'a encore redit ce matin.

Depuis qu'ils ont décidé de prolonger leur séjour, Fumi a l'impression qu'elle est la seule à être heureuse, la seule qui soit ravie qu'on passe nos journées dans des endroits où l'on n'avait pas du tout prévu d'aller, même si elle trouve étrange que ses parents soient aussi maussades et inquiets, étrange que Ichiro et Ayaka passent leur temps à dire qu'il faudrait rentrer, puis à se taire, à ne pas vouloir visiter les musées ni à se promener. Ce qu'elle trouve étrange aussi, c'est comment tout le monde s'enfonce dans une sorte de tension qui les paralyse tous lorsqu'ils s'arrêtent pour dîner. Et puis ses parents ont décidé qu'on ne pouvait plus regarder la télévision, prétextant qu'il fallait payer un abonnement supplémentaire alors que Fumi se doute que c'est faux, même si elle ne croit pas possible que ses parents puissent mentir – ce serait extraordinaire, et voilà qui semble tout à fait invraisemblable.

Elle se souvient que son père avait la même fébrilité, la même anxiété lorsqu'il s'était inquiété pour Ichiro et ses problèmes de santé – je ne sais pas, Mamie, si tu te rappelles quand Papa avait dû l'emmener à l'hôpital et rester des heures avec lui parce que les médecins croyaient qu'Ichiro avait un cancer des os ? Si tu te rappelles, tu te souviendras qu'il avait gardé tout ça pour lui pendant des semaines, parce qu'il ne voulait pas que Maman s'inquiète. Maman ne pouvait pas venir, Ayaka et moi on était encore trop petites pour rester seules toutes les deux. Enfin, ma petite Mamie, c'est surtout pour te dire que je me souviens de son air inquiet, je l'avais déjà vu comme ça avec Ichiro. J'ai donc demandé à Papa s'il y avait un problème avec Ichiro, s'il allait devoir retourner à l'hôpital. Papa a eu l'air surpris. Il m'a dit, bien sûr que non, Ichiro va très bien, pourquoi me demandes-tu ça ?

Fumi ne veut pas raconter à son père comment c'est d'abord lui qu'elle trouve étrange, à cause de son empressement à prendre ses enfants dans ses bras et à rire un peu trop fort de blagues pas vraiment drôles. Son empressement

362

aussi à vider le minibar en buvant des bières et du thé, ne tenant pas en place, avec toujours le même besoin de tripoter des pièces de monnaie dans la poche de son pantalon. Fumi a remarqué que son père fait semblant de ne pas regarder son téléphone portable, mais il y jette des coups d'œil dès qu'il croit que personne ne le voit. Un jour, alors qu'on était dans un musée, la mère de Fumi lui avait fait remarquer que ça ne servait à rien d'attendre des nouvelles, et lorsqu'elle avait vu que Fumi les regardait et les écoutait, elle s'était mise à sourire et avait demandé à Fumi ce qu'elle pensait des danseuses de Degas, est-ce qu'elle ne voudrait pas devenir danseuse lorsqu'elle serait grande ?

Étrange. Ils sont étranges. Les adultes. Et parmi eux les Français plus particulièrement. Même les parents de Fumi semblent ne pas tout comprendre. Les Français sont des gens qui crient et s'agitent énormément, sauf dans les magasins, où Fumi remarque qu'on a toujours l'impression de déranger les vendeurs. La mère de Fumi se dit qu'elle doit mal demander, qu'elle ne s'adresse pas aux bonnes personnes ; elle a peur d'être inconvenante et grossière, elle a honte. Fumi raconte, oui, Mamie, tu ne le croirais pas, mais Papa aussi, un jour, dans le taxi, a eu l'impression d'avoir commis une impolitesse parce que le chauffeur ne lui répondait pas et s'engueulait avec quelqu'un dans la rue.

Ayaka se charge pour eux tous d'avoir le mal du pays. Toutes les nuits, elle réveille Fumi avec ses petits sanglots stridents, Fumi sent qu'elle ne dort pas. Alors que toutes les deux sont couchées dans deux petits lits l'un à côté de l'autre, Fumi ne comprend pas pourquoi Ayaka refuse de lui parler, pourquoi elle reste si secrète et qu'elle s'enferme dans son mutisme. Parfois elle répond à Fumi que celle-ci comprendra plus tard, qu'il faudra bien qu'elle comprenne. Alors Fumi s'agace contre elle parce qu'elle dit, ce n'est pas parce que j'ai huit ans que je ne comprends rien. Je comprends très bien ce qui se passe, dit-elle, je vois très bien que tu es malheureuse et déçue à cause de ton petit ami qui t'attend chez nous. Ayaka lui ordonne de la fermer. Ferme-là, crevette. Ferme-là, tu ne sais pas de quoi tu parles.

En parlant d'Ayaka, justement, il faudrait que je te raconte comment elle est pénible en vacances. Plus je la vois, raconte Fumi, plus je me dis que je voudrais devenir adulte sans avoir à passer par la case « adolescence », qui ressemble à une maladie. Ayaka estime que Paris ne ressemble pas à ce qu'elle devrait pour être *vraiment* Paris. Les hommes ne ressemblent pas à ce qu'elle avait imaginé, avec des chemises à jabots et des calèches. Elle est assez mécontente de ce que la réalité lui offre. Elle a été traumatisée parce qu'un jour, dans un bar, elle était aux toilettes et la lumière s'est éteinte toute seule. Elle a eu très peur. Il paraît qu'ici on met des lumières qui s'arrêtent toutes seules parce que les gens ne pensent pas à les éteindre en partant. Ayaka avait imaginé que le temps s'était arrêté dans les ruelles et les petits cafés, mais il y a des touristes partout, de partout ça afflue, à pied ou en voiture, sur des motos ou dans des bus qui déversent des centaines et des centaines de gens comme une malédiction sur les rêves d'Ayaka. Bien sûr, Paris est un peu sale, les chauffeurs de taxi ne portent pas de gants blancs, on ne peut pas dire que tous les trottoirs soient d'une grande propreté, mais, tout de même, voir la tour Eiffel qui scintille dans la nuit, le laser qui balaie la ville et puis les Champs-Élysées, la place de la Concorde, la Seine !

Parfois Fumi regrette de ne pas pouvoir entendre la voix de sa grand-mère. Elle se dit que, si l'idée de tout enregistrer est une bonne idée, il est vrai que ce serait plus agréable encore d'entendre sa voix. Même si elle devait lui raconter moins de choses, Fumi pense que ce serait bien de l'entendre et d'entendre Papy parler du port, de ses amis pêcheurs. Et puis, peut-être que sa grand-mère pourrait lui donner des nouvelles de Ken et d'Akira, les petits copains des vacances ? Fumi pourrait surtout lui dire combien elle a hâte de revenir au village de ses grands-parents, hâte de tout retrouver, même si elle sait que ce ne sera pas avant longtemps, parce que, dès leur retour, il faudra rentrer à Tokyo. Elle en parle parfois à Ichiro, mais celui-ci a l'air consterné, il regarde leur père qui répond à sa place pour dire On verra ça plus tard, il faut profiter du moment présent. Fumi n'en veut pas vraiment à Ichiro – sauf pour hier soir, je te raconterai, dit-elle à sa grand-mère –, parce qu'ils ont les nerfs à vif.

Fumi a demandé à son père pourquoi Ichiro et lui partaient tous les matins sans les emmener, sa mère, sa sœur et elle. Il a parlé de papiers à faire, de choses qu'on lui expliquerait plus tard.

Avec Maman et Ayaka, dit-elle dans le microphone, pendant que Papa et Ichiro sont partis on ne sait trop où, on va voir les musées, les parcs, les églises. On se promène. On marche beaucoup, toute la journée. On prend des tonnes de photos, on lit les guides, les explications. Mamie, tu savais que les amoureux du monde entier attachent des cadenas sur les ponts de Paris ? C'est très romantique. Je me dis que je ferai ça un jour. Quand on était au Louvre, je t'assure, on a ressenti un profond et lourd silence en voyant un tableau avec des hommes à moitié nus et morts sur un radeau. Ayaka, le lendemain, au petit déjeuner, a dit qu'elle avait rêvé du tableau et que, dessus, avec les gens, il y avait des objets à nous, des bibelots, des lampes renversées. Ce rêve bizarre l'a laissée dans un drôle d'état. Papa et Maman ont eu l'air de paniquer quand elle a dit ça, mais ils n'ont rien dit. Ichiro et moi, on était bien contents de ne pas avoir fait ce genre de rêve. En ce moment, Maman nous sourit plus que d'habitude, dans ses yeux il y a un flot d'amour incroyable, comme si elle nous prenait pour des miraculés. Elle passe son temps à manger des bonbons à la menthe en prenant très fort sa respiration pour se déboucher le nez, dit-elle, à cause de la pollution. Ichiro ne lève pas la tête de l'appareil photo ou de son jeu vidéo. Ayaka traîne la jambe et se plaint d'avoir des coliques, elle veut manger japonais au moins une fois tous les deux jours.

Tu es venue une fois à Paris, il me semble, lors d'un voyage organisé. C'était il y a longtemps, tu es venue avec d'autres vieilles personnes. Si tu te souviens de Paris, demande Fumi, tu sais qu'il y a même un grand magasin qui s'appelle Look-quelque-chose, je ne sais plus trop, où tout est écrit en japonais, où les vendeurs sont japonais, où, devant l'entrée, sur le trottoir, on voit des hommes japonais qui attendent leurs femmes. C'est ainsi que nous sommes entrées, Maman, Ayaka et moi, sauf que Papa et Ichiro ne nous attendaient pas dehors. Ils étaient encore partis tous les deux – entre nous, c'est dans ce magasin qu'on a fait les cadeaux pour Papy et toi, mais je ne devrais pas te le dire. Il y avait un coin avec un type derrière une grande barrique, et des bouteilles de vin français. Et puis du cognac dans une bouteille en forme de tour Eiffel. Finalement c'est avec ça qu'on est reparties, ça changera Papy de son alcool de riz. Je me suis offert un porte-clé en forme de tour Eiffel et y ai mis la clé de mon casier. Et pour toi, bien sûr, je ne te le dis pas.

Tous les jours, à leur retour, Ichiro et son père ne disent rien. Ils haussent les épaules, ils ont l'air effaré, consterné ou effrayé. Ils passent par tous les états et n'ont pas un mot et, parfois, la mère de Fumi est obligée de dire à son mari qu'il doit lui parler. Tous les deux ont soudain des choses à faire dans leur chambre ou dans la rue ; ils disparaissent et lorsqu'ils reviennent, Fumi ne peut pas s'empêcher de croire qu'ils se sont disputés, sa mère a l'air d'avoir pleuré et lui d'avoir honte ou de vouloir s'excuser. Pareil pour Ayaka. Elle harcèle Ichiro et il fait des signes de tête pour dire qu'il n'en sait pas plus. Fumi aimerait savoir de quoi tous veulent se parler sans qu'elle n'en sache rien. Elle pense parfois que quelque chose est arrivé et qu'elle est peut-être la seule au monde à ne pas être au courant. En attendant, son père dit qu'il faut se détendre, qu'il ne sert à rien de ressasser – mais ressasser quoi, elle se demande.

Alors, dit-elle, il veut nous emmener dans des endroits toujours plus incroyables et plus étonnants les uns que les autres, que nous n'aurions jamais découverts s'il n'avait pas fallu rester plus longtemps que prévu. Papa cherche sur Internet, parce qu'il a fini d'éplucher son guide, qui est tout corné, cassé, et qui semble couché sur le côté comme une bête morte sur le flanc. On a fait plusieurs fois le chemin de Montmartre, où vivaient les peintres impressionnistes. On a rêvé de croiser Van Gogh et Monet et Renoir. Au lieu de ça, on a visité le joli musée de Montmartre et croisé un groupe d'Australiens qui portaient des casquettes avec des kangourous. Et puis on a acheté des cartes postales de Toulouse-Lautrec et des fausses plaques des noms de rues de Paris. J'ai acheté une tonne de cartes postales, en partie pour mettre dans ma chambre, un poster avec un chat noir. Je t'en enverrai trois de Van Gogh (sauf qu'il me semble que Van Gogh peint des tremblements de terre et de ciel, tout ça a l'air de trembler dans le bleu et le jaune, le monde entier à l'air d'être inflammable). On est allés dans un restaurant où les tables sont serrées les unes contre les autres, les serveurs habillés comme tu l'imagines, et on se bouscule, on fait la queue pour entrer, on parle dans beaucoup de langues. Comme on ne comprenait rien à la carte, parce qu'il était impossible d'en avoir une au moins en anglais, on a tous décidé de choisir au hasard. Ce soir-là, je dois dire qu'on a bien rigolé, même Ayaka, parce qu'on s'est retrouvés avec des choses étranges dans nos assiettes, des choses vraiment pas à leur place – une banane pour Papa, une côte de bœuf pour Ayaka (qui tourne de l'œil dès qu'elle voit de la viande), des légumes verts pour moi et pour Ichiro et Maman, je ne me souviens plus.

Ils auraient dû rentrer le 12 mars, le samedi, mais la semaine d'après est passée et la famille Sugita est toujours dans son hôtel à Paris, du côté de la place du Palais-Royal. Les gens de l'hôtel sont très gentils, et pas seulement le personnel, qui demande tous les jours s'ils ont un besoin particulier, mais aussi des touristes américains, deux couples qui viennent du Minnesota – si Papa a bien compris ce qu'ils lui ont dit, parce que, tu ne le sais peut-être pas, Mamie, mais ton fils est très doué pour les langues. Il parle anglais parfaitement, même si les Américains ont un accent qui n'est pas du tout celui de Papa. Il y a aussi des touristes allemands, un couple dont le gros monsieur porte toujours le même pull-over avec des motifs tricotés en vert sur un fond crème, qui représentent une sorte de paysage avec des sapins – on peut imaginer que le blanc cassé doit figurer la neige. Ils sont très gentils, répète Fumi, surtout lorsqu'ils la croisent dans la salle du petit déjeuner. Ils doivent partir demain et, comme ils parlent aussi très mal anglais et pas du tout japonais, les Allemands et les Japonais se font de gros sourires très marqués et appuient leurs gestes comme si tous étaient sourds ou idiots, ou bien, dit Ichiro, comme s'ils jouaient dans un vieux film muet.

Ce que je voulais te dire au sujet d'Ichiro et de hier soir, c'est comment il a été très méchant, vraiment, avec moi, et que Papa a piqué une colère terrible contre lui. Nous sommes tous très tristes ce matin à cause d'hier soir, vraiment très tristes, c'est pourquoi je vais arrêter d'enregistrer. Papa va donner de l'argent au garçon. Je prie pour que l'enregistreur arrive jusqu'à toi, je prie pour que tu puisses écouter tranquillement la cassette, je prie de toutes mes forces pour qu'Ichiro ne soit qu'un horrible menteur et qu'il ait tort quand il dit que je suis idiote de te parler dans un enregistreur depuis si longtemps, que je suis idiote de m'enfermer pour te parler, de perdre mon temps, que je suis idiote de toute façon parce qu'il prétend que tu ne recevras jamais ce message et que ni ton village ni toi vous n'existez plus.

Quand je lui ai dit que tu étais protégée par un mur de cinq mètres, il a éclaté de rire en me disant, ma pauvre petite Fumi tu n'as rien compris, petite vermine, tu ne sais pas que ton mur de merde il a été balayé par des vagues de dix ou quinze mètres ? Tu n'as pas compris que Mamie ne recevra jamais ton enregistreur ? Tu ne comprends donc pas qu'elle ne t'entendra pas et que tu ne la reverras jamais ? Crevette, petite vermine, Papa et Maman ne veulent pas te le dire, ils ont peur de te dire la vérité mais la vérité c'est que Papy et Mamie et tous les autres, la mer s'est jetée sur leur village et que personne n'a pu résister, personne, sauf à être parti très vite, très tôt, mais Papy et Mamie sont trop vieux pour ça. Ils n'ont pas pu courir. Ils n'ont pas pu, Fumi, tu comprends ? Ils n'ont pas pu et arrête de faire ton idiote qui ne veut pas comprendre. Il faut regarder la vérité en face, Papy et Mamie sont morts et c'est tout. Moi j'avais l'enregistreur dans la main et je savais que tu étais vivante. Il faut que tu sois vivante, il le faut, Mamie. Mamie, il faut parce que sinon à quoi bon parler dans le vide, à quoi bon parler pour personne, sinon ? Et j'ai serré très fort l'enregistreur et je ne veux pas imaginer l'eau qui rentre dans ta bouche et la vague au-dessus de ta maison. C'est impossible, impossible, je ne veux pas. Impossible cette ombre au-dessus, ce froid, ce bruit, c'est horrible et alors papa a voulu qu'Ichiro se taise et c'est la première fois que j'ai vu papa prêt à frapper Ichiro et Ichiro qui continuait, il pleurait, il criait, il criait, morts, morts, ils sont morts et il a dit que Papa était un lâche, que Papa et Maman étaient des menteurs et des lâches et que ça suffisait. Alors pour la première fois Papa a giflé Ichiro et alors je me suis demandé si c'était toi ou moi qu'il voulait qu'on laisse tranquille, Papa, ou nous deux. Je me suis demandé comment j'avais pu croire que Papa m'aimait moins qu'il aimait Ichiro.

Et aussi... enfin, non, il faut que je me taise. Le jeune homme de l'accueil doit partir pour la poste, ça fait deux fois qu'on m'interrompt pour que je finisse. Alors je finis. Je me dépêche, chère Mamie, petite Mamie que j'embrasse, et Papy aussi bien sûr (j'ai juste pris le temps ce matin de terminer pour te raconter toute l'histoire, mais maintenant c'est fini, il faut arrêter).

Alors, dix minutes après, Fumi regarde le jeune homme sortir de l'hôtel, dans le froid de ce petit matin lumineux de mars, à Paris. Elle veut accompagner le jeune homme jusque sur le trottoir, mais son père lui demande de remonter dans la chambre pour se préparer à sortir. Il lui dit que ce matin on ira à Auvers-sur-Oise voir l'église que Van Gogh a peinte. Fumi remonte chercher son manteau, son père lui dit que tout va bien se passer. Il lui sourit, elle a confiance en lui, Papa ne ment jamais.

Le jeune homme part avec l'enregistreur en se disant qu'il a bien compris que le papa de Fumi voulait vraiment qu'il aille à la Poste pour envoyer le colis. Il se dit qu'il tiendra sa promesse, il apportera un reçu pour prouver sa bonne foi. Il voudrait écouter la voix de la petite fille, même s'il ne parle pas un mot de japonais, mais il ne le fera pas, ce message a quelque chose de secret et de pur. Il sait que les circonstances sont exceptionnelles, et il essaie d'imaginer ce que ce doit être de vivre loin de son pays lorsque celui-ci vient de connaître un drame pareil.

Il marche, il va rue du Louvre pour se rendre à la Poste. Il connaît très bien Paris et se dit que lui aussi aimerait partir très loin, juste pour aller voir comment son cœur battrait – si ce serait avec le même rythme, avec la même confiance et la même légère appréhension face à la vie, ou s'il la verrait renouvelée, au contraire, et s'il la regarderait avec plus d'émerveillement, d'éblouissement, comme un nouveau-né. Comment il verrait sa propre vie, vue d'ailleurs. Il regarde souvent les images des vitrines des agences de voyages et se dit qu'un jour, c'est sûr, il franchira la porte. Il passera le seuil et, dans un catalogue qu'une jeune femme souriante lui proposera, il trouvera une offre éblouissante, des noms fabuleux à des prix défiant toute concurrence.

Pour l'instant, il entre dans le bureau de poste de la rue du Louvre, il imagine les lettres et les colis par milliers, les gens qui circulent au même moment partout dans le monde. Il imagine les montagnes de sacs postaux et il pense à tous ces mots, par millions, qui s'écrivent, se lisent, se froissent, s'oublient, s'ignorent, et à tous ces gens qui se frôlent et ne se rencontreront jamais.

Remerciements

Je tiens à remercier Jacques et Claudine Charpentier, Stéphane Épin, Karine Germoni, Marylène Malbert, Marie Nimier, Nadine Renault et Jean-Stéphane Sauvaire pour leurs photographies, mais aussi tous les nombreux amis qui m'ont aidé par leurs précieux conseils, avis et soutien.

CET OUVRAGE A ÉTÉ ACHEVÉ D'IMPRIMER LE VINGT-
QUATRE NOVEMBRE DEUX MILLE QUATORZE DANS
LES ATELIERS DE NORMANDIE ROTO IMPRESSION S.A.S.
À LONRAI (61250) (FRANCE)
N° D'ÉDITEUR : 5758
N° D'IMPRIMEUR : 1404586

Dépôt légal : novembre 2014

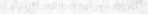